PT

標準理学療法学　[専門分野]

シリーズ監修　奈良　勲　広島大学・名誉教授

運動療法学 総論

第5版

■ 監修

吉尾雅春　千里リハビリテーション病院・副院長

■ 編集

福井　勉　文京学院大学・学長

医学書院

標準理学療法学　専門分野
運動療法学　総論

発　　　行	2001 年　5 月　1 日　　第 1 版第 1 刷
	2004 年　7 月 15 日　　第 1 版第 7 刷
	2006 年　3 月 15 日　　第 2 版第 1 刷
	2008 年 11 月　1 日　　第 2 版第 4 刷
	2010 年　2 月　1 日　　第 3 版第 1 刷
	2015 年 12 月 15 日　　第 3 版第 8 刷
	2017 年　1 月　1 日　　第 4 版第 1 刷
	2023 年　1 月　1 日　　第 4 版第 7 刷
	2023 年 12 月 15 日　　第 5 版第 1 刷 ©

シリーズ監修　奈良　勲
なら　いさお

監　　　修　吉尾雅春
よしお　まさはる

編　　　集　福井　勉
ふく　い　つとむ

発　行　者　株式会社　医学書院
　　　　　　代表取締役　金原　俊
　　　　　　〒113-8719　東京都文京区本郷 1-28-23
　　　　　　電話　03-3817-5600(社内案内)

組　　　版　ウルス
印刷・製本　リーブルテック

執筆者一覧<執筆順>

福井　勉　　文京学院大学・学長

常盤直孝　　フィジカルケア宮崎・代表

舟木一夫　　羽島市民病院リハビリテーション科・技師長

谷　浩明　　国際医療福祉大学保健医療学部理学療法学科・教授

大西秀明　　新潟医療福祉大学リハビリテーション学部理学療法学科・教授

久保雅義　　新潟医療福祉大学リハビリテーション学部理学療法学科・教授

福富利之　　脳と身体のリハビリテーション ふくりは・施設代表

神津　玲　　長崎大学大学院医歯薬学総合研究科・教授

高橋哲也　　順天堂大学保健医療学部理学療法学科・教授

木村　朗　　群馬パース大学大学院保健科学研究科・教授

髙田雄一　　北海道文教大学医療保健科学部リハビリテーション学科・教授

奥村晃司　　川嶌整形外科病院リハビリテーション部・統括科長

森口晃一　　森寺整形外科・統括部長

加藤　浩　　山形県立保健医療大学大学院保健医療学研究科・教授

中山恭秀　　東京慈恵会医科大学医学部医学科リハビリテーション医学講座・准教授

大田幸作　　フィジオセンター

儀間裕貴　　東京都立大学健康福祉学部理学療法学科・准教授

布施陽子　　文京学院大学保健医療技術学部理学療法学科・助教

岡田匡史　　横浜 DeNA ベイスターズ ハイパフォーマンスグループ

塙　敬裕　　アントラーズスポーツクリニック

中村僚太　　PhysioGrand・代表

刊行のことば

　わが国において正規の理学療法教育が始まってから40年近くになる．当初は，欧米の教員により，欧米の文献，著書などが教材として利用されていた．その後，欧米の著書が翻訳されたり，主にリハビリテーション医学を専門とするわが国の医師によって執筆された書籍などが教科書，参考書として使われる時期が続いた．

　十数年前より，わが国の理学療法士によって執筆された書籍が刊行されるようになり，現在ではその数も増え，かつ理学療法士の教育にも利用されている．これは，理学療法の専門領域の確立という視点から考えてもたいへん喜ばしい傾向であり，わが国の理学療法士の教育・研究・臨床という3つの軸がバランスよく噛み合い，"科学としての理学療法学"への道程を歩み始めたことの証ではないかと考える．

　当然のことながら，学問にかかわる情報交換も世界規模で行われる必要があり，また学際領域での交流も重要であることはいうまでもない．さらに，情報を受けるだけではなく，自ら発信する立場にもなることが，真に成熟した専門家の条件ではないかと思われる．

　1999年5月に横浜で開催された第13回世界理学療法連盟学会では，わが国の数多くの理学療法士によって演題が報告され，上記の事項が再確認されると同時に，わが国の理学療法学が新たな出発点に立ったことを示す機会ともなった．

　一方で，医療・保健・福祉のあり方が大きな転換点にさしかかっている現在，理学療法士には高い専門性が求められ，その領域も拡大している．これらの点から，教育・研究・臨床の専門性を構築していくためには，理学療法学の各領域における現段階でのスタンダードを提示し，卒前教育の水準を確保することが急務である．

　このような時期に，「標準理学療法学・作業療法学 専門基礎分野」シリーズ全12巻と並行して，「標準理学療法学 専門分野」シリーズ全8巻が刊行の運びとなった．

　20世紀を締めくくり，21世紀の幕開けを記念すべく，現在，全国の教育・研究・臨床の分野で活躍されている理学療法士の方々に執筆をお願いして，卒前教育における必修項目を網羅することに加え，最新の情報も盛り込んでいただいた．

　本シリーズが理学療法教育はもとより，研究・臨床においても活用されることを祈念してやまない．

2000年12月

シリーズ監修者

昭和 40 年(1965 年)に「理学療法士及び作業療法士法」が制定され，わが国に理学療法士が誕生した．しかし，それ以前から理学療法従事者によって理学療法が行われていた経緯がある．その過程で，いつしか“訓練”という言葉が，“理学療法”，“運動療法”，“ADL”などに代わる用語として頻繁に用いられるようになってきた．その契機の 1 つは，かつて肢体不自由児(者)に対して“克服訓練”が提唱された名残であるともいわれている．しかし，“訓練”という概念は，上位の者や指揮官が特定の行為・行動などを訓示しながら習得させるという意味合いが強い．軍事訓練，消火訓練などはその例である．また，動物に対して，ある芸や行為，行動などを習得させるときにも用いられる．

　理学療法士は対象者と同等の目線で対応することや，インフォームドコンセント(informed consent)が重要視されている時代であることからも，「標準理学療法学 専門分野」シリーズでは，行政用語としての“機能訓練事業”および引用文献中のものを除き，“訓練”という用語を用いていないことをお断りしておきたい．

シリーズ監修者

第5版 序

　標準理学療法学シリーズの『運動療法学 総論』が4度目の改訂を行うことになった．海外の理学療法を見学すると物理療法の占める割合が日本より大きいと感じることがあるが，わが国において，運動療法は理学療法の中心的存在である．

　今回の改訂にあたっては，執筆者に本書が初学者も読む教科書であることを意識してもらい，専門的な内容はできるだけ他書に譲ることとして，基本的内容をベースとして多くの図表を用いて解説いただくようお願いした．もちろん，章によっては専門的な内容を含んでいることもあり，また各章で内容の重複がみられる箇所もあるが，これらは表現の違いや重要性の観点からあえてそのまま掲載することとした．読者の皆さんには，記述の重複は異なる視点で書かれた重要な論点として，特に深く学んでいただきたい．

　今回，姉妹書である『運動療法学 各論』も同時改訂されたが，『各論』と連動する形で「小児」や「女性」「スポーツ選手」に対する運動療法の章を新設した．近年，理学療法士が活躍する領域は多様な広がりをみせており，基本知識の範囲も拡大していることがその理由である．このように運動療法の対象は広範であるが，その一番の理由は「運動」という概念そのものが大変広い範囲にわたることによる．運動器疾患に関しては無論だが，運動は当然，呼吸・循環・代謝系に深くかかわりがあり，また中枢神経とのかかわりから運動学習や運動制御といった概念の理解が必要となる．本書の「第Ⅱ編 運動療法の基礎理論」には，これらの内容を網羅的に収載した．

　本書の読み方として，まず第Ⅱ編で基礎理論を学び，その理論を背景として「第Ⅲ編 基本的運動療法」へと読み進めていくことが一般的と考えるが，実践的な動機づけも重要であるため，第Ⅲ編を読み進めながら，第Ⅱ編を辞書的に用い，第Ⅲ編の学習を終えたのちに，第Ⅱ編を通読するという方法も考えられる．本書はどちらの方法にも対応できる構成をとっており，各教育機関のシラバスに沿って学習を進めていき，カリキュラムを修了したのちに本書を読み返せば，さらに理解が進むものと思う．

　先にも述べたとおり，本書には臨床でも活きるような専門的知識が盛り込まれている．このため，高学年になってからの活用も可能である．疾患ベースの学習では，各疾患の医学的知識はもちろんのこと，疾患の特性に合わせた運動を考慮する機会が増える．そのようなときに本書を再び開けば，基本に立ち返りつつ，新たな発見やヒントを得ることができるであろう．

　また，理学療法士の養成課程で解剖学，生理学，病理学などの基礎医学と並行して運動療法を学ぶ場合にも，それらと相互補完的に本書を活用することが可能である．

　本書は運動療法を学ぶ学生の学習しやすさを考慮しつつ，各教育機関のカリキュラムに柔軟に対応できるように構成された．何度でも読み返し，学びを深めることができる教科書である．読者の皆さんには，ぜひ本書をボロボロになるまで読み込んでもらいたい．本書を通じて皆さんの運動療法の理解にかかわることができれば，本書編集者としてこのうえない幸せである．

2023 年 10 月

福井　勉

初版 序

　理学療法の最も大きな柱として運動療法は位置づけられている．解剖学や生理学，運動学，あるいは病理学などを背景に，理学療法士が得意とする分野である．専門教育の場においても運動療法に関する講義，演習，実習には多くの時間が割かれている．この「標準理学療法学 専門分野」シリーズでも同様の扱いになっている．運動療法学については「総論」と「各論」に分けて刊行することになったが，特に本書「総論」は，運動療法を行う前提として知っておかなければならない基本的な内容の構成となっている．

　運動療法は主に機能障害，すなわち生物医学的な問題にかかわる理論および技術として発展してきた．治療医学にもリハビリテーション医学にも不可欠な領域として存在している．在宅における理学療法であっても，運動療法の背景となる基礎知識と技術は当然求められる．一方，近年，運動療法中心で生活や人間をとらえていない病院理学療法のあり方が問われている．生物医学的側面，社会科学的側面のいずれに偏重しても効果的な理学療法は展開できない．

　世界は EBM（evidence-based medicine）あるいは EBP（evidence-based practice in physical therapy）を求めている．そのためには生物医学的な絶対論的決定要因と，経験による確率論的要因は特に重要である．理学療法，とりわけ運動療法では積極的な取り組みが必要であり，信頼される理学療法になるか否かは正当なエビデンスをどれだけ共有できるかが大きな要因になる．臨床における経験は貴重なものであり，それによって理学療法士も成長する．それがデータになれば確率論的要因としてのエビデンスにはなりうる．しかし，経験則による思い込みと馴れ合いの運動療法だけは避けなければならない．常に原点に戻って事象をとらえ，アプローチしていく姿勢が大切である．たかが拘縮，されど拘縮である．関節可動域制限の原因をどのように理解し，いかに分析して運動療法を実施するか．いろいろな特殊な技術や体系を学ぶだけではなく，この基本的課題に真摯に取り組んでいくことも必要である．

　理学療法がより高度な専門性へと発展していくために，21 世紀では根幹となる運動療法の基礎を理学療法士自らが創造的に再構築しなければならない．本書を足がかりにして，エビデンスがより正当なものへ進化していくことを，そして運動療法の基礎となる本書が早い時期に改訂されていくことを期待したい．運動療法の専門家である理学療法士であるがゆえに著すことができた本書が，理学療法士を目指す諸君の礎になれば幸いである．

　2001 年 4 月

吉尾雅春

9 運動の種類　高田雄一　136

III 基本的運動療法

1 関節可動域運動　奥村晃司　146

2 筋力増強運動　森口晃一　163

3 持久力増強運動　加藤 浩　178

I

概念

運動と運動療法

- 運動とは何か，運動療法とは何かについて理解し，本書の全体構造を知る．

A 運動とは

運動にはさまざまな定義があるが，本書にかかわる内容では，**身体運動**のことを指す．それは身体全体が動くことだけではなく，呼吸・循環・代謝運動などの機能的側面を示す場合も含まれる．また，眼球運動など身体の一部分の動きから全身の動き，ピアニストの指先の精緻な動きからアスリートの運動など，とても幅が広い．運動は動物である人間の根源ともいうことが可能で，本書ではこれを容易に説明するために日常生活におけるさまざまな運動を要素に分割して述べる．対象となる患者，障害者の運動への向き合いに関する意識の個人差は大きく，日常生活へうまく取り込むことが重要である．

B 運動のもたらすもの

1 運動の有益性

運動をすることにより，心身への好影響があり，健康増進，疾病予防などすばらしい効果があるとされている．また運動強度の基準について，いくつもの報告がある[1-3]．運動をすることによって，高血圧，糖尿病，肥満などの罹患率が低くなるなど得られる効果は多面的である．呼吸・循環・代謝機能向上あるいは基礎代謝増大のような身体機能の改善だけではなく，気持ちが上向く精神的効果も大きく，健康寿命延伸に寄与する．しかし現代社会では，日常生活における家電品開発，自動車などの交通手段の発達などにより，身体運動の総量は減少している．職業によってはほとんどの仕事を座位で行うなど，身体運動を減少させる要因は生活全般に認められる．これらは生活習慣病増大にも影響を及ぼしている．

理学療法士は運動のすばらしい効用を用いながら，専門家として対象者の運動について詳細な評価を行う能力が必要となる．また運動を行うことで生じる身体変化のメカニズムについても理解しながら，その変化全体を包含する視野で対象者に還元することが必要である．

2 身体運動の例

a ストレッチング

ストレッチングにより筋や関節が伸張されて，柔軟性が向上する．またそのことにより，筋などに組織的変化を生じさせることで姿勢や動作への好影響がある．ストレッチングは関節可動域拡大や筋緊張低下にも有益である．一般的には伸張状態を 30 秒間保つことが関節可動域を増大させる

ために効果的である[4]とされている.

理学療法においては限られた部位の軟部組織のストレッチングがよく行われ,そのことにより関節運動の改善が見込まれることが多い.

b 有酸素運動

健康効果を得るためには,1週間を通して,中強度の有酸素性の身体活動を少なくとも150〜300分(成人・高齢者),高強度の有酸素性の身体活動を少なくとも75〜150分(成人・高齢者),またはその組み合わせによる同等量を行うべき[2]とされている.また,妊娠中および産後女性では少なくとも週に150分,子どもと青少年では1日60分が必要であるとされている[2].

理学療法では運動の量的管理,心肺系疾患,代謝疾患のリスク管理が重要になる.

c 筋力増強(強化)

筋力増強はフリーウエイトやマシンあるいは自重などを用いて筋収縮をおこさせる.強度や運動量の設定は目的により異なる.筋力増強や筋持久力強化の量的基準は重要である.

理学療法としての筋力増強においては,主動作筋,共同(協働)筋,拮抗筋あるいは表在筋,深層筋といった筋どうしの関係性やトレードオフなどを考慮した選択的筋力増強,いわば質的基準も重要になる.

3 運動に関する基礎理論

運動というと前述のようなことが想起されるが,理学療法において運動について必要となる知識は多い.

本書では,運動に関する基礎理論として次のようなことを学んでいく必要がある.関節運動,筋と筋収縮,随意運動と運動制御の生理,運動制御と運動学習,運動と神経・呼吸・循環・代謝,運動の種類について学ぶことで,運動療法の基盤をつくることができる.また,高等学校までの生物基

礎,化学基礎,物理基礎についても,学習していない事項についてはあらかじめ学んでおきたい.

C 運動の法則

量子力学や相対性理論とならび古典力学といわれるニュートン力学の体系は依然として,運動や運動療法を考慮するうえで重要な概念である.身体運動の観点から3つの法則について述べる.

- 第1法則:身体に外力が作用しないと,静止状態であれば静止状態を続け,運動中であれば運動を持続する.
- 第2法則:身体の加速度は外力に比例し,質量に反比例する.
- 第3法則:身体がほかに力を及ぼすとき,身体は同じ大きさで反対方向の外力を受ける.

身体全体に影響する外力が運動を生じさせる.外力は重力となんらかの身体接触部位から受ける力であり,日常生活では接触は床や座面となる.一方で身体内部でもさまざまな力が作用しており,筋もその1つである.筋の起始と停止には互いを引き合う力が作用するが,目的動作に叶うように共同筋や拮抗筋を自動的に作用させる.たとえば,背筋を伸ばした端座位から股関節を屈曲して足を床から離すと,股関節屈曲筋群が作用するだけではなく,体幹を直立に保とうとする場合,自動的にハムストリングスが収縮する.これは股関節屈曲筋の起始と停止が近づくときに生じる骨盤前傾を抑制させる自動的な後傾トルクの結果である.

関節モーメントを重力と床反力の両方から考える例をあげる.図1は静止している人の関節に作用するモーメントを模式化したものである.膝を曲げた状態で静止しており,膝関節より上部に位置する身体の質量中心は膝関節より上方かつ後方に位置する.そのため膝関節を屈曲させようとするモーメントが作用(外的モーメント)することにより,姿勢維持のためには膝関節を伸展させる

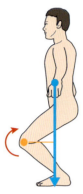

▶図 1　重力から考える例

膝関節から上部の身体質量中心に重力（青矢印）が作用している模式図．重力は膝関節を屈曲させようとする回転効果があり（外的屈曲モーメント），この肢位を保つためには，それに対抗する赤矢印方向の回転トルクを生み出さなくてはならない（内的伸展モーメント）．

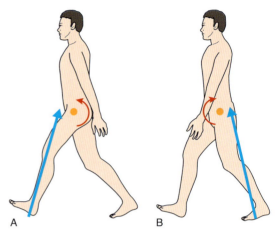

▶図 2　床反力から考える例（歩行の模式図）

A：左接地初期時に床反力（青矢印）は左股関節前方に作用し（外的屈曲モーメント），この肢位を保っていればそれに対抗する赤矢印方向の回転トルクを生み出す（内的伸展モーメント）．
B：左立脚終期に床反力（青矢印）は左股関節後方に作用し（外的伸展モーメント），この肢位を保っていればそれに対抗する赤矢印方向の回転トルクを生み出す（内的屈曲モーメント）．

モーメント（内的モーメント）が必要となる．この外的モーメントと内的モーメントの差が膝関節を屈伸させることになる．

　床反力から考える例をあげる．歩行中の初期接地期に床から受ける力（床反力）は股関節前方を通過するために，股関節伸展筋が作用する．また立脚後期には股関節後方を通過する床反力に抗するため，股関節屈曲筋が作用する（▶図 2）．体を前後左右に傾けて，この床反力の大きさや方向を自動的に工夫しながら歩行することもできる．その際に内的モーメント発揮のための筋活動が必要になり，日常的に過剰使用する筋では必然的に筋緊張が亢進する．理学療法評価において筋緊張だけに着目してしまうと，動作との因果関係を疎かにする場合がある．そのため筋緊張を低下させる運動療法（結果に対する運動療法）を選択してしまうことになりがちである．このように評価する項目ごとの因果関係を追求する必要があり，そのためにも運動に関する基礎理論を学ぶ必要性がある．

Ｄ　運動療法とは

　運動療法は運動を治療に用いることを指す．理学療法の中心である運動療法は身体全体あるいは部分的な運動を通じてさまざまな効果を利用し，治療に役立たせる．前項での「運動」が身体運動を示すものであることからわかるように，対象は非常に広い．また運動療法は疾患や障害の予防にも有効であり，アンチエイジングにも好影響を及ぼす．このように，運動への向き合い方をすべての人が積極的に考える時代になっている．

　理学療法とは「理学療法士及び作業療法士法」第二条によると「身体に障害のある者に対し，主としてその基本的動作能力の回復を図るため，治療体操その他の運動を行なわせ，及び電気刺激，マッサージ，温熱その他の物理的手段を加えることをいう」と定義されている[5]．1965 年制定の法律であるが，治療手段の最初に書かれているとおり，運動療法が中心であることはまったく変わっていない．「基本動作，障害に対する維持改善をはか

り，日常生活を行う能力を維持，向上させるために身体的，精神的機能回復をはかること」とも換言できる．

　理学療法士が行う運動療法には，関節可動域運動，筋力増強運動，持久力増強運動，協調性運動，バランス運動などがある．また運動療法は，運動器系，中枢神経系，内科系，産科・泌尿器科・小児科系疾患などにより生じるさまざまな障害に対して，運動を利用して治療に応用するものともいえる．前述の理学療法士及び作業療法士法のなかの身体に障害のある者の定義が拡大しており，関連疾患を標榜する対象診療科も増えている．

　厚生労働省によると，運動療法は「障害や疾患の治療や予防のために運動を活用すること」[6] とされ，整形外科的なアプローチから，生活習慣病改善や心臓リハビリテーションのような内科的アプローチも臨床で活用されている．

　健康寿命の延伸，人生100年時代を考えると運動療法の価値は重要性を帯び，同時に運動することに対する意識，障害を予防する意識の高まりに呼応する人材育成も必要になると考えられる．

E　運動療法の種類

　運動療法は前述の定義からもわかるように，主として日常生活を行う能力を高めるために行われる．日常生活は，自分自身で自立した生活を送ることが基本と考えられるが，高度な運動能力を必要とするスポーツ選手などにおいてはライフスタイルを含めた広義での日常生活など，個人に合った運動療法を考える必要性がある．

　実際の運動療法は，本書第Ⅲ編「基本的運動療法」で述べられている．これらは対象に合わせた形で選別され処方される．運動学習要素が大きい場合が多いが，運動療法によっては短時間での効果を狙ったものもある．また基本的運動療法は単独で行われるだけではなく，組み合わされる場合も多い．

▶表1　運動療法の種類と基本的運動療法

①関節可動域の適正化：関節可動域運動
②運動に必要な筋力・筋持久力を向上させる：筋力増強運動
③全身持久力を向上させる：持久力増強運動
④運動の協調性を獲得する：協調性運動
⑤バランスを獲得する：バランス運動

　関節可動域に制限があると日常生活が遂行困難なことがある．また筋力低下があっても同様である．そのため日常生活において困難である要素を特定して，問題を解決するために，理学療法評価が行われる．要素還元的には個別評価を解決すれば問題がなくなると考えがちだが，実際には要素ごとに原因と結果が複雑に絡み合っている．心身機能・構造の問題に限定しても，これらの因果関係は時間的経緯とともに変化する．結果に対しての運動療法は一時的効果になる場合が多く，その結果を引き起こした原因に対して施行する運動療法が望ましいと考えられる．一般的には表1のような基本的運動療法がある．

1 関節可動域の適正化

　関節可動域には参考可動域がある．2022年に日本リハビリテーション医学会，日本整形外科学会，日本足の外科学会合同で「関節可動域表示ならびに測定法」改訂が行われた[7]．その付記にもあるが，関節可動域は，人種，性別，年齢などによる個体差も大きいとされる．また関節可動域は，小さすぎても大きすぎても不利益がある．

2 筋力・筋持久力の向上

　臨床的に筋力評価は徒手筋力検査法によるものが一般的であり，機器による評価が補足的に追加される場合がある．筋力低下は日常生活を行ううえで問題になることがある．また日常生活では同じ動作を繰り返し行うことがあるため，筋持久力が問題となる場合もある．筋持久力は筋の繰り返し負荷に対する持続能力である．

3 全身持久力の向上

　持久力は日常生活を行ううえで影響を与える大きな要素である．前述の筋持久力と全身持久力に大きく分けられる．**全身持久力**は，ある強度の運動を持続する能力を指す．呼吸・循環系運動が活発に行われ，強度は最大酸素摂取量に対する割合で決められることが多い．

4 協調性の獲得

　協調性運動とは調整した運動施行が意図的にできることであり，脳血管障害などで小脳やその投射路などが障害されると協調した運動遂行が困難になる．協調性運動障害は失調症と呼ばれ，歩行の不安定性など円滑な運動が不可能になる．

5 バランスの獲得

　バランス能力とは静止姿勢または動的動作中の姿勢を任意の状態に保つ，また不安定な姿勢から速やかに回復させる能力[8]であり，身体重心や外力に抗して支持基底面を維持したり，支持基底面を変更することで対応する．また広義では，関節運動における動筋と拮抗筋のバランス，inner muscle と outer muscle のバランスなどにも使われる．

F 運動療法の対象

　運動療法の対象は非常に広範囲であり，診断名だけではなく身体症状に基づいて施行される場合もあるため分類は一定していない．**表2**の分類は本書の姉妹書『標準理学療法学 専門分野 運動療法学 各論』に基づくものである．**表2**以外では近年対象となっている産婦人科の産前産後の運動療法，泌尿器科における尿失禁の運動療法などの

▶表2　運動療法の対象

筋骨格系の運動療法	● 骨折・脱臼 ● 膝の靱帯・半月板損傷 ● 腱断裂 ● 関節リウマチ ● 変形性膝関節症，人工関節置換術 ● 側弯症 ● 疼痛疾患（腰痛症，肩関節痛） ● 脊髄損傷 ● 腰部脊柱管狭窄症 ● 頸椎症性脊髄症，頸椎後縦靱帯骨化症 ● 切断 ● 熱傷
神経障害系の運動療法	● 脳血管疾患 ● パーキンソン病 ● 脳外傷 ● 脳性麻痺 ● 脊髄小脳変性症 ● 筋萎縮性側索硬化症 ● 多発性硬化症 ● 神経炎（ギラン・バレー症候群），筋炎 ● 筋ジストロフィー ● 末梢神経障害
内部障害系の運動療法	● 呼吸器疾患 ● 循環器疾患 ● がん疾患（悪性腫瘍） ● 腎疾患 ● 肝疾患 ● 糖尿病
その他の疾患の運動療法	● ICUにおける運動療法（人工呼吸器の管理を含む） ● 廃用症候群とサルコペニア

〔吉尾雅春（監）：標準理学療法学 専門分野 運動療法学 各論．第5版，医学書院，2023 を参考に作成〕

ニーズがある．さらに，動物病院などで動物を対象とした運動療法も少ないが実施されている．

　これら運動療法が行われている場所としては，総合病院，一般病院，診療所，特別養護老人ホーム，介護老人保健施設，訪問介護ステーションなどがある．また，運動療法の専門家として，プロや社会人のスポーツチーム，あるいは中学，高校，大学，クラブなどのスポーツチームなどでも理学療法士が活動している．

●引用文献

1) Committee PAGA: 2018 Physical Activity Guidelines Advisory Committee Scientific Report. Department of Health and Human Services, Washington, DC, 2018.

2) World Health Organization: Physical activity. https://www.who.int/news-room/fact-sheets/detail/physical-activity

3) 厚生労働省:「健康づくりのための身体活動基準 2013」及び「健康づくりのための身体活動指針(アクティブガイド)」について. https://www.mhlw.go.jp/stf/houdou/2r9852000002xple.html

4) Bandy, W.D., et al.: The effect of time and frequency on static stretching on flexibility of the hamstring muscles. *Phys. Ther.*, 77(10):1090–1096, 1997.

5) 理学療法士及び作業療法士法(昭和四十年六月二十九日法律第百三十七号).

6) 厚生労働省:運動療法. e–ヘルスネット[情報提供]. https://www.e-healthnet.mhlw.go.jp/information/dictionary/exercise/ys-086.html

7) 日本リハビリテーション医学会:関節可動域表示ならびに測定法改訂に関する告知(2022 年 4 月改訂). https://www.jarm.or.jp/member/kadou.html

8) 厚生労働省:バランス運動の効果と実際. e–ヘルスネット[情報提供]. https://www.e-healthnet.mhlw.go.jp/information/exercise/s-04-009.html

第2章

理学療法のなかの運動療法

学習目標
- 運動療法の目的・意義を理解する.
- 運動療法をどのように用いるかを理解する.
- 運動療法の課題と今後の方向性について展望する.

A 従来の運動療法

1980年代後半までの運動器疾患に対する理学療法は, 局所に対するアプローチに終始していた. 膝関節, 股関節, 肩関節など局所のみの評価と理学療法が中心に行われ, 隣接する関節や全身の運動機能が局所にどのような影響を与えているかについてや, 評価方法, 運動療法をどのように実施していけばいいのかについては, 明確なエビデンスは存在しなかった. その後,「動的関節制動訓練」の概念が発表されてから運動連鎖という言葉が徐々に浸透し, 関節運動に神経生理学的な考え方が重要であることが認識され始めた. 力学的平衡理論の提唱などをはじめ, 姿勢や動作を力学的に評価し展開していくことの重要性が唱えられてから, 力学的要因を用いてどのように関節障害を評価し, 運動療法に生かしていけばよいのか, 徐々にその概略がみえてきた.

1990年代〜2000年にかけて, わが国の運動器理学療法は大きな変革期を迎え, さまざまな概念や手技などが海外から導入された. これらとわが国において独自に開発されてきた技術がうまく融合しながら, 発展を遂げてきた.

歴史上の過程を知ることにより, 運動療法が膝関節や肩関節など局所のみに実施されても, 十分な結果が出ないことは明白である. 痛みを生じた関節機能障害がある部位は, 他の部位の影響によって障害を受けた, いわば被害者であり, 真犯人である痛みに影響を与えている部位, つまり大きな機能障害の原因になっている部位を特定し, その機能障害を改善していかなければ, 運動療法の効果は期待できない. 痛みに限らず, 動作を効率的に行ううえで重要なことは, 局所の評価と同時に, 全身が局所に与える影響と, 局所が全身に与える影響を双方向から考えていく能力が必要である.

B 理学療法のなかの運動療法

理学療法の手段は, 物理療法や水治療法, 徒手療法などさまざまであるが, そのなかで運動療法の果たすべき役割は大きい. 人は, さまざまな活動を重力環境下で行っており, 重力環境に適切に対応できる身体機能を有していなければ, 地球上での活動はできない. 運動療法は, それを具現化していく1つの手段といえる.

立ち上がり動作で痛みが生じた場合, 痛みは結果として生じるものであり, 痛みの部位や組織を特定して, そこにどのような力学的ストレスが生じているかを考えることが重要である. 内的膝関節伸展モーメントが膝関節屈曲モーメントを上回っている場合, 膝蓋大腿関節には, 非常に大き

な圧迫ストレスが生じる．膝蓋骨周辺の関節包靱帯や膝蓋支帯には大きな負荷が生じ，膝蓋骨の可動性は低下する．結果的に膝蓋大腿関節に生じる圧迫負荷をうまく緩衝する機能が低下するため，痛みや変形などを生じる可能性がある．それに伴い筋力も低下するため，関節コントロールがうまくできずに立位バランス低下や立ち上がり動作困難，歩行の不安定性をまねく可能性がある．機能解剖を理解し，どの組織に負荷が生じているかを評価して，問題となる動的不安定性を改善するために，運動療法を用いて安定した動作を獲得することが重要である．

　理学療法では，痛みと動きの関係を生体力学的視点で解釈し，機能解剖に置き換えて考察し，症状が発現した原因を医学的視点で解釈することが重要である．筋の機能的バランスや筋力低下，姿勢異常などにより，本来持ち合わせているべき機能が低下している人に対して，その身体機能を取り戻すことにより症状の改善に導くのが，理学療法士の役割である．

　運動療法は，理学療法の中心に位置づけされ，理学療法士の専門分野である．運動療法とは，運動を治療手段として人の運動機能を改善し，痛みや動作の不具合など日常生活やスポーツ動作，職場での作業環境などにも対応できる運動機能を再構築するための唯一の手段である．運動機能低下は，誰にでもおこりうることであり，これを解決する運動療法は，理学療法士の重要な武器であるといえる．理学療法士は運動療法を提供しつつ，運動と運動療法を明確に分けて実施していく必要がある（▶表 1）[1]．

　運動療法は，運動機能低下要因を探る作業である評価から始まる．立ち上がり動作や歩行時の安定性が欠如する場合，その要因を生体力学的，機能解剖学的に局所的，全身的視点から列挙する．運動連鎖の考慮も必要である．そのなかで最も可能性の高い要因に対して運動療法を実施し，症状を変化させることで自分の立てた仮説を検証していく作業をすることが重要である．立案した仮

▶ **表 1　運動と運動療法の違い**

理学療法士は，運動療法を機能改善のための手段として用いる．理学療法士は，運動療法の意味を理解し，対象者に運動をさせるのではなく，運動療法を通して運動機能の再構築に尽力しなければならない．

運動
①物体が時間の経過につれて，その空間的位置を変えること ②体育・保健のために身体を動かすこと ③生物体の能動的な動き

運動療法
①運動器に生じた機能破綻を，運動機能改善のために用いる手段 ②障害や疾患の治療や予防のために行う運動

〔「運動」．新村 出（編）：広辞苑．第 4 版，p.265，岩波書店，1991 より〕

説に基づいた運動療法に応じた症状の変化を対象者は体現する．運動療法を処方した結果が正しかったどうかは，対象者の示す動きを評価することで確認できる．身体のある部分が硬いからストレッチをする，徒手筋力テスト（manual muscle testing; MMT）で筋力が弱いからその部分の筋力増強運動をするなどの短絡的な戦略だけでは，対象者の症状や機能破綻を改善することはかなり難しいのではないだろうか．理学療法士が立案した仮説が正しいかどうかを，対象者のなかにある真実に目を向けることで証明していく態度が非常に重要である．

C　運動療法の意義

　組織の機能的連合が破綻し，システムとして機能しなくなった状態を**機能障害**という．身体機能（運動器系のみならず，神経系や免疫系，代謝系，内分泌系など）のあらゆる変化により，運動器が運動機能を十分に発揮できなくなった結果，**運動機能障害**が表面化する．

　運動器とは，骨，軟骨，靱帯，腱，筋膜，骨格筋，神経系，脈管系などの総称であり，身体の構成要素としてそれらの機能的連合によって運動と身体活動を担う．障害や疾患の治療や予防のために運

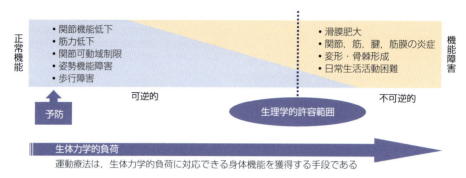

▶図 1　運動機能障害をとらえるシェーマ

運動機能は，人の身体機能のなかで，生誕時から重力環境下で力学的環境に対応できるように，成長・発達過程のなかで形づくられてきたものである．骨形態は，成長過程で力学的負荷の程度や状態に応じて形を形成し，靱帯はその負荷に対応するように線維化し肥厚して関節を安定させ，骨形態の変化とともに関節運動軸を形成して荷重に対応しながら動ける関節を形成していく．その負荷が過剰になり，対応できなくなったときに筋・腱の損傷，靱帯損傷，骨折や関節軟骨損傷などの障害を引き起こす．可動域制限や筋力低下が生じ，歩行困難や動作困難な状態になる．運動機能を正常に機能させることは，身体組織の保護にもつながり，健康に動ける身体づくりにも貢献する．

〔常盤直孝：高齢者における股関節疾患の評価．永井 聡，対馬栄輝（編）：股関節理学療法マネジメント，pp.118–133, メジカルビュー社，2018 より改変引用〕

動を活用することが運動療法の目的であり，それぞれの組織や機能的連鎖に由来するさまざまな機能障害に対して，再構築していく過程を指す．運動という力学的負荷を身体にかけることで，適切な反応を導き出すことが重要であり，対象者の身体に生じる症状の変化によって運動療法が適切であったかどうかを判断する必要がある（▶図 1）[2]．

運動療法によって機能破綻を改善していくことが，効率的なトレーニングをするうえでも重要である．一般的には，トレーニングと運動療法は，相の違いがあるために，運動療法の考え方をトレーニングに生かしていくことが大切である．

D　運動療法をどのように用いるか

運動療法には筋力増強運動，関節可動域運動，起立歩行練習などがある．これらは，ただ漫然と行っていても，対象者の機能破綻や機能障害の改善がはかれるわけではない．運動機能の低下が対象者の日常生活やスポーツ動作にどのような影響を与えているかを考え，適切な運動療法を実施していく必要がある．人が身体活動を行ううえで運動連鎖の破綻が生じた状態に対して，筋機能や関節機能，循環・代謝機能などの機能破綻が及ぼす身体活動への影響やそれらが生じた過程を明確にし，適切な治療組織や方法を選択する必要がある．筋力低下した筋に対して，該当する筋のみをターゲットとした筋力増強運動をしても十分な機能的改善は得られないし，逆に負荷が過剰であれば組織構造の破綻を生じることもある．

筋機能には，①パワー，②時間，③空間の要素があり，それぞれを考慮した適切な運動を処方しなければ，筋機能の改善ははかれない．現在行われている筋力増強運動は「①パワー」のみをターゲットにしたものが多く，十分とはいえない．これらの要素全体を考慮したトレーニングが必要である．また機能的バランスを考慮した運動療法も必要であり，身体活動に対して改善するべき要素を，対象者の反応をみながら判断していくことが重要である．パワーのみに着目した運動療法を実施しても，対象者に生じている問題が時間や空間の要素であれば，筋機能は改善しない．たとえば

膝関節靱帯損傷や足関節捻挫などは，筋機能の3要素すべてを考慮したプログラムの作成が重要である．

E　評価で運動療法の結果が変わる

運動療法を実施するには，対象者の運動機能を正しく評価することが必要である．評価結果をどのように運動療法につなげていくかで結果が大きく左右される．片脚立位で挙上側の骨盤が下制する場合，立脚側中殿筋の筋力低下が疑われるが，原因として考えられることはほかにもある．片脚立位では，前額面のみの評価だけでなく，骨盤の前傾・後傾といった矢状面や，骨盤の右回旋や左回旋が生じていないかなど，水平面での評価を行い，総合的な動きを評価する必要がある．そのうえで，どの筋やどの部位の動きが骨盤傾斜に影響を及ぼしているかを判断し，運動療法を実施して，その結果を忠実に再評価する必要がある．

対象者に生じている現象を，理学療法士が自分の期待に偏った解釈をするのではなく，対象者のなかにある真実にしっかり目を向ける客観性が非常に重要である．動きの問題を総合的にとらえ，どの筋の機能が低下していることが動作に影響を与えているかを考え，アプローチをしていく必要がある．胸郭や下肢関節アライメントなど，評価しなければならない項目は多い．それらに着目し，きちんとしたアプローチをしていくことで，挙上側の骨盤下制を改善するという効果が期待できる（▶図2）．

F　運動療法を創造的に展開する

運動療法を，ある疾患や症状に対して特定の運動パターンで実施する方法は，以前から存在する．

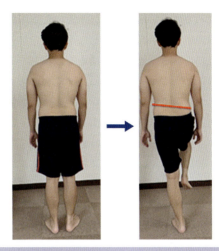

右骨盤がなぜ傾斜しているのだろうか
①立脚側の腰方形筋や中殿筋，腸腰筋は機能しているか？
②両脚立位→片脚立位になる際に，どのタイミングで挙上側骨盤が傾斜しているか？
③骨盤は前傾しているか？　後傾しているか？
④前額面上での頭部と胸部，胸郭と骨盤の位置関係は？
⑤矢状面上での頭部と胸部，胸郭と骨盤の位置関係は？
⑥立脚側の後足部や中足部，前足部は安定しているか？
⑦両脚立位時の骨盤は水平か？
⑧両脚立位アライメントが片脚立位アライメントに及ぼす影響は？

▶図2　片脚立位時に骨盤が傾斜する場合に考慮すべき事項

片脚立位時に骨盤が傾斜する場合，考慮すべきことを列挙した．このほかにも考慮すべきことは多い．筋が十分に機能していない場合，どのような原因が考えられるか，それが片脚立位や歩行や立ち上がり動作にどのような影響を与えているかを考え，運動療法を実施していく必要がある．

より多くの人に対して対応するようなポピュレーションアプローチとしてとらえると，これらの運動療法は一定の効果は発揮するが，各個人の問題に対応できるわけではない．関節周囲の痛みや筋力低下などのさまざまな症状は，それぞれに応じたそれぞれの機能障害問題を個別評価し，その人に合った運動療法を実施する必要がある．特定の症状に対して，特定の運動療法を実施するのではなく，創造的思考に基づいて運動療法を実施していかなければならない．

創造性とは，問題解決の能力である．現状を打破し，常に新しい状態に変えていくことである．常に新しいものを取り入れて同化していかないと

維持すらできない³⁾．自らが評価した臨床的事実と科学的事実を照らし合わせながら，常に効率的で結果の出せる評価，治療技術を創出していくことが重要である．そのためには，従来の考えのみに依存するのではなく，共存する態度が必要である．創造的に理学療法を展開しなければ，複雑に存在する機能障害の要因を特定し，症状を改善に導くことは容易ではない．基礎医学を基本に，運動学，機能解剖学，生理学，病理学など理学療法を実施していくうえで必要な知識を身につけ，運動療法に生かすことが，理学療法士として必要な考え方である．

創造的問題解決とは，定型的なパターンを当てはめることだけではなく，斬新的な方法，あるいは通常用いられないような方法で問題を解決することである．定型性や斬新性は，問題を解決する人間によって変化する．無意識的に固執した「制約」に気づき，その「制約」を取り払うことが重要である⁴⁾．

G 運動学をベースに考える

運動学的に「運動」をとらえることは重要である．荷重関節であれば，股関節や膝関節，足関節などの荷重した際の安定性を運動学的にとらえる必要がある．安定性が向上するということは，関節運動が正常に機能し，靱帯や筋などが関節に与える外力に対して適切に機能しているということ

である．それは，痛みや怪我の予防につながるだけでなく，基本的運動能力の改善につながる．スポーツ選手であればパフォーマンスの向上につながる結果になる．パフォーマンス向上には，正常な運動機能獲得が必須であり，運動療法はその根幹をなす．筋肉量の増大や身体柔軟性の向上にのみ焦点を当てるのではなく，運動機能が十分であるかを運動学的にとらえてアプローチすることも非常に重要な要素である．

運動療法は，人の運動機能を質的にも量的にも向上させることができる．そのためには，運動学を理解し，対象者に生じている機能的問題を理学療法士がしっかり理解することが重要なのである．機能的に問題のある動きは，効率のよい動きを阻害するだけでなく，痛みや可動域制限，筋緊張増大などのさまざまな症状につながっていくことになる．理学療法士は，変化請負人である．仮説に基づいた運動療法を実施し，機能障害を改善して症状を軽減し，効率的な動作を獲得できるよう，全力を尽くしていくことが重要である．

●引用文献
1) 「運動」. 新村 出(編)：広辞苑. 第 4 版, p.265, 岩波書店, 1991.
2) 常盤直孝：高齢者における股関節疾患の評価. 永井 聡, 対馬栄輝(編)：股関節理学療法マネジメント, pp.118–133, メジカルビュー社, 2018.
3) 川喜田二郎：創造性とは何か. pp.66–88, 祥伝社, 2010.
4) 鈴木宏昭：創造的問題解決. 日本認知心理学会(監), 楠見 孝(編)：思考と言語, pp.50–54, 北大路書房, 2010.

II

運動療法の
基礎理論

第**1**章

関節運動

**学習
目標**

- 滑膜性関節の基本構造と機能を理解する.
- 関節構造に基づく関節包内運動について理解する.
- 関節運動の制限とその機序を理解する.

A 関節の分類

　広義の関節は，2つ以上の骨が連結することを意味し，骨の連結ともいわれる．狭義の関節は，可動関節で自由に動く滑膜性関節を示しており，一般に**関節**と呼ばれる．

　滑膜性関節以外の骨の連結には，線維性連結と軟骨性連結がある．**線維性連結**は，靱帯結合，縫合，釘植に分類され，**軟骨性連結**は軟骨結合と線維軟骨結合に分類される（▶表1）．

　また，関節は連結部の構成組織，構成する骨の数や運動軸，関節面の形状など，さまざまな観点からも分類される．

▶表1　広義の関節分類

大分類	小分類	例
線維性連結	靱帯結合	下腿骨間膜, 脛腓靱帯結合, 前腕骨間膜
	縫合	頭蓋骨の縫合(冠状縫合, ラムダ縫合, 鱗状縫合, 鼻骨間縫合など)
	釘植	歯根と歯槽の連結
軟骨性連結	軟骨結合	未成年における骨端と骨幹の間, 坐骨−恥骨−腸骨の連結
	線維軟骨結合	胸骨柄結合, 恥骨結合, 椎間円板による椎体間連結
骨性連結		成長終了後の仙骨, 尾骨, 寛骨
滑膜性関節		関節と称されるもの

1 関節構成組織による分類

a 線維性連結

　強い線維性組織で結合されているものを線維性連結といい，可動性は著しく低い．靱帯結合，縫合，釘植の3種類がある．

- 靱帯結合は強靱な結合組織（密性）の靱帯や骨間膜を介した連結で，両下腿骨間にみられる下腿骨間膜やその遠位部の脛腓靱帯結合，前腕部の前腕骨間膜がある（▶図1A，B）．
- 縫合は頭蓋のみに存在し，ごくわずかの線維性結合組織によって連結されるが，成長期を過ぎると骨化する．頭蓋骨の冠状縫合，ラムダ縫合，鱗状縫合などがある（▶図1C）．
- 釘植は歯根と歯槽の間にみられる（▶図1D）．

b 軟骨性連結

　軟骨を介在した連結を軟骨性連結といい，わずかながらの可動性を有する．硝子軟骨による連結を**軟骨結合**といい，骨端と骨幹の間や，坐骨−恥骨−腸骨間の寛骨内側面にみられ，これらは成長終了後には骨性結合となる．線維軟骨結合は，線維軟骨が介在し，生涯にわたって存在する連結で，胸骨柄結合（▶図2A），恥骨結合（▶図2B），椎間円板（▶図2C）による椎体間連結があり，一般的に身体の正中線に存在する．

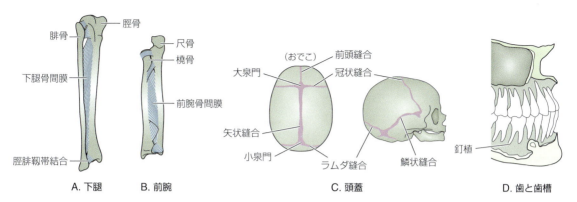

▶図1　線維性連結の例
A：下腿骨間膜，脛腓靱帯結合
B：前腕骨間膜
C：冠状縫合（前頭骨と頭頂骨を連結），ラムダ縫合（頭頂骨と後頭骨を連結），鱗状縫合（頭頂骨と側頭骨を連結）
D：釘植．歯根が歯槽にはまり込む．両者間には結合組織線維があり結合している．

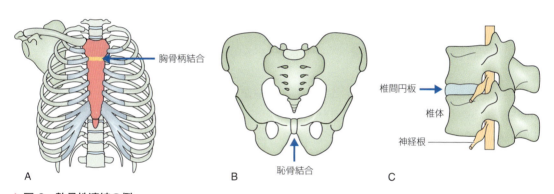

▶図2　軟骨性連結の例
A：胸骨柄結合（線維軟骨結合），B：恥骨結合（線維軟骨結合），C：椎間円板（線維軟骨結合）

C 骨性連結

　骨組織によって結合したもので，多くは軟骨性連結の骨が1つの骨になったもので，成長終了後の仙骨と尾骨間（▶図3A），寛骨が骨連結になる（▶図3B）．

d 滑膜性連結

　骨と骨は直接結合しておらず，**関節腔**と呼ばれる隙間がある．一般的に関節（滑膜性関節）といわれているのは，この滑膜性連結のことをいう．詳細はB項「滑膜性関節の基本構造」（➡17ページ）で説明する．

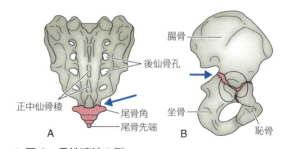

▶図3　骨性連結の例
A：仙骨と尾骨の連結
B：寛骨（腸骨，坐骨，恥骨）の連結

▶表 2　関節自由度と関節面形状による分類と代表関節

関節自由度	関節面形状	関節名
1 軸性関節	蝶番関節	指節間関節
	らせん関節	腕尺関節，距腿関節
	車軸関節	近位橈尺関節，正中環軸関節
2 軸性関節	楕円関節	橈骨手根管関節，環椎後頭関節
	顆状関節	膝関節
	鞍関節	母指の手根中手関節，胸鎖関節
多軸性関節	球関節	肩関節
	臼状関節	股関節
	平面関節	椎間関節，手根管・足根間関節，肩鎖関節，楔舟関節
	半関節	仙腸関節

❷ 関節構成骨数による分類

　2 つの骨（関節包内に関節が 1 つ）からなるものを**単関節**，3 つ以上の骨（関節包内に関節が 2 つ以上）からなるものを**複関節**という．単関節の例は，肩甲上腕関節，指節間関節，股関節などがあり，複関節の例では，肘関節（腕尺関節，腕橈関節，上橈尺関節），膝関節，橈骨手根関節，距腿関節，Chopart（ショパール）関節，Lisfranc（リスフラン）関節がある．

❸ 関節自由度（運動軸）による分類

　関節の運動軸の数により 1 軸性関節，2 軸性関節，多軸性関節に分類される．1 つの運動軸，1 つの運動面だけで運動がおこるものを **1 軸性関節**，2 つの運動軸，2 つの運動面で運動がおこるものを **2 軸性関節**，運動軸と運動面が無数にあり，あらゆる方向の運動がおこるものを**多軸性関節**という（▶表 2）．

❹ 関節面形状による分類

　多くの関節面は凸面をなす関節頭と凹面をなす関節窩から構成される．その関節面の形状による 6 つの分類と関節の例をあげる（▶表 2）．

ａ 蝶番関節（▶図 4 A）[1]

　ドアの 蝶 番 に似ており，骨の軸と直交する円筒状の関節面から構成される 1 軸性関節である．この蝶番関節の変形で運動方向がらせん様となり，骨の軸と直交しないものは，らせん関節とも呼ばれる．

■**蝶番関節の例**

　指節間関節（蝶番関節），腕尺関節（らせん関節），距腿関節（らせん関節）

ｂ 車軸関節（▶図 4 B）[1]

　ドアのノブに似ており，車輪のような形をしている関節窩の中心軸を中心に関節頭が車軸のように回転する 1 軸性関節である．

■**車軸関節の例**

　近位橈尺関節，正中環軸関節

ｃ 楕円関節（▶図 4 C）[1]

　関節頭が楕円形に近く，関節窩がこれに応じた凹面をなす．回旋運動を制限し，楕円の長軸と短軸を軸とした運動をする 2 軸性関節である．

　以前は関節頭の形状が楕円形のものを楕円関節，球状のものを顆状関節と区別していた．また，関節面に 2 つの顆が並んで存在する関節を双顆関節ともいう．

■**楕円関節の例**

　橈骨手根管関節，環椎後頭関節，膝関節（双顆関節）

ｄ 鞍関節（▶図 4 D）[1]

　馬の鞍のような曲面の関節面が直交し，それぞれの関節が凸面，凹面をなし，直交する 2 方向に運動が生じる 2 軸性関節である．

■**鞍関節の例**

　母指の手根中手関節，胸鎖関節

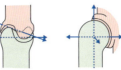 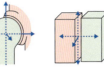

A. 蝶番関節　B. 車軸関節　C. 楕円関節　D. 鞍関節　E. 球関節　F. 平面関節
（1軸性関節）（1軸性関節）（2軸性関節）（2軸性関節）（多軸性関節）（多軸性関節）

▶図4　関節面形状による分類
〔伊藤 隆：解剖学講義. 南山堂, 1985 より〕

e 球関節（▶図4E）[1]

　関節頭が半球状で，それに応じた浅い関節窩からなる多軸性関節である．球関節の一種で，関節窩が非常に深く，関節頭がこのなかに入り込んだものを臼状関節ともいう．

■球関節の例

　肩関節，股関節（臼状関節）

f 平面関節（▶図4F）

　相対する平面な関節面からなる多軸性関節である．骨どうしの動きの制限は筋や靱帯の緊張によるもので，多軸性関節とはいえ動きは著しく制限されている．靱帯により著しく運動が制限されているものを半関節ということもある．

■平面関節の例

　椎間関節，手根管・足根間関節，肩鎖関節，楔舟関節，仙腸関節（半関節）

B 滑膜性関節の基本構造

　滑膜性関節は，関節面，関節包，関節腔の基本構造からなる．関節面は，関節頭，関節窩から構成され，互いの関節面には関節軟骨が存在する．関節内には部位によって関節円板，関節半月，関節唇などの組織がある．関節は関節包によって覆われており，その関節包内には関節腔という間隙があり，滑液が入る．また，関節を補強するために靱帯が存在する（▶図5）[2]．

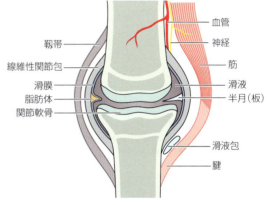

靱帯／血管／神経／線維性関節包／筋／滑膜／滑液／脂肪体／半月（板）／関節軟骨／滑液包／腱

▶図5　滑膜性関節の基本構造
〔Neumann, D.A.（著），嶋田智明, 有馬慶美（監訳）：筋骨格系のキネシオロジー. p.33, 医歯薬出版, 2017 より〕

■結合組織とは

　滑膜性関節を構成する各組織は，上皮組織，筋組織，神経組織以外は結合組織である．結合組織は，器官，組織，細胞間を埋めて支える組織で支持組織とも呼ばれ，線維性結合組織，軟骨組織，骨組織，血液・リンパに分類される．一般的に結合組織というと，線維性結合組織を示すことが多く，その線維性結合組織は，疎性結合組織（関節包の滑膜，皮下組織），密性結合組織（関節包の線維膜，靱帯，腱），細網結合組織，脂肪組織からなる（▶表3）．

　結合組織は，細胞成分と細胞外基質（線維と基質）から構成される．細胞と細胞の間を埋める物質は細胞外基質と呼ばれるが，細胞外マトリックス，細胞間質，細胞間基質とも呼ばれる．

▶表 3　結合組織の分類

結合組織（広義）			
線維性結合組織 【疎性結合組織】 ●皮下組織 ●関節包の滑膜 ●粘膜固有層（消化管） ●血管外膜 ●器官・組織の間 【密生結合組織】 〈規則性〉 　●靱帯・腱・関節包線維膜 〈不規則性〉 　●真皮・骨膜・（深）筋膜 【細網結合組織】 　●リンパ節・脾臓・骨髄 【脂肪組織】	軟骨組織 ●硝子軟骨 ●弾性軟骨 ●線維軟骨	骨組織 ●置換骨 ●付加骨	血液とリンパ 【細胞成分】 ●赤血球 ●白血球 ●血小板 【血漿】 ●血漿蛋白 ●水分 ●糖

1 関節軟骨

　生体内に存在する軟骨には，硝子軟骨，弾性軟骨，線維軟骨の 3 種類が存在し，関節軟骨は硝子軟骨である（▶表 4）．関節軟骨は関節の骨端部を覆い，関節の適合性を高め，関節面にかかる衝撃を吸収する役割がある．厚さは関節によって異なるが，一般的には 0.5～4 mm 程度である．幼若な関節軟骨は周囲の血管によって栄養されるが，成人の軟骨組織内には血管もリンパ管も神経も存在しなくなる．栄養は関節液が関節軟骨組織内の軟骨細胞にまで浸み込むことで養われる．そのため，関節運動による軟骨への荷重は栄養補給や代謝排泄に必要となる．

　関節軟骨（硝子軟骨）の組織量の 95% は軟骨基質が占め，残りの 5% は軟骨細胞である．軟骨基質は，湿重量の 70~80% は水分で，その他はコラーゲン（II 型コラーゲン），プロテオグリカン，弾性線維，糖蛋白，細胞外液などで構成される．

　関節軟骨は 4 層（表層，中間層，深層，石灰化層）に分類され，軟骨細胞，軟骨基質の分布は部位によって異なる（▶図 6）[2]．

▶表 4　軟骨の種類

軟骨の種類	特徴	場所
硝子軟骨	●最もよくみられる ●細胞間質には微細なコラーゲン線維が存在する	●関節軟骨 ●肋軟骨 ●気管・気管支軟骨
弾性軟骨	●弾性線維が豊富 ●細胞間質には弾性線維が多いため柔軟性がある	●耳介軟骨 ●喉頭蓋軟骨 ●鼻軟骨
線維軟骨	●細胞間質には太いコラーゲン線維束が多いため，外力の抵抗に強い	●椎間円板 ●恥骨結合 ●関節円板 ●関節唇 ●関節半月

2 関節包

　関節包は外層の線維膜と内層の滑膜からなる（▶図 7）[3]．

a 線維膜

　骨膜外層の線維層の延長で密性結合組織であり，関節の安定性に関与する．神経終末が豊富に存在し，痛覚や固有感覚情報（位置覚，運動覚）を供給するが，血液供給は乏しい．線維膜の部分的に厚くなっているところには関節包と密着した関節包靱帯がある．

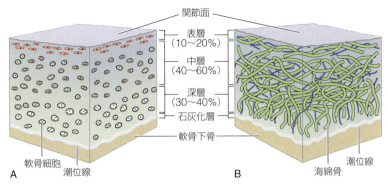

▶図6 軟骨細胞と軟骨基質の分布

A：表層の軟骨細胞は関節表面に平行に配向している．中間層（中層），深層ではより丸まっている．石灰化層は深層と軟骨下骨を結ぶ．
B：表層ではコラーゲンは関節表面にほぼ平行に，中間層では斜めに配向し，深層では垂直になり，プロテオグリカン含有量が増大する．
〔Neumann, D.A.（著），嶋田智明，有馬慶美（監訳）：筋骨格系のキネシオロジー. p.42, 医歯薬出版, 2017 より〕

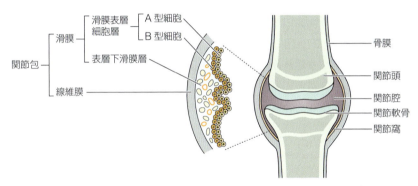

▶図7 関節包の構造
〔山﨑 敦：PT・OT ビジュアルテキスト専門基礎 運動学. p.36, 羊土社, 2019 より〕

b 滑膜

関節腔に面する滑膜表層細胞層と，その深層の表層下滑膜層から構成される．滑膜表層細胞層にはA型とB型の細胞が存在し，A型細胞は関節内の異物を消化分解し，B型細胞はヒアルロン酸の産生を行う．また，毛細血管が発達した繊毛があり，滑液の分泌・吸収を行う．

疎性結合組織からなる表層下滑膜層には，線維性組織や脂肪組織が存在し，豊富な血管，リンパ管，神経が分布する．

線維膜と滑膜の間には脂肪体が存在しているところがあり，円滑な関節運動に関与する．

3 滑液

滑液は関節腔に存在し，①血管を有さない関節軟骨や半月板への栄養供給，②関節の衝撃吸収，③関節運動の潤滑としての役割がある．弱アルカリ性で透明な淡黄色の液体で粘稠性があり，温度の影響を受ける．温度の低いときは粘稠性が低下する．また，炎症時には関節内で滑液は増加し，無色透明から黄褐色になり，粘稠性が低下する．

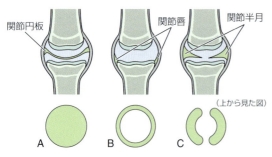

▶ 図 8　関節円板(A)，関節唇(B)，関節半月(C)
〔山﨑 敦：PT・OT ビジュアルテキスト専門基礎 運動学. p.36, 羊土社, 2019 より〕

▶表 5　関節円板，関節半月，関節唇，副靭帯の存在関節

関節円板	肩鎖関節，胸鎖関節，顎関節，橈骨手根関節，下橈尺関節，恥骨結合
関節半月	膝関節だけ
関節唇	肩甲上腕関節，股関節
関節包内靭帯	膝関節の前・後十字靭帯，股関節の大腿骨頭靭帯
関節包外靭帯（側副靭帯）	肘関節，膝関節，手関節，手指，足趾

4 関節円板，関節半月，関節唇

一部の関節には，膠原線維を含んだ線維軟骨性組織が存在し，その形状により関節円板，関節半月（半月板），関節唇と呼ばれる（▶図 8）[3]．役割は，①関節面への圧迫力に対する緩衝作用，②関節面の適合性を良好にする，③関節の可動性を適正化する，④滑液の分散作用などがある．

5 靭帯

靭帯はコラーゲンを主成分とする線維性の結合組織で，①骨間の連結を強固にする，②生理的な運動を導くために関節運動を制限する，③関節の固有感覚受容器の役割を有する．

靭帯は関節包靭帯と副靭帯（関節包内靭帯，関節包外靭帯）に分けられる．

関節包靭帯は関節包の線維膜から分化した靭帯で，関節包を補強する役割をもつ．肩関節の関節上腕靭帯，肘関節の橈骨輪状靭帯などがある．副靭帯は線維膜の内側（関節包内）にあるものを関節包内靭帯といい，膝関節の前・後十字靭帯や大腿骨頭靭帯がある．また，線維膜の外側（関節包外）にあるものを関節包外靭帯といい，肘・膝関節の側副靭帯がある．

表 5 に関節円板，関節半月，関節唇，副靭帯が存在する関節をまとめた．

6 滑液包

関節の周囲にある滑液を入れた袋で，組織間の摩擦を軽減し，関節の動きを滑らかにする役割をもつ．滑液包は肩関節部に多く，そのほか肘関節，股関節，膝関節，踵部などにみられる．過剰な摩擦で炎症が生じると滑液が貯留し，滑液包が腫脹する．滑液包の内壁は滑膜で覆われているため，血管，神経，リンパ管が分布する．また，痛覚受容器である自由神経終末も高密度に分布している．滑液包には関節腔と交通しているもの（交通性滑液包）と交通していないもの（非交通性滑液包）がある．

C 関節の機能

関節の機能は，骨と骨の連結を保ち骨格の動きを可能にすることである．日常生活で動作をするためには，関節は，滑らかに安定して動くことが必要になる．

1 関節の安定性

関節が適切に動くためには，関節の適合と安定が必要である．関節半月や関節唇は関節面の適合性を良好にし，関節可動性を適正化する．また関

▶表6 関節受容器の分類

type	形態	局在	神経線維	作用
I	Ruffini(ルフィニ)小体	● 関節包の表層	小さな有髄線維 (6〜9μm)	● 関節包に加わった張力による関節運動の大きさ・方向・速度を感知 ● 姿勢維持に重要
II	Pacini(パチニ)小体	● 関節包の深層 ● 関節脂肪組織	中間の有髄線維 (9〜12μm)	● 関節の瞬間的な動きを感知
III	Golgi(ゴルジ)腱器官	● 関節靱帯の表面	大きな有髄線維 (13〜17μm)	● 靱帯に加わる大きな力に感知. 怪我予防に重要
IV	(a)神経叢 (b)自由神経終末	● 関節包 ● 骨膜 ● 脂肪組織 ● 靱帯 ● 血管壁	細い有髄線維 (2〜5μm) 無髄線維 (<2μm)	● 関節の損傷や炎症を感知 ● 関節の侵害受容器として働く

節内圧は陰性であり，関節の適合・安定に関与している.

2 関節の潤滑作用

関節軟骨表面は，荷重運動により互いに密着し擦れることで変性，磨耗がおこるが，関節軟骨相互がきわめて摩擦の少ない潤滑を行うことで変性，磨耗を防いでいる. 関節が滑らかに動くための潤滑機構には流体潤滑と境界潤滑があるが，実際には単一ではなく，複数の潤滑が組み合わさって高い潤滑性能を保っていると考えられる.

- 潤滑機構：両関節面の間に介在する液体の層で潤滑がおこる.
- 境界潤滑：関節面の表面に液体分子が吸着し，分子間で滑り合う.

3 衝撃の吸収作用

関節は可動すると同時に荷重に耐えられる必要がある. 関節軟骨，関節半月，関節円板には，関節の適合性を高め，関節面にかかる衝撃を吸収する役割がある.

4 末梢感覚情報のフィードバック機能

関節構成体には神経終末が存在し，関節運動をするための重要な感覚の情報源となる. これらはtype I〜IV に分類できる(▶表6).

D 関節の運動様式

1 基本肢位

基本肢位には，基本的立位肢位，解剖学的立位肢位がある. 身体部位の位置関連の表現を共通化するための基準となる.

a 基本的立位肢位(▶図9A)

立位姿勢で顔は正中位で正面を向き，上肢は手掌面を体側(前腕の橈骨側を前方)に向けて下垂し，下肢は平行にして足趾を前方に向けた直立位である. 運動学で用いるのは，基本的立位肢位である.

b 解剖学的立位肢位（▶図9B）

基本的立位肢位で前腕を回外させ，手掌面を前方に向けて下垂した姿位である．解剖学における方向や位置は，解剖学的立位肢位を基準にしている．

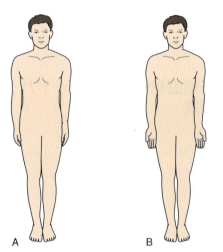

▶図9 基本的立位肢位（A）と解剖学的立位肢位（B）

2 運動の面と軸

a 運動面

骨運動（関節運動）は，3つの身体の基本的な面（矢状面，前額面，水平面）での骨の動きとなる．この基本面が身体重心を通る場合は，基本矢状面，基本前額面，基本水平面という（▶図10）．
- 矢状面：身体を左右に二分する床面に垂直な面．
- 前額面：身体を前後に二分する床面に垂直な面．冠状面ともいう．
- 水平面：身体を上下に二分する床面に平行な面．

b 運動軸

骨運動は，関節を中心とした骨の回転運動であり，その回転軸を運動軸という（▶図10）．運動は運動軸を中心とした運動面上の動きになる．

■ 矢状軸（矢状−水平軸）

前後方向の軸で，運動面は前額面である．外転−内転運動は，原則として矢状軸・前額面の運動になる．

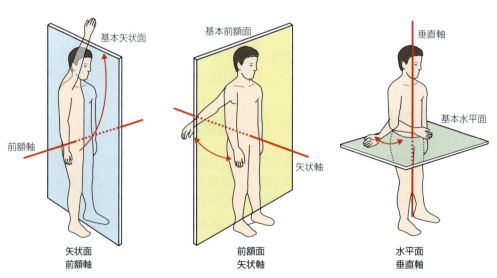

▶図10 運動面と運動軸

■前額軸(前額−水平軸)

左右方向の軸で,運動面は矢状面である.屈曲−伸展運動は,原則として前額軸・矢状面の運動になる.

■垂直軸

上下方向の軸で,運動面は水平面である.外旋−内旋運動は,原則として垂直軸・水平面の運動になる.

図 11 は足部における運動面と運動軸の運動である.

3 骨運動

2骨の間の変位によって生じる2骨間の角度変化を**骨運動**という.

骨運動は解剖学的立位姿位を0°として,そこからの骨の変位を運動として表現する.運動は,運動軸を中心とした運動面での動きで,屈曲−伸展,外転−内転,内旋−外旋,その他部位や方向によって決められた運動表現がある(▶**表7**).日本整形

外科学会,日本リハビリテーション医学会が制定した「関節可動域表示ならびに測定法」では,解剖学的立位肢位ではなく,手掌を体側に向けた基本的立位肢位での中間位を基本肢位としている.

関節の自由度も運動表現の1つであり,関節で許される動きの方向の数で表現される.肘関節のように屈曲−伸展の動きのみの場合は自由度1とし,股関節のように屈曲−伸展,外転−内転,内旋−外旋運動があれば,自由度3となる.

4 骨運動の表現

骨運動は,運動軸を中心とした運動面上の動きで,矢状面上では,屈曲−伸展,背屈−底屈,掌屈−背屈,前屈−後屈の動きがある.前額面上では,外転−内転,側屈,尺屈−橈屈,外がえし−内がえし,水平面上では,外旋−内旋,回外−回内,軸回旋などの動きがある.

a 屈曲−伸展

多くは矢状面の運動で,基本姿位にある隣接する2つの部位が近づく動きが**屈曲**,遠ざかる動きが**伸展**である.肩関節,頸部,体幹に関しては,前方の動きが屈曲,後方への動きが伸展である.手関節,指,母趾・踵に関しては,手掌,足底への動きが屈曲,手背,足背への動きが伸展である.

b 外転−内転

多くは前額面の運動で,足関節・足部・踵では水平面の動きとなる.体幹や指・足部・母趾・趾の軸から遠ざかる運動が**外転**,近づく運動が**内転**である.

c 外旋−内旋

肩関節,股関節に関しては,上腕軸,大腿軸を中心として外方へ回旋する動きが**外旋**,内方に回旋する動きが**内旋**である.水平面上の運動である.

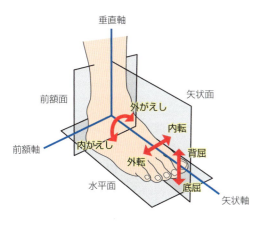

足部の運動

面	軸	運動
矢状面	前額軸	背屈−底屈
水平面	垂直軸	内転−外転
前額面	矢状軸	内がえし−外がえし

▶ 図 11 運動面,運動軸における足部の運動

▶表 7　運動面と運動軸における骨運動

運動面	運動軸	骨運動			
矢状面	前額軸	屈曲−伸展	背屈−底屈	前屈−後屈	
前額面	矢状軸	外転−内転	尺屈−橈屈	側屈	外がえし−内がえし
水平面	垂直軸	外旋−内旋			

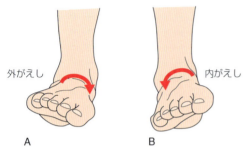

▶図 12　足部の外がえし(A)，内がえし(B)運動

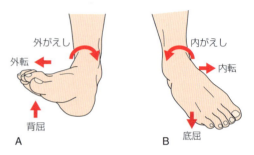

▶図 13　足部の回内，回外運動
A：回内(背屈，外転，外がえしからなる複合運動)
B：回外(底屈，内転，内がえしからなる複合運動)

d 背屈−底屈

　足関節・足部に関する矢状面の運動で，足背への動きが**背屈**，足底への動きが**底屈**である．

e 外がえし−内がえし

　足関節・足部に関する前額面上の運動で，足底が外方を向く動きが**外がえし**，足底が内方を向く動作が**内がえし**である(▶図 12)．

f 回外−回内

　足部の背屈，外転，外がえしからなる複合運動が**回内**，底屈，内転，内がえしからなる複合運動が**回外**である(▶図 13)．母趾・踵に関しては，前額面における運動で，母趾・踵の軸を中心にして趾腹が内方を向く動きが**回外**，趾腹が外方を向く動きが**回内**である．

　前腕に関しては，水平面上の運動で，前腕軸を中心にして外方に回旋する動きが**回外**，内方に回旋する動きが**回内**である．

g 尺屈−橈屈

　手関節の手掌面の運動で，橈側への動きが**橈屈**，尺側への動きが**尺屈**である．

　母指などの異なる表現を(▶表 8)にまとめた．

　外反，内反は変形を意味する用語であり，関節運動の名称としては用いない．

5 関節包内運動

　2 つの骨の変位を骨運動といい，この骨運動を可能にし，正常な関節運動を保証するのが関節包内運動である．骨運動時に不随意的に生じる運動になる．関節包内運動は，構成運動と副運動に分類される．また，関節包内運動には，関節包内運動パターン(凹凸の法則)が存在する．

a 構成運動

　構成運動は，転がり，滑り，軸回旋が基本要素である(▶図 14)．

▶表 8　母指の運動

屈曲と伸展	母指の手掌面での運動で，母指の手掌への動きが屈曲，手背への動きが伸展である	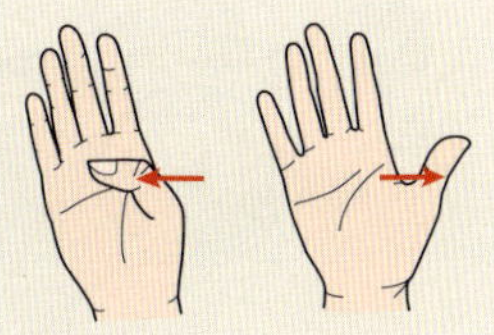
橈側外転と尺側内転	母指の手掌面での運動で，母指の橈側への動きが橈側外転，母指の尺側への動きが尺側内転である	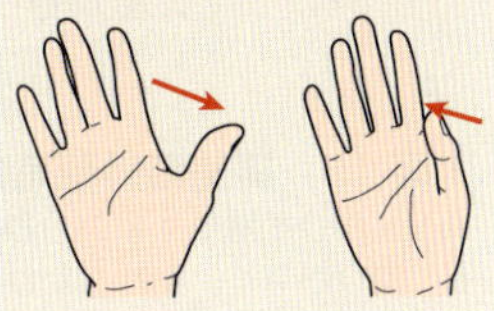
掌側外転と掌側内転	母指の手掌面に垂直な平面の運動で，母指の手掌方向への動きが掌側外転，背側方向への動きが掌側内転である	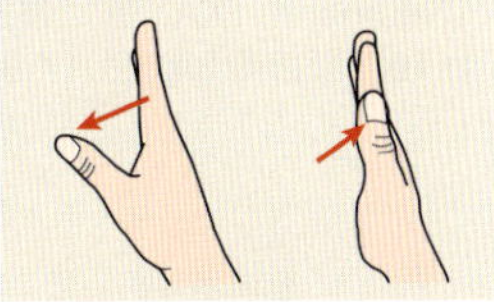
対立	母指の対立は，外転，屈曲，回旋の 3 要素が複合した運動であり，母指で小指の先端または基部を触れる動きである	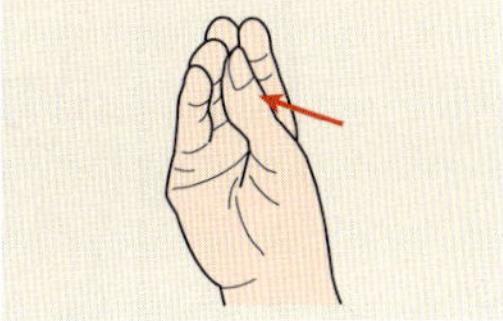

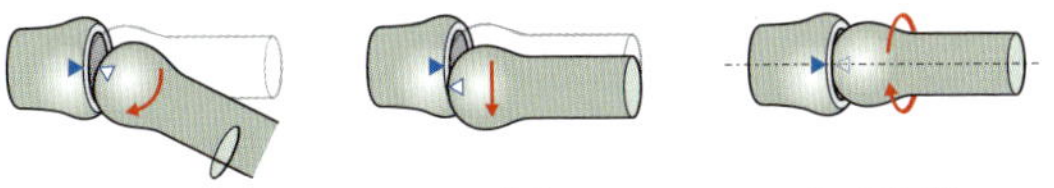

A. 転がり　　B. 滑り　　C. 軸回旋

▶図 14　構成運動

■転がり運動

一方の関節面が他方の関節面を転がること．面の形状に合わせた動きとなる．

■滑り運動

一方の関節面が他方の関節面を滑ること．

■軸回旋運動

一方の関節面の一点が他方の関節面の一点上を回転すること．

正常な自動運動時には，これらの関節包内運動は単独ではなく，2 つ以上の組み合わせで動くことが多い．

■転がり・滑り運動の例（▶図 15）[2]

肩関節外転運動時に，上腕骨頭は関節窩上を骨運動と同方向に転がると同時に，転がりの方向とは反対方向に滑り運動が生じる．転がりによっておこる上腕骨頭の上方移動を下向きの滑りによって相殺することによって，上腕骨は肩峰に衝突することなく，外転ができる．

■転がり・滑りと軸回旋運動の例（▶図 16）[2]

膝関節の屈曲伸展運動時におこる．大腿骨に対する脛骨の膝関節伸展運動の際，大腿骨に対して脛骨が転がりと滑りを行いながら，最終伸展 30°前よりわずかに外側方向に軸回旋する．この伸展に伴う軸回旋は，完全伸展の際に膝関節をしっかりロックするのに役立つ．

b 副運動

副運動は関節の遊びとも呼ばれ，関節面は動いても 2 骨間に角度変化が生じない場合の関節の動きをいう（▶図 17）[4]．

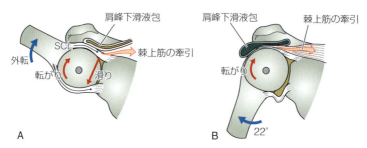

▶図 15　肩関節外転時の転がりと滑りの運動

A：転がりと滑りが組み合わさった関節包内運動.
B：滑りがなく，転がりだけの関節包内運動では上腕骨頭は肩峰にぶつかる.
〔Neumann, D.A.(著), 嶋田智明, 有馬慶美(監訳)：筋骨格系のキネシオロジー.
p.162, 医歯薬出版, 2017 より〕

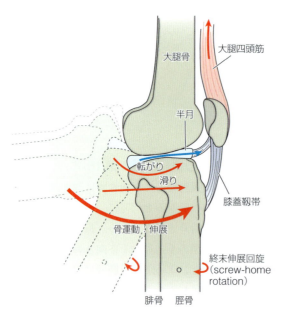

▶図 16　膝関節伸展時の転がり，滑り，回旋の複合
　　　　運動

大腿骨固定での脛骨の伸展. 伸展の最後に回旋(脛骨外旋)が加
わる.
〔Neumann, D.A.(著), 嶋田智明, 有馬慶美(監訳)：筋骨格系の
キネシオロジー. p.580, 医歯薬出版, 2017 より〕

■直線滑り

　関節面の形状を無視した直線的な動き.

■傾斜

　関節面が傾く動き.

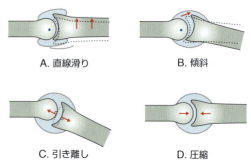

▶図 17　副運動
〔片岡寿雄(著), 宇都宮初夫(監)：4D-CT で解き明かす関
節内運動学. pp.31–32, 南江堂, 2015 より〕

■引き離し

　関節面どうしが離れていく動き.

■圧縮

　関節面どうしが近づく動き.

◉ 関節包内運動の法則(凹凸の法則)
（▶図 18）

　図 15(肩関節)のように凹面(関節窩)に対する
凸面(上腕骨頭)の運動の際に凸面は転がり，逆方
向に滑る. 図 16(膝関節)のように凸面(大腿骨顆
部)に対する凹面(脛骨高原)の際には，凹面が転
がり，同方向に滑る. いずれの運動においても運
動軸は，関節頭(凸面側)のなかに存在する.

• 凹面上での凸面の運動時：転がりと滑りは反対
　方向.

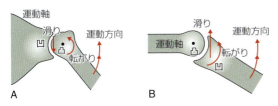

▶図18　関節包内運動パターン（凹凸の法則）

A：凹の法則. 凹面上での凸面の運動時, 転がりと滑りは反対方向.

B：凸の法則. 凸面上での凹面の運動時, 転がりと滑りは同方向.

運動軸は常に凸面側（関節頭）にある.

- 凸面上での凹面の運動時：転がりと滑りは同方向.

d 関節におけるクローズパック肢位（固定位）とルーズパック肢位（弛緩位）

（▶表9）[5]

　互いの関節面が適合し, 関節包および靱帯が最も緊張する肢位を**クローズパック肢位**という. このクローズパック肢位以外の肢位は**ルーズパック肢位**と呼ばれる. この肢位では関節包, 靱帯は比較的緩み, 関節面の解離が大きくなり, 他動的な関節の引き離し, 滑り運動が確認できる. 一般的に中間付近である.

▶表9　関節におけるクローズパック肢位（固定位）とルーズパック肢位（弛緩位）

関節	ルーズパック肢位（弛緩位）	クローズパック肢位（固定位）
椎間関節	屈曲と伸展の途中	伸展
下顎関節	軽度開口位	歯をくいしばる
肩甲上腕関節	55° 外転, 30° 水平内転	外転, 外旋
肩鎖関節	生理学的肢位で上腕を体側に楽に休めた位置	90° 外転
胸鎖関節	生理学的肢位で上腕を体側に楽に休めた位置	最大肩関節挙上
腕尺（肘）関節	70° 屈曲, 10° 回外	伸展
腕橈関節	完全伸展, 完全回外	肘 90° 屈曲, 前腕 5° 回外
近位橈尺関節	70° 屈曲, 35° 回外	5° 回外
遠位橈尺関節	10° 回外	5° 回外
橈骨手根（手）関節	中間位で少し尺骨偏位	橈骨偏位で伸展
手根中手関節	外転と内転の中間, 屈曲と伸展の中間	完全屈曲
中手指節（母指）関節	軽度屈曲	完全対立
指節間関節	軽度屈曲	完全伸展
股関節	30° 屈曲, 30° 外転, 軽度外旋	完全伸展, 内旋
膝関節	25° 屈曲	完全伸展, 脛骨外旋
距腿（足）関節	10° 背屈, 内反と外反の途中	最大背屈
距骨下関節	各可動域の途中	回外
中足根関節	各可動域の途中	回外
足根中足関節	各可動域の途中	回外
中足趾節関節	中間	完全伸展
趾節間関節	軽度屈曲	完全伸展

〔Magee, D.J.（著）, 陶山哲夫, 高倉保幸（監訳）：運動器リハビリテーションの機能評価 I. 原著第4版, エルゼビア・ジャパン, 2006 より〕

拘縮 ┬ 先天性拘縮
　　　│　• 単発性：先天性内反足，先天性筋性斜頸
　　　│　• 多発性：先天性多発性関節拘縮症
　　　└ 後天性拘縮（Hoffa の分類）
　　　　①皮膚性拘縮
　　　　②結合組織性拘縮（Dupuytren 拘縮）
　　　　③筋性拘縮 ┬ • 長期固定による拘縮
　　　　　　　　　 ├ • 阻血性拘縮（Volkmann 拘縮）
　　　　　　　　　 └ • 筋実質疾患による拘縮
　　　　④神経性拘縮 ┬ • 弛緩性拘縮
　　　　　　　　　　 ├ • 痙性拘縮
　　　　　　　　　　 └ • 反射性拘縮
　　　　⑤関節性拘縮

▶図 19　拘縮の分類

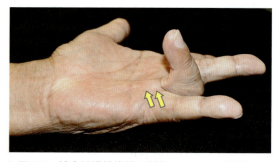

▶図 20　結合組織性拘縮の例（Dupuytren 拘縮）
病的な手掌腱膜の索状物（矢印）による MP・PIP 関節の屈曲拘縮.
〔酒井昭典：手関節と手. 井樋栄二, 津村 弘（監）：標準整形外科学, 第 15 版, p.508, 医学書院, 2023 より〕

E　関節運動の制限

　関節運動の構成要素には，骨，関節軟骨のほかに，関節内軟部組織（半月板，靱帯，関節包），関節外軟部組織（筋，筋膜，腱，皮膚，神経，血管）がある．関節運動の制限は，これら関節を構成するさまざまな組織の障害や機能の低下によって生じる．

1　関節の拘縮とその分類

　関節運動の制限が関節内軟部組織および関節外軟部組織の癒着・短縮・伸展性の低下により関節可動域制限をきたしたものを拘縮という．図 19 のように，拘縮には先天性拘縮と後天性拘縮があり，後天性拘縮は，拘縮発生要因となる組織別に，皮膚性拘縮，結合組織性拘縮，筋性拘縮，神経性拘縮，関節性拘縮に分類される〔Hoffa（ホッファ）の分類〕．関節の伸展が制限されているものを屈曲拘縮，屈曲が制限されているものを伸展拘縮という．

a　先天性拘縮

　先天性拘縮とは，胎内における発育異常などの先天性疾患や奇形に伴って生じる拘縮で，単発性と多発性に分類される．単発性には先天性内反足，先天性筋性斜頸，多発性には先天性多発性関節拘縮症がある．

b　後天性拘縮

■皮膚性拘縮

　熱傷後や皮膚挫創後に皮膚が壊死をおこし，瘢痕治癒後に発生する関節拘縮である．

■結合組織性拘縮

　関節拘縮が皮下組織・靱帯・腱・腱膜など結合組織の瘢痕性病変に起因する拘縮である．筋膜の拘縮もこれに入る．代表例の Dupuytren（デュピュイトラン）拘縮（▶図 20）[6] は，手掌腱膜の線維が肥厚，線維化し，手指の屈曲拘縮をおこす．

■筋性拘縮

　種々の原因で筋の収縮性または伸展性が低下して生じる拘縮である．

（1）ギプス固定など，関節が特定の肢位で長期固定されたことでおこる拘縮

　筋拘縮は不動 1 週間後に始まり，不動期間の長さに伴って増大する．不動における筋の影響として，筋長・筋節長の短縮，筋内結合組織の増加，コラーゲン分子内・分子間の架橋（クロスリンク）の生成などがある．筋膜などの変化も生じるため，結合組織性拘縮も合併していることが多い．

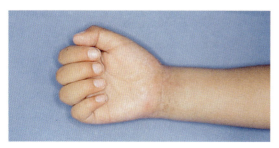

▶**図 21　筋性拘縮（阻血性）の例（Volkmann 拘縮）**
上腕骨顆上骨折に合併した Volkmann 拘縮. 手指は自動的にも他動的にも屈伸できない.
〔酒井昭典：区画症候群. 井樋栄二, 津村 弘（監）：標準整形外科学, 第 15 版, p.788, 医学書院, 2023 より〕

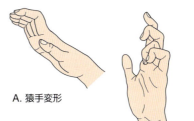
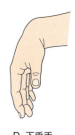

A. 猿手変形

C. 祝福（祈祷）手変形

D. 下垂手

B. 鷲手

▶**図 22　神経性拘縮（弛緩性拘縮）の例**
A：猿手. 正中神経麻痺のため母指球筋が萎縮し, 母指伸筋によって手背側に引っ張られるため他の手指と並ぶ. 母指の対立と屈曲ができない.
B：鷲手. 尺骨神経麻痺のため, 手指伸展時に環指・小指の MP 関節が過伸展し, 骨間筋, 虫様筋, 小指球筋の萎縮により PIP 関節, DIP 関節が屈曲するため, 鷲手（鉤爪変形）となる.
C：祝福手変形. 尺骨神経麻痺のため小指球筋, 骨間筋が萎縮して生じる. 環指, 小指の屈曲が特徴.
D：下垂手. 橈骨神経麻痺のため手関節と指の MP 関節の伸展ができず, 手が下垂した状態になる.
〔Magee, D.J.（著）, 陶山哲夫, 高倉保幸（監訳）：運動器リハビリテーションの機能評価 I. 原著第 4 版, pp.334–335, エルゼビア・ジャパン, 2006 より〕

（2）阻血性拘縮

骨折などの外傷後の阻血により筋が壊死し, 瘢痕化して拘縮が生じる. 筋は, 筋膜や骨, 筋間中隔に囲まれて区分けされており, その区分けされた区画のことを**コンパートメント**と呼ぶ. 骨折などの外傷後の腫脹によってコンパートメント内の深部動脈が圧迫され, 筋・神経への血行障害をおこし組織が変性, 壊死することで拘縮をおこす. 代表例の Volkmann（フォルクマン）拘縮（▶**図 21**）[7] は前腕の屈筋群のコンパートメント症候群である.

（3）筋実質疾患による場合（炎症）

筋が侵害刺激を受けると侵害受容器が反応し, 筋は攣縮を引き起こす. 過度な収縮や伸張は痛みを引き起こし, 拘縮をつくる.

■神経性拘縮

原因が神経疾患に由来する関節拘縮で, 弛緩性拘縮, 痙性拘縮, 反射性拘縮がある.

（1）弛緩性拘縮

末梢神経障害により弛緩性麻痺が生じた場合, 麻痺筋の拮抗筋は筋緊張が優位になることで特定の肢位になりやすく, 拘縮が生じる. 麻痺筋は筋萎縮し, 拮抗筋は筋短縮し, 末梢神経損傷特有な変形をおこす（▶**図 22**）[5].

（2）痙性拘縮

脳血管疾患, 脳性麻痺, 脊髄損傷など痙性麻痺

を伴う中枢神経疾患では, 筋の緊張亢進により特定の肢位をとることで拘縮を生じる.

（3）反射性拘縮

関節痛があると関節運動に関与する筋群に筋攣縮がおこり, 疼痛を回避するための肢位が長期間続く場合に拘縮が生じる.

■関節性拘縮

関節性拘縮は, 関節構成体に属する軟部組織である関節包, 関節内靱帯などに由来する拘縮のことをいうが, これらの組織の構成は結合組織であるため, 結合組織性拘縮と同様であると考えられている.

❷ 関節の強直とその分類

骨, 関節軟骨や関節内軟部組織などの障害で関節相対面が癒着するなどして関節が他動的に動か

なくなる状態を**関節強直**という．強直は，原因に
よって線維性強直と骨性強直に，発生時期によっ
て先天性強直と後天性強直に，程度によって不完
全強直と完全強直に分けられる．

③ 関節拘縮の機序

ⓐ 関節運動の制限とその要因

　関節運動の制限要因は，一次的障害因子と二次
的障害因子に分けられる．一次的障害因子には，
先天性疾患や外傷性疾患などで関節構造体が障害
を受けている場合があり，二次的障害因子には固
定による不動，筋力低下や麻痺による不動により
生じる制限と，その関節とは別の関節で関連的に
制限を受ける場合とがある．

　拘縮の要因を考えるうえで，Hoffa の後天性拘
縮の 5 つの分類（皮膚性，結合組織性，筋性，神
経性，関節性）は整理しやすい．ただ，Hoffa の分
類は，結合組織性拘縮が関節性拘縮など他の項目
と重複する部分がある．

ⓑ 可動性を低下させる関節構造体の
　変化

　結合組織の線維成分には**コラーゲン**（膠原線維）
や**エラスチン**（弾性線維）などがある．腱や靱帯を
構成しているコラーゲン線維は伸張性が乏しい．
関節周囲軟部組織は伸張性に富み伸び縮みする
が，不動により皮下組織，関節包（滑膜），筋膜な
どのコラーゲン線維の伸張性が低下し，コラーゲ
ン線維間の交差部で新たに病理的架橋結合が生じ
て関節拘縮につながる（**▶図 23**）[8]．

　制限要因の多い関節包，筋・筋膜の構造体変化
について説明する．

■関節包
　関節包の線維膜（外層）は，不規則性の密性結合
組織で構成される．不動が続くと線維芽細胞の
数が減少し，マトリックスの産生が弱くなる．そ
の結果，含水分量が減少，またマトリックスが減

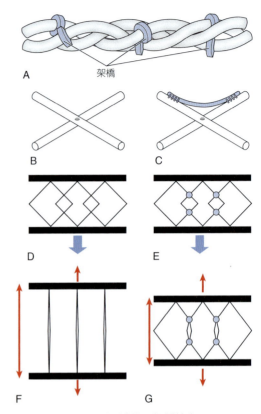

▶図 23　コラーゲン線維の架橋結合
A：コラーゲン分子構造．3 本のペプチド鎖でコラーゲン
　らせんと呼ばれる構造をつくる．分子内，分子間に架
　橋結合があり，抗張性を高めている．
B：コラーゲン分子架橋結合部の基本モデル．新たな架橋
　形成はなし．
C：コラーゲン分子架橋結合部の基本モデル．新たな架橋
　形成を示す．
D：コラーゲン分子間基本モデル（安静験時）．新たな架橋
　形成のない交差部結合．
E：コラーゲン分子間基本モデル（安静静止時）．新たな架
　橋形成をもつ交差部結合．
F：伸張時のコラーゲン分子間基本モデル．正常範囲まで
　伸張されている．
G：伸張時のコラーゲン分子間基本モデル．新たな架橋形
　成のため制限されている．
〔板場英行：関節の構造と運動．吉尾雅春（編）：標準理学
療法学 専門分野 運動療法学 総論，第 2 版，p.39，医学書
院，2006 より〕

少した結合組織の安定のため架橋が発生し，関節
包の柔軟性低下をきたす．疎性結合組織からなる
滑膜（内層）にも脂質を含む線維性の生成物が発生
し，関節包の癒着を引き起こす．

　関節包が運動の制限になっている場合，その関

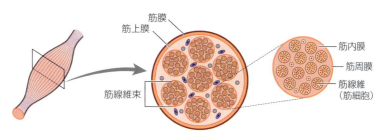

▶図 24　骨格筋にみられる結合組織（筋内膜，筋周膜，筋上膜，筋膜）
〔山﨑 敦：PT・OT ビジュアルテキスト専門基礎 運動学. p.44, 羊土社, 2019 より〕

▶表 10　関節包パターン

関節	制限
顎関節	開口制限
環軸関節	伸展と側屈が同程度に制限
頸椎	側屈と回旋が同程度に制限，伸展
肩甲上腕関節	外旋，外転，内旋
胸鎖関節	過度の可動域における痛み
肩鎖関節	過度の可動域における痛み
腕尺関節	屈曲，伸展
腕橈関節	屈曲，伸展，回外，回内
近位橈尺関節	回外，回内
遠位橈尺関節	完全可動域，過度の外旋時に痛み
手関節	屈曲と伸展は同程度に制限
大菱形中手関節	外転，伸展
中手指節関節	屈曲，伸展
胸椎	側屈と回旋は同程度に制限，伸展
腰椎	側屈と回旋は同程度に制限，伸展
仙腸関節，恥骨結合	関節負荷により痛み
仙尾関節	同上
股関節	屈曲，外転，内旋（場合によっては内旋が最も制限）
膝関節	屈曲，伸展
脛腓関節	関節負荷により痛み
距腿関節	底屈，背屈
距踵関節	内転制限
中足骨関節	背側，底屈，内転，内旋
第 1 中足趾節関節	伸展，屈曲
第 2〜5 中足趾節関節	多様
趾節間関節	屈曲，伸展

〔Magee, D.J.（著），陶山哲夫，高倉保幸（監訳）：運動器リハビリテーションの機能評価 I. 原著第 4 版，エルゼビア・ジャパン, 2006 より〕

節包の線維走行により典型的な可動域制限のパターン（関節包パターン）が出現する（▶表 10）[5].

■筋組織

　腱は靱帯同様，規則性の密性結合組織で構成されており，伸張はごくわずかである．その代わりに筋は 2 つのフィラメント（アクチン，ミオシン）が滑走できるように組み合わさっているため筋長は変化する．筋は，関節周囲軟部組織のなかで，ほぼ唯一結合組織で構成されておらず，可動性低下をおこしうる器質的変化としては，筋節長短縮，筋原線維の配列の乱れ，Z 帯断裂などによる筋線維の伸展性低下が考えられる．また，筋内膜や筋周膜，筋上膜などの筋膜（▶図 24）[3] は結合組織で構成されているため，不動によりコラーゲン線維は伸張性が低下し，新しい病理的架橋が生じることによる線維化も関節拘縮につながる．

●引用文献
1) 伊藤 隆：解剖学講義. 南山堂, 1985.
2) Neumann, D.A.（著），嶋田智明，有馬慶美（監訳）：筋骨格系のキネシオロジー. 医歯薬出版, 2017.
3) 山﨑 敦：PT・OT ビジュアルテキスト専門基礎 運動学. 羊土社, 2019.
4) 片岡寿雄（著），宇都宮初夫（監）：4D-CT で解き明かす関節内運動学. 南江堂, 2015.
5) Magee, D.J.（著），陶山哲夫，高倉保幸（監訳）：運動器リハビリテーションの機能評価 I. 原著第 4 版，エルゼビア・ジャパン, 2006.
6) 酒井昭典：手関節と手. 井樋栄二，津村 弘（監）：標準整形外科学，第 15 版，p.508, 医学書院, 2023.
7) 酒井昭典：区画症候群. 井樋栄二，津村 弘（監）：標準整形外科学，第 15 版，p.788, 医学書院, 2023.
8) 板場英行：関節の構造と運動. 吉尾雅春（編）：標準理学療法学 専門分野 運動療法学 総論，第 2 版, 医学書院, 2006.

筋と筋収縮

A 骨格筋の構造

1 筋線維と筋原線維

骨格筋は円柱状の筋線維が数十本単位で集まった**筋線維束**(bundle of fibers)で構成されている. 筋線維は直径 10〜150 μm, 長さ数 cm〜数十 cm

の細胞で, その表面は**筋線維鞘**(sarcolemma)で覆われ, 内部には直径 1〜2 μm の筋原線維の束が長軸方向に並んでいる.

この筋原線維には光学顕微鏡下で横紋(cross striation)が観察され, A 帯と呼ばれる暗い部分と, I 帯と呼ばれる明るい部分からなっている. A 帯の中央にはやや明るい H 帯, さらに I 帯の中央には暗く狭い Z 帯が存在する. 1 つの Z 帯から隣りの Z 帯までは**筋節**(sarcomere)と呼ばれ, これ

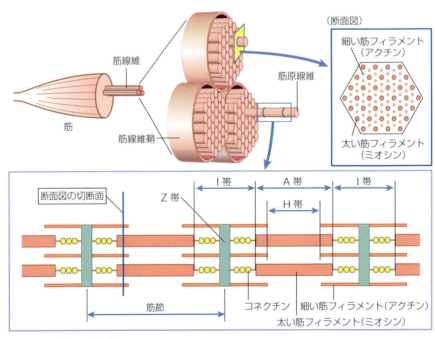

▶ 図 1　筋線維の構造

が筋収縮の基本単位となっている（▶図1）.

2 筋フィラメント

　筋原線維は**筋フィラメント**（myofilament）と呼ばれる蛋白分子の集合体の束である．この筋フィラメントには直径 15 nm の**太い筋フィラメント**（thick filament）と直径 7 nm の**細い筋フィラメント**（thin filament）の2種類がある．太い筋フィラメントはミオシン分子の重合したもので，コネクチンという蛋白質で筋節の Z 帯につなぎとめられている．細い筋フィラメントは G-アクチンが重合した F-アクチンで，トロポミオシンの鎖とトロポニンが含まれる（▶図2）.

　それぞれのフィラメントは，その断面が六角格子状に重なるような配置となっている．筋節の I 帯には細い筋フィラメントが走行している（▶図3）.

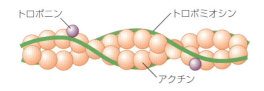

トロポニン　　　　　　　　トロポミオシン

アクチン

▶**図2　細い筋フィラメントの構成**

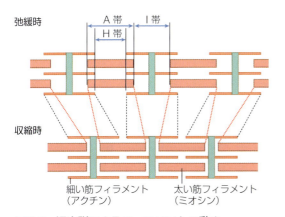

弛緩時

A 帯　　I 帯
H 帯

収縮時

細い筋フィラメント　　　太い筋フィラメント
（アクチン）　　　　　　（ミオシン）

▶**図3　滑走説によるフィラメントの動き**

3 滑走説

　筋収縮の仕組みを説明する**滑走説**（sliding filament theory）によれば，筋の収縮は太い筋フィラメントと細い筋フィラメントが相互に滑り込み，筋節が短くなることによって達成される．収縮時はそれぞれのフィラメントの重複する部分が増えるため，I 帯および H 帯は狭くなる（▶図3）.

　筋フィラメントの滑走がどのようにしておこるかについては図4に示す．太い筋フィラメントのミオシン分子は，長い尾部，短い頸部に球状の頭部からなる．この短い頸部と頭部は側方に突出し，隣接する細い筋フィラメントと連結する機能をもっているため，**連結橋**（cross-bridge）と呼ばれている.

　弛緩状態（▶図4A）では，離れた状態にあるこのミオシン頭部が，収縮に先立って細い筋フィラメントのアクチン分子と結合する（▶図4B）．結合後，頭部は頸部との間にある蝶番（hinge）を支点に尾部の方向へ向かって，ちょうど"首を振る"ように傾斜する（▶図4C）．こうして，細い筋フィラメントをミオシン頭部の傾斜方向に滑走させる**パワーストローク**（power stroke）が出現する．滑走後，ミオシン頭部は再びアクチン分子と解離することで弛緩状態へと戻る．筋の収縮はこのサイクルの繰り返しによって実現する.

　なお，ミオシン分子はその形成において尾部どうしの結合から始まるため，太いフィラメントの中央部（筋節中央，H 帯の部分）には連結橋がない（▶図5）．この構造により，太い筋フィラメントに存在するミオシン頭部は，いずれも中央部に向かって傾斜することになる．また細い筋フィラメントも Z 帯の両側で互いに反対の極性をもち，筋節中央を境に太い筋フィラメントと同じ方向性をもっている．この構造が，細い筋フィラメントの滑走を筋節中央に向かっておこすことを可能にしている.

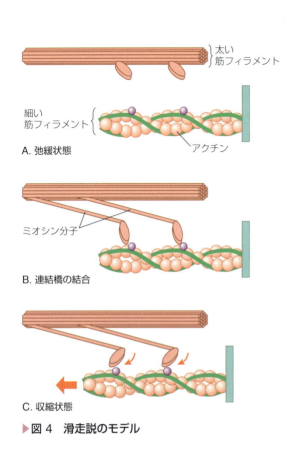

A. 弛緩状態

太い
筋フィラメント

細い
筋フィラメント

アクチン

ミオシン分子

B. 連結橋の結合

C. 収縮状態

▶図 4　滑走説のモデル

B 筋収縮のエネルギー

1 滑走における ATP の役割

　フィラメント滑走のためのエネルギー源は**アデノシン三リン酸**（adenosine triphosphate; ATP）である．これがパワーストロークにどう関与しているかを**図 6** に示す．

　ATP はミオシン頭部にある間隙から入り込むと加水分解され，アデノシン二リン酸（adenosine diphosphate; ADP）と無機リン酸（Pi）となる．これにより連結橋は，ミオシン＋ ADP ＋ Pi という高エネルギーをもつ複合体になる（▶**図 6** ①）.

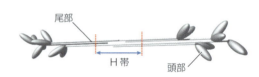

尾部

H 帯

頭部

▶図 5　ミオシンの極性

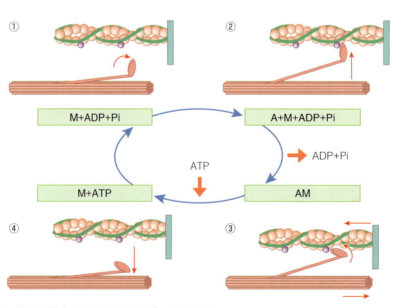

① M+ADP+Pi

② A+M+ADP+Pi

ADP+Pi

ATP

M+ATP

AM

④

③

▶図 6　滑走におけるエネルギーのサイクル
A：アクチン，M：ミオシン，ATP：アデノシン三リン酸，ADP：アデノシン二リン酸，Pi：
無機リン酸，AM：アクトミオシン複合体

複合体となった連結橋はアクチンに対する親和性をもっているため，アクチンと結合（▶図6②），ADP と Pi を放出し，**アクトミオシン複合体**（AM）となる（▶図6③）．アクチンとの結合時，連結橋はアクチンに対して 90° の角度をもっているが，ADP と Pi を放出すると，その角度は 90° から 45° に変化する．これが，いわゆるミオシン頭部の傾斜（首振り）となって現れ，滑走の力を生み出す．

アクトミオシン複合体は ATP に対する親和性をもっており，ADP と Pi を放出したのち，ATP と結合する．このとき，ミオシンのアクチン親和性は減少するため，アクチンとの結合が離れる（▶図6④）．結合が解離されたミオシンは，再び ATP を加水分解し，ADP，Pi との複合体になり，図6のサイクルを繰り返すことになる．

このサイクル開始（収縮），終了（弛緩）のスイッチの役割を果たしているのは Ca^{2+} である．細胞内の Ca^{2+} 濃度が約 $10^{-6}\,mol/L$ 以上になるとア

クチンを覆うトロポミオシンの鎖の位置がずれ，連結橋とアクチンの結合による滑走で収縮がおこるが，逆に Ca^{2+} 濃度が低くなると，滑走がトロポミオシンによって阻まれることで弛緩がおこる（▶図7）．

2 興奮−収縮連関

筋収縮は運動神経からの刺激によって引き起こされる．活動電位は，Z 帯の位置で筋線維内に入り込んでいる**横行小管**（transverse tubule; T 管）という細い管（▶図8）の脱分極を引き起こす．この管に接する**筋小胞体**（sarcoplasmic reticulum）には Ca^{2+} が多く含まれている．横行小管の脱分極は，この筋小胞体の膜の Ca^{2+} 透過性を増加させ，Ca^{2+} を筋形質内へ流出させる．これにより細胞内 Ca^{2+} 濃度は高まり，筋は収縮することができる．脱分極の終了とともに，細胞内の Ca^{2+} は筋小胞体の Ca^{2+} ポンプで筋小胞体内に再び取

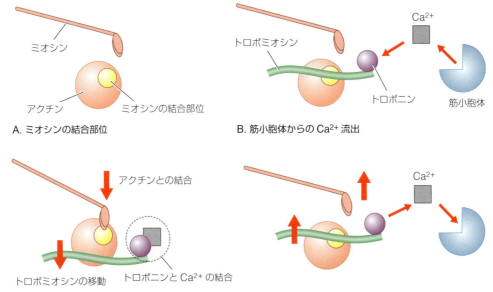

A. ミオシンの結合部位

B. 筋小胞体からの Ca^{2+} 流出

C. 連結橋とアクチンの結合

D. 筋小胞体の Ca^{2+} 取り込み

▶**図7 収縮，弛緩における Ca^{2+} の役割**
アクチン上のミオシン結合部位（**A**）は，トロポミオシンに覆われている．Ca^{2+} がトロポニンと結合しトロポミオシンが移動することで，ミオシンが結合部位とつながり，筋の収縮がおこる（**B**，**C**）．Ca^{2+} 濃度が低下すると再びトロポミオシンがもとの位置に戻って筋の弛緩がおこる（**D**）．

り込まれる．これにより細胞内 Ca^{2+} 濃度は低下し，筋は弛緩する．

このように，運動神経からの刺激が筋収縮を引き起こすまでには，電気的側面（筋線維鞘の脱分極とその伝導），化学的側面（Ca^{2+} の伝達，ATP の分解など），機械的側面（連結橋の結合と筋フィラメント滑走）が相互につながっており，この一連の流れは**興奮−収縮連関**（excitation-contraction coupling; E-C coupling）と呼ばれる（▶図 9）．

3 収縮のエネルギー源

筋収縮のエネルギー源となる ATP は連結橋のパワーストローク 1 回に対して 1 分子が必要とされる．通常，筋における ATP を生み出す経路は以下の 3 つである（▶図 10）．

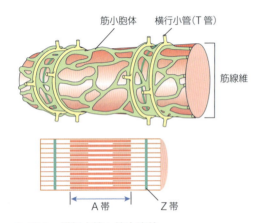

▶図 8　横行小管と筋小胞体

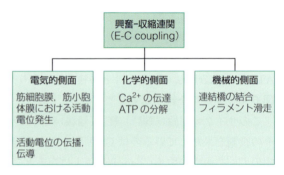

▶図 9　興奮−収縮連関

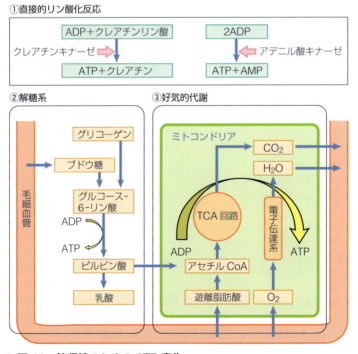

▶図 10　筋収縮のための ATP 産生

①直接的なリン酸化反応によるもの(無酸素性・非乳酸性)

②解糖系によるもの(無酸素性・乳酸性)

③好気的代謝による酸化的リン酸化(有酸素性)

①は，3つのうちで最も高速な反応で，クレアチンキナーゼによるものとアデニル酸キナーゼによるものがある．クレアチンキナーゼは，ADPとクレアチンリン酸からATPとクレアチンを生み出す反応を促す．アデニル酸キナーゼは，2分子のADPからATPとアデノシン一リン酸(adenosine monophosphate; AMP)を再生する．このとき生み出されるAMPは，②の解糖系の反応を促通する酵素を活性化する働きをもっている．これらの反応は運動開始直後の収縮によるATP消費を補うもので，無酸素で行われる．

②の解糖系は，運動の時間経過とともに開始直後の①に置き換わってATPを供給するとされている．これは，筋肉内のグリコーゲンやブドウ糖を乳酸に分解する過程においてADPからATPを再生する．解糖によるATP産生は無酸素性だが，グリコーゲンの場合，1ブドウ糖分子に対して3分子のATP，ブドウ糖では1ブドウ糖分子に対して2分子のATPと，ATP産生の方法としてはやや効率が悪い．

③は，筋肉のミトコンドリア内で行われる反応である．まず，遊離脂肪酸(free fatty acid; FFA)や②の解糖系で生み出されたピルビン酸は，ミトコンドリア内でアセチルCoAに分解される．このアセチルCoAはさらにTCA回路で分解され，ここで生まれた水素の電子伝達系における酸化がATP合成酵素の働きを促す．この反応は酸化の過程を含むため，血液からの酸素を必要とするが，1ブドウ糖分子に対して36分子のATPを生み出すことができる．

C 張力からみた収縮特性

1 筋の長さと張力の関係

収縮していない筋を一定以上に伸張するとその両端には張力が発生するが，これを**受動張力**(passive tension)と呼ぶ．この受動張力に，電気的な刺激による収縮をおこして得られる**活動張力**(active tension)を加えた張力が**筋の全張力**(total tension)である(▶図11)．活動張力は，筋の長さが一定以上になると減少してくるが，この活

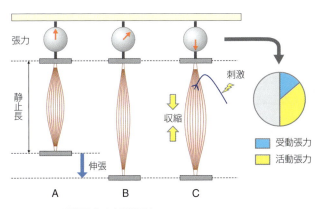

▶**図 11 受動張力と活動張力**
静止長にある筋(**A**)を伸張すると受動張力が発生する(**B**)．この状態で神経に刺激を加えて筋を収縮させると活動張力が発生する(**C**)．このCの状態で観察される張力は静止張力に活動張力を上乗せしたものになる(＝全張力)．

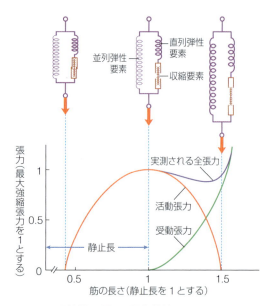

▶ 図 12　骨格筋の長さ−張力曲線
〔板場英行：運動の種類. 吉尾雅春（編）：標準理学療法学 専門分野 運動療法学 総論, 第 2 版, p.164, 医学書院, 2006 より〕

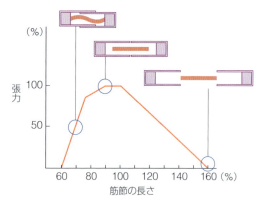

▶ 図 13　筋節の長さと張力の関係

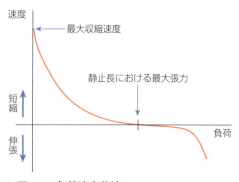

▶ 図 14　負荷速度曲線

動張力が最大となる長さのことを**静止長**（resting length）と呼ぶ. 筋の長さとそれぞれの張力の関係は**図 12**[1] に示す.

　筋の長さによる活動張力の変化は, 筋フィラメントの重なり具合によって引き起こされる. 収縮は滑走時のミオシン頭部の首振りによって行われるので, 収縮力はこれを実現する連結橋の数に比例する. したがって, 活動張力は筋フィラメントの重なりが最も大きくなる部分でピークとなり, 筋が伸張されて連結橋の数が少なくなるとその張力も減少する. 逆に筋の長さが短くなった場合は, 細い筋フィラメントどうしの重なり, 太い筋フィラメントと Z 帯の衝突などにより張力は減少する（▶ **図 13**）.

2 収縮速度と張力の関係

　図 14 はさまざまな大きさの負荷に対する収縮の速度を測定したものである. ここから負荷が軽いときには収縮速度が速く, 負荷が重くなるにつれ収縮速度は遅くなるという関係が導き出さ

れる. 一定以上の重い負荷では, 筋が収縮しても短縮はせず, 伸張されるようになる. これは, 筋が伸張されながら収縮する**遠心性収縮**（eccentric contraction）の張力が大きいことを示している.

3 筋線維の種類

　運動神経から筋への単一刺激に対する短い収縮と, それに続く弛緩のことを**単収縮**（twitch）と呼ぶ（▶ **図 15**）. 単収縮の張力曲線をとると, そのピークまでの収縮時間（contraction time）は筋によって異なる. この収縮時間の短い筋は**速筋**（fast muscle）, 長い筋は**遅筋**（slow muscle）と呼ばれる. この 2 つの筋を比較すると, 速筋には太くてミトコンドリアや脂肪顆粒の少ない線維（速筋線維）が, 遅筋には細くてミトコンドリアや脂

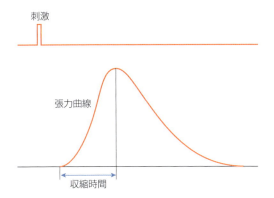

刺激

張力曲線

収縮時間

▶図 15　単収縮と収縮時間

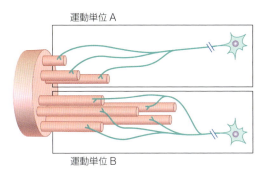

運動単位 A

運動単位 B

▶図 16　運動単位

▶表 1　筋線維タイプによる違い

	type Ⅰ	type Ⅱa	type Ⅱb
	遅筋 酸化型 赤筋	速筋 酸化型 赤筋	速筋 解糖型 白筋
疲労に対する抵抗	高い	中間	低い
収縮速度	遅い	速い	速い
ATPase 活性	低い	高い	高い
筋小胞体	少ない	多い	多い
ミトコンドリア	多い	多い	少ない
グリコーゲン	少ない	中間	多い
中性脂肪	高い	中間	低い
毛細血管の数	多い	多い	少ない
筋線維直径	小	中	大

肪顆粒を多く含む線維(遅筋線維)が多く含まれている.

　組織化学的には ATP 分解酵素の活性に基づく染色法によって,淡く染まる type Ⅰ 線維と,濃く染まる type Ⅱ 線維に分けられる.前者が遅筋線維,後者が速筋線維に相当するが,type Ⅱ 線維は pH による ATPase 活性の違いから Ⅱa と Ⅱb に分類される(▶表 1).

　Type Ⅱb はミトコンドリアの量は少ないが,横行小管の発達により,筋小胞体の含有量も高く,筋小胞体自体の Ca^{2+} 取り込み能力も高い.

　これとは別に,エネルギー代謝による特性から,SO 線維(slow-twitch oxidative fiber),FOG 線維(fast-twitch oxidative glycolytic fiber),FG 線維(fast-twitch glycolytic fiber)に分類する方法もある.FOG はちょうど SO と FG の中間に位置し,グリコーゲン含有量,解糖系酵素活性は SO → FOG → FG の順に高くなる.この区分は,それぞれ type I,type Ⅱa,type Ⅱb に完全一致ではないが,よく対応している.

4 運動単位

　筋線維の集合体である骨格筋全体としての収縮には,筋原線維のレベルとはまた別の調節メカニズムが存在する.

　ここで重要な役割を果たすのが運動単位(motor unit)である.運動単位は神経筋単位(neuromuscular unit)とも呼ばれ,1 個の運動ニューロンとそれに支配される複数の筋線維で構成される(▶図 16).この運動単位は,単収縮の収縮時間は短いが,反復刺激に対して徐々に張力が低下していく疲労現象を示す F 型(fast-twitch)と,収縮時間は遅いが疲労現象をおこしにくい S 型(slow-twitch)に分類される.さらに F 型は,その疲労に対する耐性によって FF 型(fast-twitch, fatigable),FI 型(fast-twitch, intermediate),FR 型(fast-twitch, fatigue resistant)の 3 つに分けられる.したがって,これらの運動単位は,収縮速度の速さの順に並べると FF 型＞FI 型＞FR 型＞S 型となり,疲労に対する耐性の高さで並べる

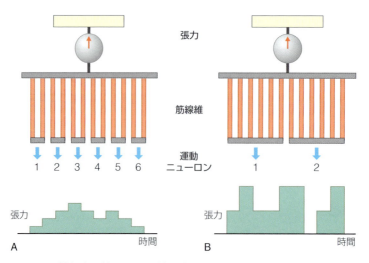

▶図 17　神経支配比による調節の違い

神経支配比が小さい場合（**A**）は，微細な力の調節が可能である．急激に大きな力を出す場合は，神経支配比が大きいほう（**B**）が有利である．

▶表 2　各骨格筋の運動単位あたりの
　　　筋線維数

骨格筋	筋線維数
外側直筋（眼筋）	9
広頸筋	23
前脛骨筋	562
腓腹筋（外側頭）	1,000 以上

〔Feinstein, B., et al.: Morphological studies of motor units in normal human muscles. *Acta. Anat.*, 23:127–142, 1955 より一部改変〕

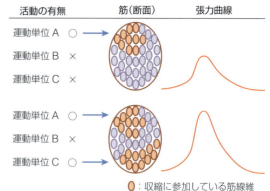

○：収縮に参加している筋線維
○：収縮に参加していない筋線維

▶図 18　運動単位の動員

とこの逆になる．

　神経支配比（innervation ratio）は，1 個の運動ニューロンが平均して何本の筋線維を支配しているかということで，これは筋によって異なる（▶表 2）[2]．微細な動きの調節を必要とする眼筋などの神経支配比は低く，粗大な運動を行う下肢筋では高い．個々の運動単位でばらつきはあるが，筋全体としての平均支配比でみると，その比は筋に要求される運動の種類に依存していると考えて差し支えない（▶図 17）．

5 筋収縮の調節

　筋収縮の調節は，運動単位の動員と刺激の発射頻度の調節によって行われている．

a 動員

　動員（recruitment）は，**空間的活動参加**（spatial recruitment）と呼ばれることもある．**図 18** に示すように，刺激を発射する運動単位の数が多くな

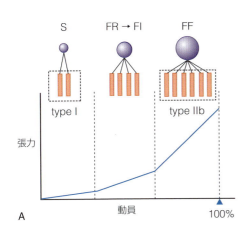

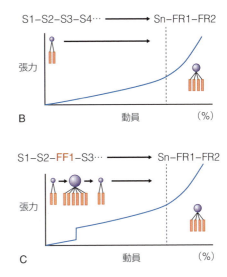

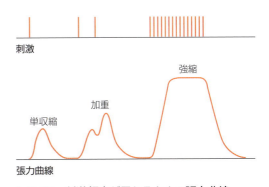

▶図19　サイズの原理

張力の小さい筋線維を支配する運動単位は閾値が低く，張力の高い筋線維を支配する運動単位は閾値が高い．運動単位の動員の順序はこの閾値によって決まる（**A**）．運動単位が動員されるにつれ張力はゆるやかに上昇する（**B**）が，もし，サイズの原理に従わない運動単位が存在すると低い張力レベルでの細かい制御は困難になる（**C**）.

れば，収縮に参加する筋線維の数も増え，結果的に筋全体としての張力が大きくなるというものである．このとき，各運動単位が筋収縮で上昇する筋張力のどの段階で収縮に参加するかという順序はほぼ一定しており，これは**サイズの原理**（size principle）と呼ばれている．

　一般に，収縮張力が小さく，疲労しにくい筋線維を支配している運動単位は，神経細胞体が小さく低閾値であるため，刺激発射開始の順序は，運動単位でS → FR → FI → FF 型，筋線維ではtype Ⅰ → type Ⅱa → type Ⅱb となる．要求される筋の張力が小さいときは発揮する張力の低い運動単位が動員され，要求される張力が大きくなると，大きな張力を生み出す運動単位が収縮に動員されるということになる（▶図19）.

ⓑ 刺激の発射頻度による調節

　運動単位での刺激の発射頻度による収縮調節（rate coding）は，**時間的活動参加**（temporal recruitment）とも呼ばれる．単収縮の刺激を反復し，刺激間隔を一定以上狭くする（毎秒5〜10回以上）と，その張力曲線は融合してより高いピー

▶図20　刺激頻度が異なるときの張力曲線

クが生み出される．これを**加重現象**という．さらに反復の回数を増やして刺激間隔を狭くしていく（刺激頻度を上げる）と，強縮をおこして，さらに高いピークを生み出すことができる（▶図20）. 高頻度刺激による完全強縮の張力は単収縮の2〜5倍で，発生可能な最大収縮力となる．このように1つの運動単位内でも反復刺激によって力の大きさを制御することができる．

ⓒ 収縮調節の実際

　通常，筋の張力が低いところでの収縮調節の主

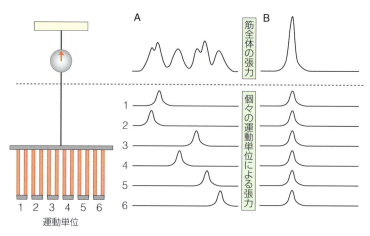

▶図 21　同期化による筋張力の上昇
同じ数の運動単位が動員されている場合，その発火タイミングが時間的にそろっていない（A）よりそろっているほう（B）が，筋全体としては大きな張力を生み出すことができる．

役は運動単位の動員であり，より大きな張力や速い収縮速度が要求されるときに，刺激の発射頻度による調節が有効となってくる．しかし，母指内転筋は最大随意収縮の 50% までにほとんどの運動単位が動員されるのに対し，上腕二頭筋は 80〜90% まで動員が行われるなど，収縮に対する調節方法の寄与の度合いは筋によって異なる．また，この 2 つの調節方法以外にも，運動単位間で刺激のタイミングをそろえることで，筋全体としての収縮力をさらに上げる同期化（synchronization）と呼ばれる方法もある（▶図 21）．

●引用文献
1) 板場英行：運動の種類. 吉尾雅春（編）：標準理学療法学 専門分野 運動療法学 総論，第 2 版，p.164，医学書院，2006.
2) Feinstein, B., et al.: Morphological studies of motor units in normal human muscles. *Acta. Anat.*, 23:127–142, 1955.

随意運動と運動制御の生理

学習
目標
- 運動制御に対応した中枢神経系の構造と機能について理解する.
- 興奮−収縮連関を理解する.

A 大脳皮質の構造と機能

大脳皮質は3つの脳溝(外側溝, 中心溝, 頭頂後頭溝)を基準にして, 前頭葉, 頭頂葉, 後頭葉, 側頭葉の4つの葉に分類できる(▶図1)[1]. **中心溝**は前頭葉と頭頂葉を区分けし, **外側溝**は側頭葉を区分けし, **頭頂後頭溝**は頭頂葉と後頭葉を区分けしている.

1 大脳皮質の6層構造

大脳皮質の断面を垂直方向に観察すると, 神経の大きさや配列などから6層構造を示す部位が多い(▶図2)[2]. 表層から分子層, 外顆粒細胞層, 外錐体細胞層, 内顆粒細胞層, 内錐体細胞層, 多形細胞層に分類できる. 第Ⅰ層(分子層)は主に神経線維からなる層で, 細胞体が乏しく, 第Ⅱ, Ⅲ, Ⅴ

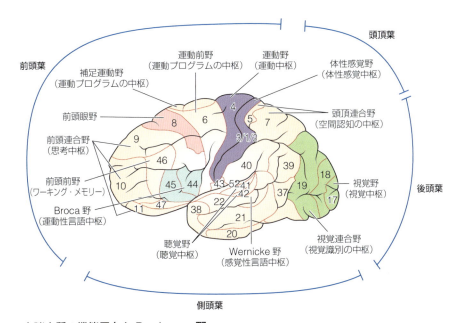

▶図1 大脳皮質の機能局在とBrodmann野
〔宮本省三:随意運動のメカニズム. 吉尾雅春(編):標準理学療法学 専門分野 運動療法学 総論, 第2版, p.57, 医学書院, 2006より〕

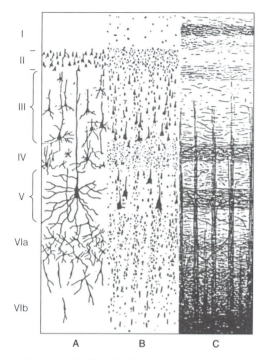

▶図 2　大脳皮質の層構造
A：Golgi 鍍銀法，B：Nissl(ニッスル)細胞染色法，C：
Weigert(ワイゲルト)の髄鞘染色法
A．B は細胞構築，C は髄鞘構築を示す．左の数字は第 I
層〜第 VI 層までを示す．
〔丹治 順：脳と運動―アクションを実行させる脳．共立出
版，1999 より〕

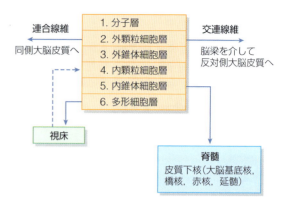

▶図 3　皮質の 6 層構造と線維連絡

層の錐体細胞の尖頂樹状突起の分枝が広がってい
る．第 II 層(外顆粒細胞層)は顆粒細胞と小型錐
体細胞体からなる．第 III 層(外錐体細胞層)は中
型錐体細胞体からなる．第 IV 層(内顆粒細胞層)
は星状細胞からなり，視床からの投射がこの層に
終わる．第 V 層(内錐体細胞層)は大型錐体細胞
からなり，皮質下核や脊髄への投射線維を送り出
す出力層である．第 VI 層(多形細胞層)は紡錘形
細胞からなり，視床へ投射する(▶図 3)．
　大脳新皮質の層構造の基本は 6 層構造である
が，一次運動野は第 IV 層(顆粒層)を欠き，第 III
層および第 V 層がよく発達している．一方，一
次感覚野(体性感覚野，視覚野，聴覚野)は第 II 層
と第 IV 層の顆粒細胞が豊富で，第 III 層および第
V 層の顆粒細胞の発達が悪い．一次運動野と一次
感覚野以外の新皮質を連合野という．

B　大脳運動関連領野

　運動に関連する大脳皮質領野は一次運動野だけ
でなく，運動前野，補足運動野，前補足運動野，
帯状皮質運動野などがある(▶図 4)．一次運動野
以外の運動野(運動前野，補足運動野，前補足運
動野，帯状皮質運動野)を高次運動野という．高
次運動野は運動の発現・調節のための情報入力と
運動出力の橋渡しをしているようなものと考えら
れる．

1　一次運動野

　一次運動野は中心前回に位置し，Brodmann(ブ
ロードマン)の 4 野にあたる(▶図 4)．Penfield
(ペンフィールド)が示したように，一次運動野に
は体部位局在があり(▶図 5)[3]，内側から外側に
向けて下肢，体幹，手，顔の順に支配部位が配列
されている．一次運動野からの出力は脊髄だけで
なく，大脳皮質の他の部分(感覚野，高次運動野)
や大脳基底核，視床，中脳，橋，延髄にも出力し
ている．一次運動野の 1 個の細胞は脊髄の多数
の神経細胞を支配し，α 運動ニューロンに直接信
号を送ると同時に介在細胞にも出力を送り，その
活動を調節する．また，1 個の α 運動ニューロン
は複数の一次運動野の細胞とシナプス結合してい

る．一次運動野への入力は，補足運動野，運動前野，帯状皮質運動野と体性感覚野の2野と5野から送られる（▶図6）[2]．

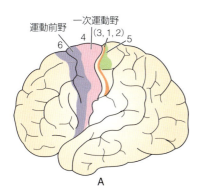

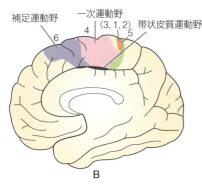

▶図4　Brodmann 野
4野が一次運動野，6野の外側が運動前野，6野の内側が補足運動野になる．4野と6野の内側部で帯状溝の中に帯状皮質運動野がある．

2 運動前野

運動前野は Brodmann の6野の外側部分に相当し（▶図4）[2]，背側と腹側の2つの領域に分けられる．運動前野は，感覚・認知情報に基づく動作の企画や準備における役割が主と考えられている[2]．運動前野からの出力は，一次運動野へ向かうものが主であるが，補足運動野や帯状皮質運動

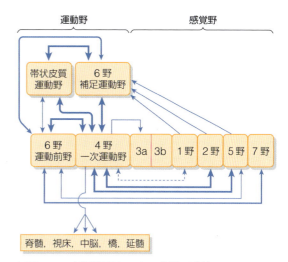

▶図6　一次運動野をめぐる皮質間連絡
〔丹治 順：脳と運動―アクションを実行させる脳．共立出版，1999 より一部改変〕

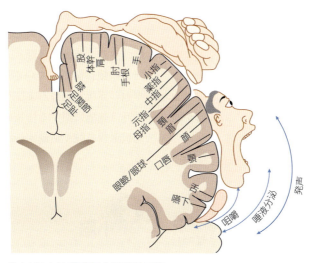

▶図5　Penfield による運動野の体部位局在
〔Penfield, W.: The Cerebral Cortex of Man. Macmillan Company, New York, 1950 より改変〕

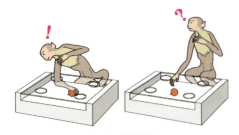

▶図 7　運動前野損傷時の運動障害
運動前野が破壊されたサルでは，ガラス板の下にあるリンゴを
手で取ることができない．
〔Moll, L., Kuypers H.G.J.M.: Premotor cortical ablations
in monkeys; Contralateral changes in visually guided
reaching behavior. *Science*, 198:318, 1977 より〕

野，大脳基底核，視床，脊髄にも送られる．入力
は頭頂葉からのものが主であり，**背側運動前野**に
は上頭頂小葉（5 野）から強い入力を受け，**腹側運
動前野**は頭頂連合野の後部領域から強い入力を受
ける．Kurata らは，サルの腹側運動前野を不活
性化すると視覚刺激に応じた運動の学習を阻害す
るが，背側運動前野を不活性化した場合にはその
ような減少はみられなかったとしている[4]．背側
運動前野は運動を開始する前の待機時[5]や感覚情
報と動作の連合時に必要であり[2]，腹側運動前野
は視覚情報としてとらえた目標物に腕を伸ばすよ
うに，物体を認知し動作につなげる過程で重要で
ある[2]．

　図 7[6] は運動前野損傷時の運動障害を示してい
る．いくつかの穴の空いたガラス板の下にリンゴ
を置くと，正常なサルは手を穴に入れてリンゴを
取るが，運動前野を切除したサルは運動麻痺がな
いにもかかわらず，穴に手を入れてリンゴを取る
ことができない．視覚情報から行動への変換が困
難なためと考えられる．

③ 補足運動野

　補足運動野は，Brodmann の 6 野の内側部分
に相当する（▶図 4）[2]．Penfield が初めて報告し
たときには補足運動野は 1 つであったが，近年で
は 2 つの領域に分けられるようになり，当初の

補足運動野の前方部分を**前補足運動野**，後方部分
を**補足運動野**と呼んで区別している．補足運動野
からは一次運動野や脊髄へ出力するが，前補足運
動野からは一次運動野や脊髄への直接の出力はな
い．補足運動野は運動の時間的順序を制御してい
ると考えられている[7, 8]．また，単純な動作より
も複雑な動作時に強く活動することも報告されて
いる[9]．前補足運動野はなんらかの情報に基づい
て動作を企画する際や，新たな動作パターンをつ
くる際に重要と考えられる[9]．

　図 8[10] は順序課題遂行時における運動野，補
足運動野および運動前野の活動を示している．一
次運動野は運動に伴い常に活動しているが，補足
運動野は記憶を手がかりにして順序よく運動を行
う際に活動し，運動前野は視覚誘導により運動す
る際に活動している．また，脳機能イメージング
研究では，自発的な運動を行う際に前補足運動野
が強く活動するとの報告や[11]，運動をイメージし
た際にも補足運動野が活動するとの報告もある
（▶図 9）[12]．

④ 帯状皮質運動野

　帯状皮質運動野は，他の運動野に比べて最も遅
くに発見された運動関連領野であり，帯状回のす
ぐ上に位置する帯状溝に埋もれている（▶図 4）．
帯状皮質運動野への入力は大脳辺縁系の広範囲と
前頭前野，側頭連合野，頭頂連合野であり，帯状
回と密接に関係している[2]．出力先は一次運動野
や他の高次運動野および脊髄である．帯状皮質運
動野は報酬に関する情報に基づいた動作の随意的
選択過程に強く活動することが明らかになってい
る[13]．

C　小脳

　運動遂行時に速度や方向を調整するのに**小脳**の
活動は重要である．小脳が損傷されると麻痺を生

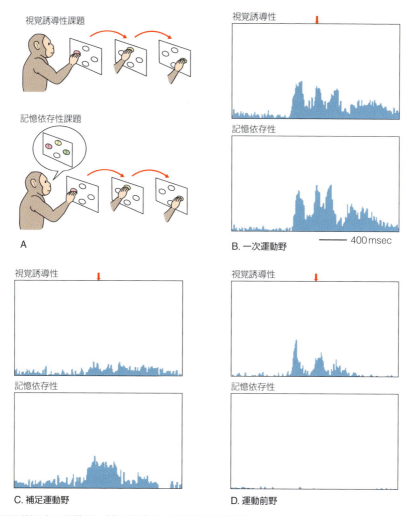

▶図8　順序課題遂行時の運動野，補足運動野，運動前野の活動

A：視覚誘導性の課題では，ボタンの背後に設置した LED が次々に点灯され，押すべきボタンが逐次指示される．次第に LED は暗くなっていき，記憶依存性の課題では LED の点灯なしに憶えた順に従ってボタンを押す．両課題を遂行中の一次運動野(B)，補足運動野(C)，運動前野(D)の神経活動を示している．最初のボタンに触れた時点を中央の矢印にそろえて表示している．

〔南部 篤：大脳皮質と大脳基底核. 小澤瀞司ほか（総編集）：標準生理学, 第 7 版, p.364, 医学書院, 2009 より〕

じることはないが，運動の大きさや速度を調整することが困難となり（推尺異常），滑らかな動作を遂行することが困難になる（▶図 10）.

1　小脳の構造

　小脳は正中線に沿って内側部から**虫部，中間部，半球**に大別される（▶図 11）．片葉小節葉は原小脳と呼ばれ，前庭から情報をもらい，脳幹の前

庭神経核に送る系であり（**前庭小脳**），頭部の位置や動きの情報から姿勢調節や眼球運動の調整に関与している．虫部と中間部は全身の皮膚や筋肉，関節の情報を脊髄から受け取る系であり（**脊髄小脳**），受け取った情報を処理して脳幹の網様体と前庭神経核に送る．この系は姿勢や四肢の運動を制御し，身体のバランスをとったり，自動性の高い運動を行ったりしている．小脳半球は大脳皮質からの入力を受けており，**大脳小脳**または橋小脳と

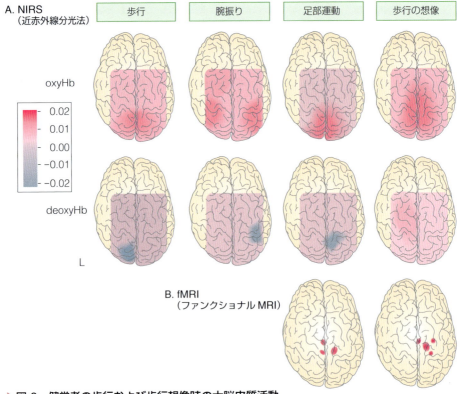

A. NIRS
（近赤外線分光法）

歩行　腕振り　足部運動　歩行の想像

oxyHb

0.02
0.01
0.00
-0.01
-0.02

deoxyHb

L

B. fMRI
（ファンクショナル MRI）

▶図 9　健常者の歩行および歩行想像時の大脳皮質活動

歩行動作時には一次感覚運動野の下肢領域と補足運動野の血液量が増加し，腕振り動作時には一次感覚運動野の上肢領域の血液量が増加している．足部運動時には一次感覚運動野の下肢領域に血液量の増加がみられ，歩行動作の想像時には補足運動野の血液量の増加がみられる．

〔Miyai, I., et al.: Cortical mapping of gait in humans: a near-infrared spectroscopic topography study. *Neuroimage*, 14:1189, 2001 より一部改変〕

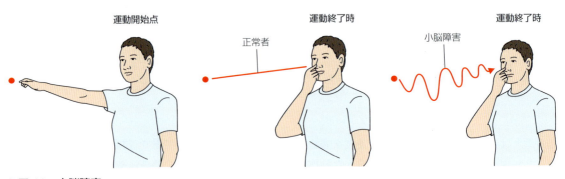

運動開始点　　　　　運動終了時　　　　運動終了時

正常者　　　　　　　小脳障害

▶図 10　小脳障害

呼ばれる．小脳半球からの信号は橋核と下オリーブを経由して小脳に入力され，処理された情報は間脳に送られ，運動開始のタイミングや運動のプログラミングに影響を与える．また，小脳と脳幹の結合には上・中・下小脳脚がある．**上小脳脚**は

小脳核から視床および脳幹へ向かう遠心性線維からなる．**中小脳脚**は大脳皮質から橋核を経由して半球外側部に向かう求心性線維からなる．**下小脳脚**は脳幹および脊髄から虫部と中間部に向かう求心性線維からなる．

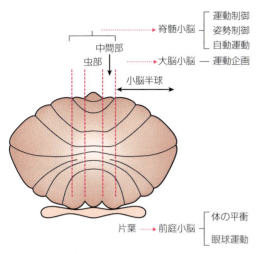

▶図 11 小脳の構造

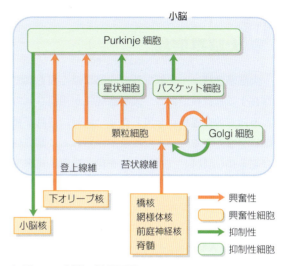

▶図 12 小脳の神経回路

2 小脳の神経細胞

　小脳には，Purkinje（プルキンエ）細胞，バスケット細胞，星状細胞，Golgi 細胞，顆粒細胞の5 種類の神経細胞がある（▶図 12）．顆粒細胞のみが興奮性の細胞あり，残りの 4 種類の神経細胞は抑制細胞である．小脳からの出力は 1 種類だけであり，Purkinje 細胞がそれに当たる．

3 小脳への入力

　小脳への入力は 2 種類であり，**苔状線維**と**登上線維**である．苔状線維は顆粒細胞を興奮させ，登上線維は延髄の下オリーブ核から Purkinje 細胞に興奮性に接続する．苔状線維からの信号は興奮性細胞である顆粒細胞を興奮させ，顆粒細胞は抑制性の Purkinje 細胞，バスケット細胞，星状細胞を興奮させる．バスケット細胞と星状細胞は Purkinje 細胞を抑制する．そのため，Purkinje 細胞は登上線維と顆粒細胞から直接興奮させられる信号と，バスケット細胞と星状細胞を経由して抑制させる信号がある．両者のバランスが Purkinje 細胞の活動レベルを決定する．Golgi 細胞は顆粒細胞から信号を受け取る仕組みになっているが，その出力は顆粒細胞が苔状線維から入力信号を受け取る部位に送られ，苔状線維からの入力を抑制する．

4 小脳での学習

　小脳の容積は脳全体の 1/10 であるが，ニューロンの数は 50% 以上を占めている．1 個の Purkinje 細胞に入力する顆粒細胞の数は平均 1,800 個に及び，顆粒細胞と接続するシナプス数は Purkinje 細胞 1 個あたり 8 万個にも及ぶ．顆粒細胞から Purkinje 細胞への信号伝達効率が変化することが知られている．Purkinje 細胞が強く脱分極したのちに顆粒細胞から信号が伝達されると，シナプス伝達効率が変化して長期間持続することが明らかにされている．下オリーブから登上線維経由で入力してくる信号は Purkinje 細胞を強く脱分極させる．そのため，登上線維からの入力でPurkinje 細胞が強く脱分極したのちに顆粒細胞から信号が伝達されると，シナプス伝達効率が変化し，その変化は長期的に持続するのである．これが小脳での学習の 1 つと考えられる．

D 大脳基底核

　大脳基底核は，大脳皮質の内部に深く埋もれて存在する神経核である．大脳基底核が損傷されると不随意的な運動が発現したり，反対に運動が極端に少なくなるといった現象がみられる．基底核は線条体（尾状核，被殻），淡蒼球，黒質，視床下核からなる．基底核は大脳皮質からの情報を受け取り，その情報を処理して視床経由で大脳皮質に出力する．そのため，脳全体をみるとループ状の神経回路（**大脳−基底核ループ**）を形成することになる（▶**図 13**）．情報の入力部は**線条体**であり，大量の入力線維が大脳皮質から送られてくる．入力源は運動野や連合野の広い範囲である．基底核からの出力は**淡蒼球内側部**と**黒質網様部**から送られる．入力部と出力部を結びつけるのは**淡蒼球外側部と視床下核**である．**黒質緻密部**はドパミンを線条体に放出して線条体の活動を調整する働きがある．

1 大脳基底核からの出力

　大脳基底核からの出力細胞（淡蒼球内側部と黒質網様部）はすべて抑制性であり，常時盛んに活動して抑制物質である γ−アミノ酪酸（GABA）を放出し，ターゲットとする細胞の活動を常に抑制している．その抑制度合いを取り除く（脱抑制系）作用と，抑制度合いを強める（抑制強化系）作用を調整することにより，ターゲットの細胞の活動を調整している．運動をスムーズに開始するには基底核出力細胞の抑制活動を弱め，不要な運動がおこらないようにするには基底核出力細胞の抑制活動を強めるように活動する．

2 大脳基底核の障害

　大脳基底核が障害されると不随意運動や運動開始困難などの障害がみられる．臨床的には**錐体**

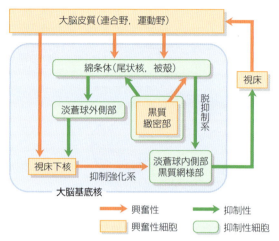

▶**図 13　大脳皮質と基底核との神経回路網**
大脳皮質と基底核がループ状の神経回路を形成している．

外路障害と呼ばれ，Parkinson（パーキンソン）病の無動や Huntington（ハンチントン）病でみられる不随意運動などがあげられる．Parkinson 病では，黒質の変性・脱落により線条体の脱抑制系が弱まることと，抑制強化系が強まることにより基底核出力細胞の抑制機能が強化される．これにより大脳皮質の活動が困難になり，無動症状がみられる．Huntington 病は線条体のうち，淡蒼球外側に投射する抑制性神経が選択的に変性・脱落する．このため，淡蒼球外側部の活動が高まり（抑制が減弱するため），視床下核の活動を弱める．その結果，抑制強化系が弱まり，基底核出力細胞の抑制活動が低下する．これが原因で不随意運動がおこる．

E α運動ニューロンの活動調整

　筋肉の活動量を決めているのは α 運動ニューロンの活動量である．脊髄では 1 つの筋肉につながる複数の α 運動ニューロンが集団を形成しており，**運動神経プール**と呼ばれる（▶**図 14**）．
　α 運動ニューロンの活動は，大別すると 2 つの

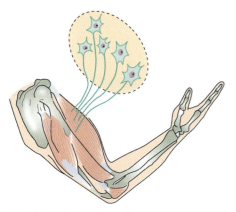

▶図14　運動神経プール
1つの筋を支配しているα運動ニューロンの集まり

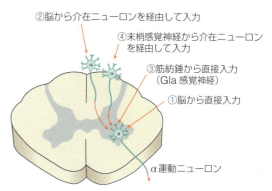

②脳から介在ニューロンを経由して入力
④末梢感覚神経から介在ニューロンを経由して入力
③筋紡錘から直接入力（GIa感覚神経）
①脳から直接入力
α運動ニューロン

▶図15　α運動ニューロンへの入力源

系によって調節されている．1つ目は脳（大脳と脳幹）からの下行性制御である．2つ目は筋，腱，関節，皮膚などの体性感覚情報を伝える脊髄内での神経回路網である．どちらの系も直接α運動ニューロンに入力するものと，介在ニューロンを介して入力するものがある．そのため，α運動ニューロンへの入力源は，①大脳および脳幹からの直接入力，②大脳および脳幹から介在ニューロンを介した入力，③筋紡錘のGIa感覚神経からの直接入力，④筋紡錘，腱紡錘，関節・皮膚受容器などの体性感覚から介在ニューロンを介した入力の4種類が存在する（▶図15）．

1個のα運動ニューロンは数千から1万にも及ぶ非常に多くのシナプスを有しているとされており，興奮性に働くものと抑制性に働くものがある．運動の制御とはα運動ニューロンの活動の制御を意味しているといえる．

F　脊髄による運動制御

運動を制御するということは，脊髄α運動ニューロンの活動を調整することに等しい．前述したように，α運動ニューロンへの入力源は，筋紡錘からの直接入力，筋紡錘，腱紡錘，関節・皮膚受容器などの体性感覚から介在ニューロンを介し

た入力，大脳および脳幹からの直接入力，大脳および脳幹から介在ニューロンを介した入力の4種類が存在する．

1　末梢からα運動ニューロンへの直接入力

末梢からα運動ニューロンへの直接入力は，筋紡錘を受容器とした求心性GIa神経線維からの入力だけである．**筋紡錘**は“筋の長さ”と“長さの変化”を感知する受容器であり，被膜に包まれた形態をしており，錘内筋と呼ばれる特殊な筋線維と，これを支配する感覚神経および運動神経からできている（▶図16）[14, 15]．錘内筋は核袋線維と核鎖線維の2種類ある．また，これらを支配している感覚神経も2種類あり，神経線維が太いグループIa（GIa）群線維と神経線維が細いグループII（GII）群線維がある．GIa線維は核袋線維と核鎖線維の中央部に巻き付いているが（一次終末），GII線維は主に核鎖線維に巻き付いている（二次終末）．一次終末は筋の“長さ”と“長さの変化”の両方を感知するが，二次終末は筋の“長さ”を主に感知する．すなわち，筋を伸張して伸ばした状態に保持すると，その長さに応じて一次終末と二次終末はいずれも活動するが（**静的反応**），一次終末では筋が引き伸ばされている過程で，さらに

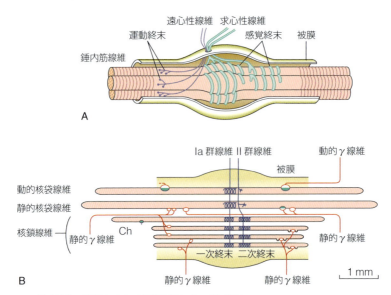

▶図 16　筋紡錘の構造(A)と支配神経(B)の模式図
筋紡錘は筋の長さを感知しており，2 種類の錘内筋線維と遠心性神経および求心性神経から構成される．求心性線維は GIa と GII 感覚ニューロンであり，遠心性線維は γ 運動ニューロンである．
〔A : Kandel, E.R., et al.: Principles of Neural Science. 3rd ed., p.566, Elsevier Science Publishing, New York, 1991.　B : Dyck, P.J., et al.: Peripheral Neuropathy. 2nd ed., p.177, W.B. Saunders, Philadelphia, 1984 より〕

活動が増大する(**動的反応**)．この動的反応は筋長が変化する速度にほぼ比例する．筋の長さを感知する錘内筋と求心性線維の活動により，身体の状況を把握するための重要な情報が脊髄に送り込まれる．

2 伸張反射

伸張反射は筋紡錘を受容器とした反射であり，筋が急速に伸張された際に，伸張された筋を収縮させる反射である．筋が急速に伸張されると錘内筋が伸張され，GIa 線維の終末部が刺激される．それによって GIa 感覚線維が活動し，その活動が脊髄に到達して，介在ニューロンを介さずに直接 α 運動ニューロンを活動させる(▶**図 17**)[1]．

3 γ 運動ニューロン

他動的に筋が伸張された場合は筋の"長さ"を感知するが，筋が活動している場合は筋が短縮していても GIa 神経は活動する．筋紡錘に終わっているγ運動ニューロンは，錘内筋の感度を調節するために必要に応じて錘内筋を収縮させる．筋が活動して短縮した場合，錘内筋がゆるまないようにα運動ニューロンの活動と同時にγ運動ニューロンも活動し，錘内筋を収縮させる．そのため，筋収縮を行っている際には筋が短縮しても GIa は活動するのである(▶**図 18**)[16]．

4 末梢から介在ニューロンを介した入力

末梢からα運動ニューロンへの入力のうち，介在ニューロンを介した入力は数多くある．その 1 つとして**腱紡錘**を受容器とした反射がある．筋紡錘は筋の長さを感知しているが，腱紡錘〔Golgi（ゴルジ）腱器官〕は"筋収縮力"を感知している．Golgi 腱器官は筋と腱とのつなぎ目にあり，GIb 感覚神経によって信号が伝達される．GIa は筋を収縮させようとするが，GIb は筋の収縮を弱めよ

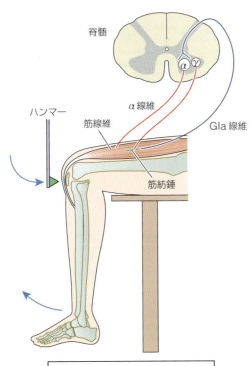

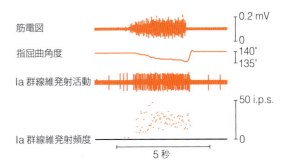

▶図 18 　筋活動を伴う筋短縮時の GIa の活動
〔Vallbo, A.B.: Basic patterns of muscle spindle discharge in man. In: Taylor, A., et al. (eds.): Muscle Receptors and Movement, pp.263–275, Macmillan, London, 1981 より改変〕

刺激：筋の伸張
受容器：筋紡錘 求心性神経：GIa 線維 投射：α運動ニューロン 作用：α運動ニューロンを興奮 遠心性神経：α運動ニューロン 効果器：自らの筋（同名筋）
現象：伸張された筋肉が収縮

▶図 17 　伸張反射
〔宮本省三：随意運動のメカニズム. 吉尾雅春（編）：標準理学療法学 専門分野 運動療法学 総論, 第 2 版, p.73, 医学書院, 2006 より一部改変〕

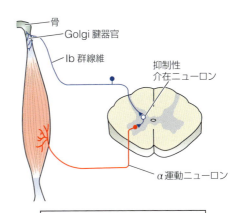

刺激：筋収縮力
受容器：腱受容器（Golgi 腱器官） 求心性神経：Ib 群線維 投射：抑制性介在ニューロン 作用：α運動ニューロンを抑制 遠心性神経：α運動ニューロン 効果器：自らの筋（同名筋）
現象：収縮している筋肉の活動を抑制

▶図 19 　腱受容器（Golgi 腱器官）の反射

うとする．すなわち，GIb からの情報が大きくなると，その信号は脊髄レベルでα運動ニューロンの活動を抑制して，筋の収縮力を弱めるように働く（▶図 19）．GIb の信号は介在ニューロンを介してα運動ニューロンに作用する．GIb の活動は過度の筋収縮を弱め，筋への過負荷を制限しているが，筋収縮力を適切な範囲とし，力を入れすぎないようにも調整していると考えられている．そのほか，GIa の活動が拮抗筋の活動を抑制する相反抑制や，関節包や靱帯，皮膚からの感覚情報も

介在ニューロンを介してα運動ニューロンに作用する．

G 脳からα運動ニューロンへの経路

脊髄α運動ニューロンは数千から 1 万程度の入

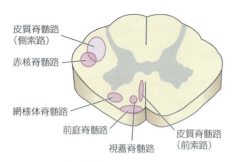

▶図 20　脊髄下行路

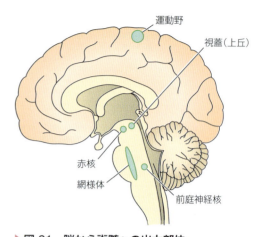

▶図 21　脳から脊髄への出力部位
〔丹治 順：脳と運動―アクションを実行させる脳. 共立出版, 1999 より〕

力シナプスがあるとされており，非常に多くの入力源をもっている．筋，腱，関節，皮膚などの末梢情報を受け取るもののほか，大脳からの情報も受け取る．大脳からの情報は一次運動野および脳幹からの信号が主であるが，運動前野や補足運動野からも入力する．大脳からの情報はα運動ニューロンに直接または介在ニューロンを介して入力する．

　α運動ニューロンに入力するまでの経路として，**皮質脊髄路**，**赤核脊髄路**，**網様体脊髄路**，**前庭脊髄路**，**視蓋脊髄路**がある（▶図 20）．出力部位として，一次運動野（皮質脊髄路），赤核（赤核脊髄路），上丘（視蓋脊髄路），前庭神経核（前庭脊髄路），橋網様体と延髄網様体（網様体脊髄路）がある（▶図 21）[2]．**赤核**は大脳と小脳の情報を中継して脊髄の活動を調整する．**上丘**は首の運動を調整し，**前庭神経核**は内耳から送られてきた頭の位置や動きの情報から姿勢を制御する．**網様体**は大脳とそれ以外の部位から情報を集めて姿勢調整に寄与する．

　随意運動の調整を大脳が行う場合，直接または介在ニューロンを介してα運動細胞に接続して興奮性の作用を及ぼすものが多いが，抑制性の介在ニューロンを介する抑制も存在する．また，1 つの下行性神経は複数の髄節レベルに投射し（▶図 22 A）[17]，さらに同一髄節レベルにおいても複数の運動神経細胞に投射している（▶図 22 B）．介在ニューロンは脳からの信号だけでなく，筋，腱，関節，皮膚などからの入力信号を統合する．

このように，脳からの出力はα運動ニューロンを制御するだけでなく，介在ニューロンを経由して脊髄反射の調整も行っている．

　運動野と脳幹から下行してくる運動出力は，大脳高次運動野の支配を受けている．また，全身の筋肉や関節，皮膚などの体性感覚情報は，脊髄に送られて反射などに利用されたり，大脳体性感覚野に情報として送られる．さらに，平衡感覚や視覚などの情報は，それぞれの感覚野を経由して大脳連合野で統合される．高次運動野は認知過程で形成された情報を運動野に提供する．小脳や大脳基底核は大脳連合野や体性感覚野から運動野への情報を仲介するだけでなく，運動野からの出力を調整するなどして運動制御に関与している．

H　興奮−収縮連関

　随意運動は，なんらかの指令が脊髄または脳幹に存在する運動神経細胞に伝達され，伝達された指令が運動神経線維を経由して筋肉まで到達し，筋収縮がおこることで実現される．

　脊髄前角に位置するα運動ニューロンの細胞体が興奮すると，①その興奮がα運動ニューロンの軸索を伝導して神経終末に到達する．②興奮が神

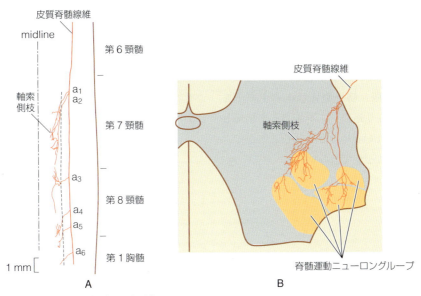

▶図22　脳から脊髄への投射

皮質脊髄路の1本の軸索は脊髄の複数の髄節レベルに投射している(**A**)．また，1本の軸索側枝は
脊髄の複数の運動ニューロンプールへ投射している(**B**)．

〔篠田義一：運動野の構造と機能．神経進歩，28:38−39，1984 より一部改変〕

経終末に到達すると，軸索終末部からアセチルコ
リンが放出される．③軸索終末からアセチルコリ
ンが放出されると，終板に存在するアセチルコリ
ン受容体によってアセチルコリンを感知して，終
板電位が発生する．④終板電位がある程度の大き
さになると，終板に近接した筋線維膜が脱分極を
おこし，活動電位が発生する．⑤終板近接で発生
した活動電位は筋線維膜を伝導し，同時に横行小
管（T管）を通って筋線維の中まで活動電位が伝わ
る．⑥T管に活動電位が伝わると，T管に隣接し
た筋小胞体から Ca^{2+} が筋線維内に放出される．
⑦ Ca^{2+} 濃度が筋線維内で増えると，Ca^{2+} とト
ロポニンCが結合し，⑧トロポニンとトロポミオ
シンが構造的に変動して，アクチンとミオシンの
結合が誘発される．⑨この際，エネルギーを利用
して，アクチンフィラメントとミオシンフィラメ
ントの結合・解離が繰り返されて筋が収縮する．
これが筋収縮の基本的なメカニズムである．

　筋線維内の Ca^{2+} 濃度が高い状態で，筋収縮に
必要なエネルギー〔アデノシン三リン酸（adeno-
sine triphosphate; ATP）〕が存在する限り，アク

1) 大脳運動野の活動
2) 脊髄前角細胞（α運動ニューロン）の興奮
3) α運動ニューロンを興奮が伝導
4) 神経終末部からアセチルコリン放出
5) 終板部でアセチルコリン受容体とアセチルコリン
　 が結合すると Na^+ が細胞内へ流入して終板電位
　 が発生
6) 終板電位がある程度の大きさ以上になると，終板
　 に隣接した筋線維膜で活動電位が発生
7) 活動電位が筋線維膜上を伝導すると同時に，T管
　 を通って細胞内にも伝導
8) T管に活動電位が伝導すると，近接する筋小胞体
　 から Ca^{2+} が放出
9) Ca^{2+} とトロポニンCが結合
10) トロポニンとトロポミオシンは移動して，アクチ
　　 ンとミオシンが結合するのを阻害しなくなる
11) アクチンとミオシンが結合・解離を繰り返す（ATP
　　 利用）
12) 筋が収縮する
13) 神経からの興奮が途絶えると筋線維の興奮も途絶
　　 え，筋小胞体は Ca^{2+} を取り込む
14) 筋が弛緩する

▶図23　筋収縮のメカニズム

チンとミオシンの結合・解離が繰り返される．また，神経終末からアセチルコリンの放出が止まり，筋線維での活動電位がおこらなくなると，筋小胞体は放出した Ca^{2+} を取り込み，筋が弛緩する（▶図 23）．この際，筋小胞体はエネルギーを活用して Ca^{2+} を取り込む．エネルギーが枯渇していると筋小胞体は Ca^{2+} を取り込むことができず，筋は弛緩することができない．

運動単位

　1 個の α 運動ニューロンとそれに支配されている筋線維群をまとめて**運動単位**という（▶図 24）．1 個の α 運動ニューロンが活動すると，それに支配されている筋線維はすべて活動・収縮するため，運動単位は筋収縮の最小単位といわれている．図 25 に示すように，大きな細胞体の α 運動ニューロンは神経軸索が太く，支配している筋線維の数が多い（神経支配比が大きい）．このような

大きなサイズの運動単位に属している筋線維は主に**白筋線維**である．小さな細胞体の α 運動ニューロンは軸索が細く，支配している筋線維の数が少ない（神経支配比が小さい）．このような小さなサイズの運動単位の筋線維は**赤筋線維**の場合が多い．

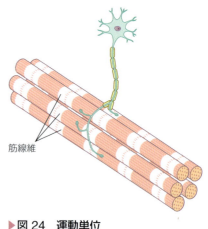

筋線維

▶図 24　運動単位
1 個の α 運動ニューロンとそれに支配されている筋線維群

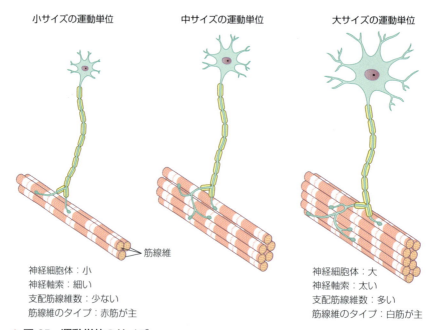

小サイズの運動単位　　　　中サイズの運動単位　　　　大サイズの運動単位

筋線維

神経細胞体：小　　　　　　　　　　　　　　　　　　神経細胞体：大
神経軸索：細い　　　　　　　　　　　　　　　　　　神経軸索：太い
支配筋線維数：少ない　　　　　　　　　　　　　　　支配筋線維数：多い
筋線維のタイプ：赤筋が主　　　　　　　　　　　　　筋線維のタイプ：白筋が主

▶図 25　運動単位のサイズ
弱い筋収縮の際には，小さな運動単位が活動し，筋収縮力を少しずつ強くしていくと，徐々に大きな運動単位が活動に参加してくる（サイズの原理）．

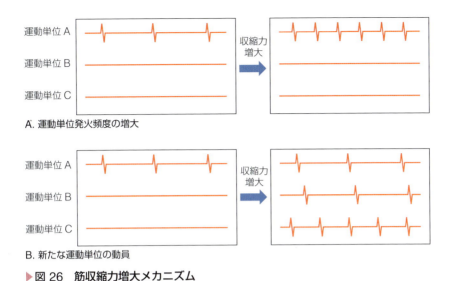

A. 運動単位発火頻度の増大

B. 新たな運動単位の動員

▶図26　筋収縮力増大メカニズム

通常の随意運動の場合，はじめに小さなサイズの運動単位から活動を開始し，発揮する力を強くしていくに従って大きなサイズの運動単位が活動に参加してくる(**サイズの原理**)．軽負荷で疲労しにくいのは，赤筋が主である小さなサイズの運動単位が主に活動しているからである．

J 筋収縮力の調整

筋収縮力を調整する方法は2つあり，第1は，1個のα運動ニューロンの活動頻度(発火頻度)を変化させることによる調整である(**▶図26A**)．1個のα運動ニューロンが1回活動すると，それに支配されている筋線維が同時に1回だけ収縮する(**単収縮**)．α運動ニューロンの活動が高頻度になると，時間的加重で筋線維の収縮張力が大きく，滑らかになる．

第2は，活動している運動単位の数を増やすことによる調整である(**▶図26B**)．同じ筋に含まれている他の運動単位が活動に参加(運動単位の動員)することや，共同筋の運動単位の参加により発揮張力が調整される．筋収縮力を増大する際には，前記の2つの方法が個別で行われるのでは

なく，両方が同時におこって調整されている．

●引用文献
1) 宮本省三：随意運動のメカニズム. 吉尾雅春(編)：標準理学療法学 専門分野 運動療法学 総論, 第2版, pp.52–79, 医学書院, 2006.
2) 丹治 順：脳と運動—アクションを実行させる脳. 共立出版, 1999.
3) Penfield, W.: The Cerebral Cortex of Man. Macmillan Company, New York, 1950.
4) Kurata, K., Hoshi, E.: Reacquisition deficits in prism adaptation after muscimol microinjection into the ventral premotor cortex of monkeys. *J. Neurophysiol.*, 81:1927–1938, 1999.
5) Wise, S.P.: The primate premotor cortex: past, present, and preparatory. *Annu. Rev. Neurosci.*, 8:1–19, 1985.
6) Moll, L., Kuypers H.G.J.M.: Premotor cortical ablations in monkeys; Contralateral changes in visually guided reaching behavior. *Science*, 198:317–319, 1977.
7) Mushiake, H., et al.: Neuronal activity in the primate premotor, supplementary, and precentral motor cortex during visually guided and internally determined sequential movements. *J. Neurophysiol.*, 66:705–718, 1991.
8) Shima, K., Tanji, J.: Neuronal activity in the supplementary and presupplementary motor areas for temporal organization of multiple movements. *J. Neurophysiol.*, 84:2148–2160, 2000.
9) Picard, N., Strick, P.L.: Motor areas of the medial wall: a review of their location and functional

activation. *Cereb. Cortex*, 6:342–353, 1996.

10) 小澤瀞司ほか（総編集）：標準生理学. 第 7 版, 医学書院, 2009.

11) Lau, H.C., et al.: Attention to intention. *Science*, 303:1208–1210, 2004.

12) Miyai, I., et al.: Cortical mapping of gait in humans: a near-infrared spectroscopic topography study. *Neuroimage*, 14:1186–1192, 2001.

13) Shima, K., Tanji, J.: Role for cingulate motor area cells in voluntary movement selection based on reward. *Science*, 282:1335–1338, 1998.

14) Kandel, E.R., et al.: Principles of Neural Science. 3rd ed., p.566, Elsevier Science Publishing, New York, 1991.

15) Dyck, P.J., et al.: Peripheral Neuropathy. 2nd ed., p.177, W.B. Saunders, Philadelphia, 1984.

16) Vallbo, A.B.: Basic patterns of muscle spindle discharge in man. In: Taylor, A., et al. (eds.): Muscle Receptors and Movement, pp.263–275, Macmillan, London, 1981.

17) 篠田義一：運動野の構造と機能. 神経進歩, 28:26–46, 1984.

第4章

運動制御と運動学習

学習目標
- 運動制御の理論と問題点を理解する.
- 随意運動発現のメカニズムと基礎となる理論を学ぶ.
- 姿勢制御のメカニズムを理解する.
- 運動学習とこのメカニズムに基づく練習の構成について考える.

A 理学療法士に必要な運動制御の理解

　理学療法の対象として観察される身体運動は "物理的運動" であり，ニュートン力学で支配される現象であることは間違いない．その観点では，「力」や「トルク」と「質量」「重心」「慣性モーメント」が運動の理解には必要にして十分な要素である．たとえば，同じ重さの物体で重心位置が低い場合と高い場合はどちらがより安定だろうか？（▶図1）

　理学療法的観点から身体運動を考える場合，物理の教科書的な運動の理解だけでは十分でない理由が2つある．1つ目は物理的には同じ身体運動なのに，環境により異なるスキルが必要になることがある．時間とともに変化する環境で必要になる**オープンスキル**と，時間によって変化しない環境内で必要になる**クローズドスキル**である（▶図2）．2つ目は，理学療法士はクライアントの身体運動を実現させなければならないところにある．物理的な運動としての身体運動の理解では運動をする主体が "誰であるか" はまったく考える必要がない．しかし，クライアントの運動は最終的に何かの目的を成し遂げるための手段であり，その意味では成し遂げられるべき目的がなけ

れば運動はおこらない．下肢の左右交互の運動を "歩行" と呼ぶとすると，健康維持のための歩行は "ウォーキング" という行動としてとらえられる．理学療法士としては行動レベルでの変容を見据えたプランを考える必要がある．

B 身体運動制御はなぜ難しいか

　身体運動制御のために中枢神経が直接制御できるものは筋収縮のみであり，表情筋や眼筋・括約筋などを除けばそれだけでは運動課題遂行には十分でなく，必ず関節の関与が必要になる．しかし，人体の関節運動は支持性を得るために制約が

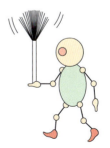

▶**図1　運動の物理的理解**
逆さのほうき（あるいは棒）を静止させることは難しいが，バランスをとって倒れないようにすることはできる．しかも重心が高い長いほうきのほうがバランスがとりやすい．これはなぜか？

59

▶図2　クローズドスキル（左）とオープンスキル（右）

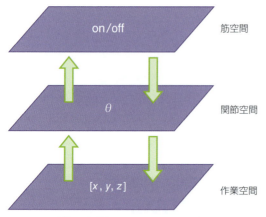

▶図3　運動課題遂行のための 3 つの空間活動

多く，回転運動のみでラジオのアンテナのように重なり合った筒が伸び縮みするテレスコピックな運動もできないし，タコの脚のように自由に動くこともできない．

コップを手に取るようなごく日常的な運動課題でも，その遂行には筋・関節・作業という 3 つの空間でのきわめて複雑な活動が含まれている（▶図3）．実際に課題を遂行する"効果器"である手が手前からコップに向かって"作業空間"内をほぼ直線的に移動し，最終的にコップに対して特定の位置と向きに運ばれる．1 つの関節の運動では作業空間では円しか描けないため，"関節空間"内では肩，肘，手首，手指がある決まったタイミングと量で協調的に活動をする必要がある．

筋の活動を表す"筋空間"内ではあるタイミングで特定のセットの筋が on/off し，別のセットの筋が別のタイミングで on/off をしなければならない．

1 文脈の問題

身体運動制御のための筋活動は脳からの指令によってスタートする．しかし，脳からの指令による筋活動と実際の身体運動の関係は必ずしも 1 対 1 ではなく，運動が要求される文脈（状況）により変わることが Bernstein（ベルンシュタイン）によって**文脈の問題**として指摘された[1]．たとえば，ゆっくりした運動なら主動作筋のみの活動しか観察されないが，すばやい動きではブレーキをかける拮抗筋の働きも観察される．また，身体運動は物理運動であるので，その力源としては筋力とそれ以外の力，たとえば重力や摩擦力を区別しない（▶図4）．

2 自由度問題

Bernstein の指摘した問題のもう 1 つは**自由度問題**である．自由度とは複数の変数のうち"独立して"変化できるものの数で，たとえば，肘関節運動では屈曲・伸展の動きの自由度と回内・回外の動きの 2 つの運動軸があり，互いに干渉される

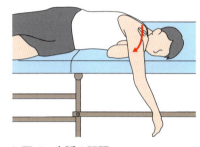

▶図4　文脈の問題
同じ肩関節を 90° に保つ運動でも，文脈に
よって働く筋肉のセットはまったく異なる.

▶図5　運動課題と関節自由度
運動課題によって必要となる運動自由度は異なる．エレベーターのボタンを押す課題では効果器である指先がボタンに届けばよいので縦横高さの位置の 3 自由度が求められる（A）が，鍵穴に鍵を差し込むときには，鍵が穴に届いているだけでなく，向きも制御する必要があるので位置の 3 自由度に加えて向きの 3 自由度が必要になる（B）．効果器に求められる運動自由度に対応して，運動器側にも 6 自由度が必要になる.

ことなく独立してそれぞれの軸まわりでの動きが可能であるため，肘関節の運動の自由度としては 2 となる.

a 自由度の多さの問題

ロボットアームの制御であれば 1 つの自由度に対して 1 つのモーターを割り当てることができるが，筋肉はモーターと異なり収縮方向にしか力を発揮できないため，1 つの自由度に対して最低でも動作筋と拮抗筋をペアにする必要がある．さらに，複数の異なる筋肉が同じ動作に寄与する．たとえば，上腕二頭筋，上腕筋，腕橈骨筋，円回内筋はすべて肘関節屈曲の作用をもつ．さらに突き詰めると，脳が直接制御しているのは筋そのものではなく，複数の筋線維からなる**運動単位**である．ある力を発揮するときに，「どの運動単位を on にし，どの運動単位を off にする」という制御をしているとすると，その自由度は文字どおり天文学的数字になってしまう.

b 自由度の冗長性の問題

関節レベルの制御でも自由度の "多さ" は問題であるが，さらに運動制御には**自由度の冗長性**の問題がある．冗長性とは「必要最低限以上にある」ことを指すが，運動制御における運動学的な自由度の冗長性について考えると，作業空間で効果器が課題を遂行するのに必要な運動自由度に対して，その効果器を動かす運動器側の提供する運動自由度が多い状態を示している.

たとえば，テーブルを拭く課題を考えると，実際に拭く作業をする手先が効果器である．説明を簡単にするために，この手先の運動が同一平面内で肩，肘，手首の三関節の運動で構成されているとすると，平面上での効果器の自由度は縦方向と横方向の動きの 2 であるが，運動器の自由度はそれぞれの関節が屈伸運動するので合計で 3 あり，効果器の運動に必要な最低限度の自由度より多い（▶図5）.

たくさんの関節がかかわる運動でも，それぞれの関節角度を決めれば最終的に効果器の位置は一意的に決定される．これは「順方向」の運動学的問題とされている.

$$[\theta_1\ \theta_2\ \theta_3\ \theta_4\ \cdots] \to [X\ Y]$$

しかし，コップに手を伸ばすような日常の運動

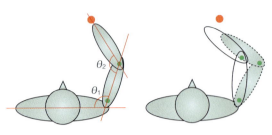

A. 冗長性のない二関節

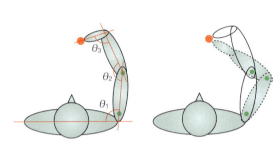

B. 冗長性のある三関節

▶図 6　自由度の冗長性（1 対多の関係）

屈筋共同運動

▶図 7　シナジー

片麻痺患者の回復過程で観察される「共同運動パターン」では，それぞれの関節運動（肩関節屈曲外転外旋・肘屈曲・前腕回外・手関節掌屈）が独立して行えないので，複数の関節が関与しているが，運動自由度は 1 とみなせる．機能的ゴールとは無関係に生じるシナジーなので「病的」シナジーと考えられる．

課題においては，作業空間上の 1 点であるコップの位置から逆に関節空間での活動への道筋を見つけることが運動制御上の問題となる．これは「逆方向」の運動学的問題とされる．

$$[X\ Y] \to [\theta_1\ \theta_2\ \theta_3\ \theta_4\ \cdots]$$

「逆」運動学的問題では，課題に対して運動自由度に冗長性の「ある」運動器では，「ない」場合に比べてその解の導き出し方が異なる．冗長性のない運動器では，1 つの作業空間での位置が同じく 1 つの関節空間上の点 $[\theta_1, \theta_2]$ にのみ対応する「1 対 1」（▶図 6A）の関係であるのに対して，冗長性のある運動器では 1 つの作業空間の位置に対する $[\theta_1, \theta_2, \theta_3]$ の角度の組み合わせが唯一ではなく複数ある「1 対多」になる（▶図 6B）．この場合は，逆運動学的問題に対する「解がない」のではなく「解が複数ある」ため，実際の運動をおこすためには「複数解から 1 つを選択する」という新しい課題が課せられる．

ⓒ自由度を下げる戦略

運動制御の観点からは，制御すべき自由度が少ないほうが制御しやすい．たとえば，まだ十分な運動制御ができない運動の初心者では，一度に制御する関節の数を減らすことにより自由度を下げた状態で練習をすることが多い．テニスやゴルフのスイングで「手首を固定して」とか「肘を伸ばしたままで」というのは関節を固定することにより実質的に制御されるべき自由度を "凍結" し，全体の自由度を下げている例と考えられる．

Bernstein は複数筋群の協働的な収縮を**シナジー**とし，このシナジーの形成が動かせる関節の数を減らさずに自由度を減らせる方法であると考えた（▶図 7）．たとえば，歩行の立脚期には足・膝・股関節の屈伸運動が互いに協働することにより下肢全体が 1 つのユニットとして衝撃吸収から推進力発生までを実現する "機能的" ゴールを果たしている**機能的シナジー**と考えられる．

ⓓ自由度の冗長性の使い道

運動自由度の冗長性は，運動制御の面では挑戦であるが，環境の変化があるなかで運動を遂行できる「オープンスキル」獲得には大きな利点がある．

たとえば，図6で示されたコップに手を伸ばす課題を冗長性のない二関節で行う場合，近位関節がエラーや外乱によりθ_1以外の値をとった場合はθ_2をいくら調整してもそのエラーを回復して指先を予定の位置に届けることはできない．これに対して運動自由度に冗長性のある三関節システムでは，たとえばθ_1でのエラーがあってもθ_2とθ_3をうまく調整することで最終的には効果器のエラーとして出現させないことが可能になる．運動制御の観点からは，運動自由度の冗長性を減らすだけでなく，うまく"使いこなせる"ことがゴールと考えられる[2]．

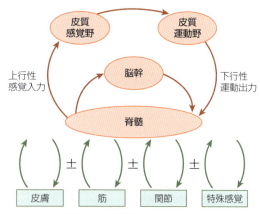

▶図8　運動制御の反射理論
〔Contemporary Management of Motor Control Problems. Proceedings of the II STEP Conference. pp.1–126, 265–268, Alexandria, 1991 より〕

C 随意運動発現のメカニズム

機能的で環境の変化に適応できる身体運動の制御がどのようなメカニズムで実現されるかは，生理学，心理学，体育学，工学などさまざまな分野の研究の対象となっており，時代の変遷・テクノロジーの進歩によりその理解にはさまざまなアプローチがある．

1 刺激−反射理論

19世紀から20世紀初頭には，中枢神経系の理解が深まり，刺激と反射のペアの連鎖がより複雑な運動を組み上げる基本単位となっているという**刺激−反射理論**が唱えられた．基本単位としての刺激−反射ペアの例として膝蓋腱反射を考える．腱に加えられた機械的な伸張刺激が単シナプス性に脊髄で運動ニューロンの発火を引き起こし，膝関節伸展運動が反射として観察される．より複雑な運動はこのような刺激−反射ペアを組み合わせたことにより実現できるとされ[3]，そののちに，より上位の中枢での修飾を含んだモデルが構築された（▶図8）[4]．

刺激−反射理論は，侵害刺激に対する引き込み反射，非対称性緊張性頸反射やMoro（モロー）反射などの刺激に対する定型的運動の発現を説明する力はあるが，随意的・自発的な運動の発現についての説明には十分な力を発揮できない．

2 階層理論

階層理論は1932年に英国のSir Hughlings Jackson（ヒューリングス・ジャクソン）によって提唱された．階層的な制御とは，ある1つの制御のレベルがさらにその上のレベルによって制御されているという構造を指していて，軍隊や会社組織で一般的にみられる．運動制御の階層理論では，この階層的制御の仕組みを中枢神経系の階層的な神経解剖学的構造とトップダウンの指令系に対応させた（▶図9）[4]．階層理論は，特に刺激の入力がなくても運動を実行することができる点で刺激−反射理論より優れており，また上位のレベルからの指令を入れ替えることで豊富なバリエーションをもつ随意運動の生成を説明することができる．

この理論に沿って考えると，中枢性疾患で上位から下位への制御がはずれると下位のレベルでの独自の制御による運動が出現するはずである．これは臨床的に観察される**原始的反射**や**病的共同運**

運動プログラム
上位レベル
(前頭葉，頭頂葉)
投射エリア
中位レベル
(脳幹，運動野)
体節性運動
プログラム
下位レベル
(脊髄)
反射
入力
出力

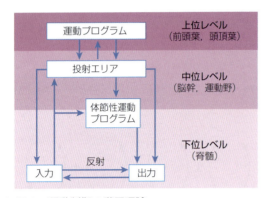

▶**図 9　運動制御の階層理論**
〔Contemporary Management of Motor Control Problems. Proceedings of the II STEP Conference. pp.1–126, 265–268, Alexandria, 1991 より〕

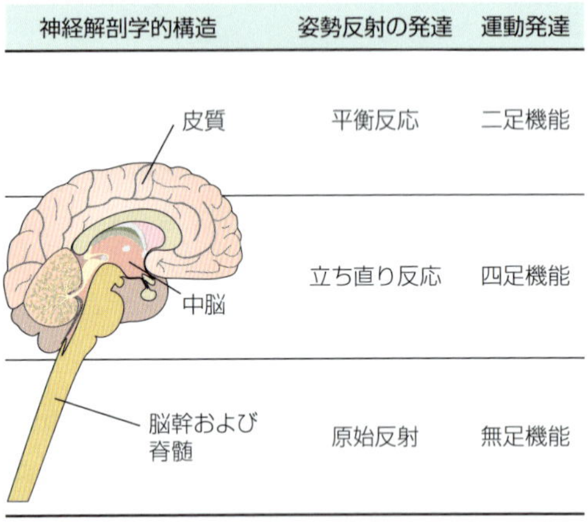

神経解剖学的構造
姿勢反射の発達
運動発達
皮質
平衡反応
二足機能
中脳
立ち直り反応
四足機能
脳幹および
脊髄
原始反射
無足機能

▶**図 10　神経成熟理論による反射と運動の発達**
〔Shumway-Cook, A., Woollacott, M.: Motor Control; Theory and Practical Applications. 2nd ed., pp.1–304, Williams & Wilkins, Baltimore, 2001 より〕

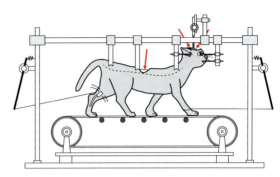

▶**図 11　パターン発生器(CPG)**
手術的に脳を上丘レベルで切断した「除脳ネコ」でも中脳にある歩行誘発野を電気パルスで刺激すると，トレッドミル上で歩行や走行パターンを示す．脊髄レベルに四肢を交互に動かす「運動プログラム」があるためと考えられている．
〔Shik, M.L., et al.: Control of walking and running by means of electrical stimulation of the midbrain. *Biophysics*, 11:659–666, 1966 より〕

動のようないわゆる陽性徴候の出現を説明してくれる．また，小児の運動発達過程でみられる運動の変化が，より下位から上位へと進む脳の発達に沿うと考える根拠にもなっている(▶図 10)[5].

3 運動プログラム

1960 年代はコンピュータが急激な進化をとげた時代である．同一のコンピュータがプログラムを入れ替えることにより多様な役割を果たすことができるのと同様に，随意運動に必要な筋肉群の空間的および時間的な収縮パターンを記述した**運動プログラム**が中枢に存在するという考え方が生まれた．また，楽譜に基づいたオーケストラの演奏ではメンバーがそれぞれ勝手に演奏することができないように，運動プログラムは運動の自由度の際限ない膨張を抑える意味でも有効な考え方である．

a 運動プログラムの概念と進化

運動パターンを生成する“運動プログラム”は 2 つの意味で使われている．1 つは歩行や咀嚼運動のような繰り返しの運動に必要な信号を発生する中枢内の特定の神経生理学回路を含む**パターン発生器**(central pattern generator; CPG)を指している(▶図 11)[6].

もう 1 つは上位の中枢に“記憶”の形で貯蔵されている運動をつくり出すのに必要な情報で，コンピュータのソフトウェアや音楽演奏に必要な楽譜に近い考え方がその原型にある．その後，運動プログラムは特定の筋肉群に限定されない，より抽象化された**一般化運動プログラム**(generalized motor program; GMP)へと進化した(▶図 12)[7].

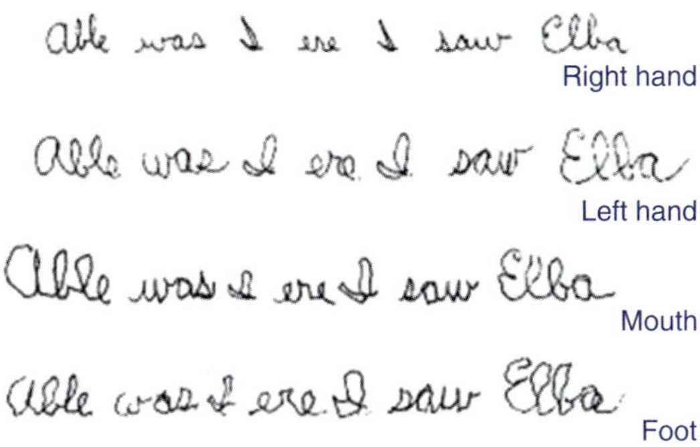

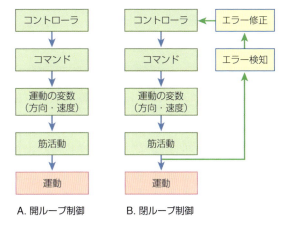

▶図12　motor equivalence
抽象化された一般化運動プログラムでは，特定の筋肉セットに限定されない．同じ人が右手で書いても，左手で書いても，口に筆を加えたり，足に筆をくくりつけて書いても共通の癖が再現されることが知られている．
〔Raibert, M.H.: Motor Control and Learning by the State Space Model. Cambridge: Artificial Intelligence Laboratory, MIT, 1977 より〕

b 閉ループ制御と開ループ制御

　脳をコンピュータになぞらえることで，制御工学分野での情報処理過程やサーボメカニズムを身体運動制御の理解を助ける手段として用いることができる．一般的な制御では，制御される対象（プラント）に対して，命令信号である"入力"と制御を実行した結果としての"出力"の2つを考えることができる．出力の観察結果を入力側へと戻す経路をもつ制御法が閉ループ制御であり，この経路をもたないものが開ループ制御とされる．

　身体運動制御では，入力として運動プログラム，観測できる出力として，①肢節を動かしたことによって生じる自分自身におこる固有感覚などの感覚情報と，②運動が実行された環境におこる変化をとらえた感覚情報，さらに③運動が成功であったかなどの結果がある．閉ループ制御では，これらの情報が入力側へとフィードバックされ，課題遂行中にも必要であれば運動プログラムに修正が加えられる（▶図13）．

　2つのフィードバック方式はそれぞれ異なる性質をもつ運動課題により適している．閉ループ制御を運動課題遂行中に用いる場合には，フィードバックされる情報を手がかりにエラー検知・修正

▶図13　運動プログラム

処理を運動遂行と同時に行っている．このため，運動課題の正確性は向上するが，運動課題遂行のスピードには制限が加わる．たとえば，野球のバントでは，たとえ予期していない変化球であってもバットをボールに当てる正確性が求められるため閉ループ制御を用いる．これに対して開ループ制御の場合は，運動中のエラー検知・修正処理の必要がないため，すばやい運動遂行に向いている．野球のフルスイングでのバッティングでは，ボールの軌道の予測に基づいて「打つ」命令をより早いタイミングで出すことによりバットに十分な加速を与え，球を遠くに飛ばすことができるが，スイング途中で修正は効かないため，予測が正しくない場合は空振りしてしまう．

4 スキーマ理論

　GMP は，環境の変化や運動遂行の結果に応じてアップデートされ続けなければならない．そのため，GMP の上位に"運動のためのスキーマ"を位置させるスキーマ理論が提唱された[8]．スキーマとはもともと認知心理学での用語で，「何か似たものを他と区別して認知するための枠組みあるいは引き出し」とされる．たとえば，犬を認識するのに大きさ，形，毛の色など個々の特徴を積み上げて「これは犬と結論できる」と認知するのでは

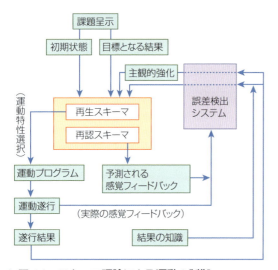

▶図 14　スキーマ理論による運動の制御
〔大橋ゆかり：運動学習理論. 理学療法, 11(1):25–30, 1994 より改変〕

なく，自分がすでにもっている犬という引き出しに入ればすぐに犬と認知される.

　スキーマの概念を身体運動に当てはめて考えてみると，"歩く"という抽象的な枠組みがまずあり，そこから実際の筋活動の強さやタイミングなどの個別の運動プログラムのパラメータの値が決定される. このとき，ある特定の環境下で求める運動をおこすのに必要なパラメータ値をもつ引き出しを**再生スキーマ**（recall schema）とし，そのパラメータ値で運動を実行した場合に得られるであろう感覚の引き出しを**再認スキーマ**（recognition schema）として，再認スキーマに実際の実行結果をフィードバックで結びつけることでスキーマが常にアップデートされ，運動が洗練されていく（▶図 14）[9].

5 システム理論

　制御された身体運動が出現するメカニズムを，"制御する中枢"からの指令と，それを受ける"制御される身体"という主従関係で理解する従来の運動制御に対して，複数のシステム間の相互作用の結果として観察された運動が生じているという

システム理論が提唱されている.

　システム理論では，細胞の働きから国際政治，金融まで，その観察対象とするシステムは分野・サイズにおいて大きく異なるにもかかわらず，システムのふるまいには共通する特徴がある. たとえば，観察対象のふるまいは時間とともに変化し，あるときは安定しているが時に不安定な状態になることがある. 変化のきっかけを見つけることが難しく，どのように変化するかの予想も難しい. この難しさの原因は，観察対象のシステムの下位にある複数のサブシステムが相互に作用し，**自己組織化**によりシステム全体のふるまいが決まってくるため，下位システムを個別に論じてそれを積み上げても全体のふるまいを説明できない点にある.

　身体運動の場合，筋骨格系（musculoskeletal system）と相互に作用し，情報を伝える神経筋系（neuromuscular system）がある. 筋骨格系システムは，収縮する筋肉システムと，自らは運動をおこさない関節システムに分けることができるし，神経系システムは，命令を出す遠心性システム，情報を受け取る感覚システム，調整を行うシステムなどさらに下位のシステムへとたどることができる. これらの系を含む身体系は，重力・摩擦や明るさなどの環境システムと相互作用し，その最終結果が身体運動として発現すると考えられる（▶図 15）[10].

6 アフォーダンス

　身体運動についての理学療法士の守備範囲は，物理的な意味での運動にとどまらず，クライアント自身に意味のある課題の遂行に必要な活動，あるいは欲求達成のための行動・行為のレベルまで含まれる. たとえば，静粛で光信号以外の刺激がない真っ暗な部屋のなかで「光がついたらボタンをすばやく押してください」という指示を厳格に守った状態で反応時間を計測することができる. しかし，このような状況はきわめて特殊な状況で日常には存在しない. 理学療法士としては，クラ

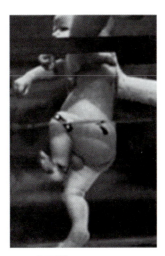

▶図 15　**システム理論**
新生児の原始歩行は 2 か月ころに消失する。階層モデルでは，大脳皮質の発達に伴う抑制により運動が一時消失し，のちに再び現れる「U 字型」変化と考えられる。Thelen らは，水の浮力がある環境にすると「消失」していたはずの歩行パターンが出現することを観察した。観察される運動は，筋骨格・神経筋と重力環境の複数の「系」の相互作用から発現すると考えられる。〔Thelen, E., et al.: The relationship between physical growth and a newborn reflex. *Infant Behav. Dev.*, 7(4): 479–493, 1984 より〕

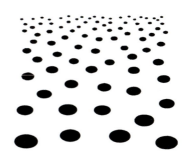

▶図 16　**動きと知覚**
両眼での視差を使わなくても，キメの変化を片目で見るだけで，奥行きを「知覚」することができる。

イアントが日曜日の夕方に青信号になるのをぼんやり待っているときにどのように反応するかを知りたい。

　知覚心理学者の Gibson（ギブソン）は，人間が動くということに対して，生物と環境の相互作用を扱う学問である生態学的（エコロジカル）な観点を加えて理解を試みた[11]。彼の視点では，環境の提供する情報と身体運動の関係は不可分であり，perception-action coupling という概念でまとめられ，「動くことにより知覚し，知覚することによって動く」と表現される。ここでいう “知覚” は，いわゆる生理学的な “感覚” とは異なっている（▶図 16）。

　高さ 60 cm に洗濯紐が張ってある所に近づいたとき，人がどのような運動をするかは，その運動をする人が “誰か” によって決まる。健康な大学生であれば迷いなくまたぎ越すかもしれないし，小さな子どもであればくぐるか，紐にぶら下がってしまうかもしれない。高齢者であれば進路自

体を変更するかもしれない。これらの異なる運動は，「紐の高さが 60 cm だから」で決まるものではないし，行為者の年齢で決まるものでもなく，運動をおこす者が対象に近づいたときに「またげる」「くぐれる」「進路を妨害されている」といった “知覚” によって発現した活動と考えられる。

　行為者にとっての環境が提供する情報は Gibson によって**アフォーダンス**と名づけられ，このアフォーダンスにより運動が導かれるとされた。アフォーダンスは行為者と環境の組み合わせで存在するものであるから，行為者を指定しない「椅子のアフォーダンス」というものは存在しない。

D　姿勢制御のメカニズム

　日常的な運動の基本となる立位姿勢制御を例に運動制御を考える。物理的には物体にかかる力の釣り合いがとれた平衡状態で安定が得られるが，その安定の度合いは，安定した状態から外れた場合のふるまいによって評価される。たとえば，茶碗の中に置かれたパチンコ玉は，外乱により一時的に位置を平衡点からずらされても，時間の経過に伴い最終的に茶碗の底の特定の 1 点で静止し安定する。これはその特定の 1 点が**自然な平衡点**（naturally stable）であることを示す。これに対して，広い水平なテーブルの上にあるパチンコ玉

に外乱を与えると，一度は移動を始めるが，適度な摩擦によりテーブルのどこかの 1 点で静止し安定する．最終的に安定性は失われないので安定平衡点ではあるが，テーブルの上の特定の点ではなく，どの点に置いてもその安定性は同じであるので，**中立な平衡点**（neutrally stable）といえる．さらに，机の上で微妙にバランスを保って卵を立てることができるが，この場合は，平衡点より少しでも外れるともとの状態に戻ることはできないため，**不安定な平衡点**ということができる．

▶**図 17　不安定な平衡点**
不安定な平衡点を維持するためには，バランスをとるための機構を働かせ続ける必要がある．

1 静的な運動状態と動的な運動状態

　身体に加わる力どうしが釣り合い，その関係が時間の経過とともに変化しないものを**静的**（static）**な運動状態**と呼び，時間の経過とともに力の釣り合い関係に変化がみられるものを**動的**（dynamic）**な運動状態**と呼ぶ．たとえば，人形を机の上で立てた場合，人形の重心の床面への投影点が人形の両足がつくる支持基底面内に入った状態で安定すれば，外乱がない限りその 1 秒後も 1 日後もまったく変化せずに人形は立ち続ける．これは力学的に"静的な力の釣り合い"による立位であり，真に**静止立位**といえる．
　一方，ヒトの静止立位では静止しているのは支持基底面である．ヒトの立位は"自然な安定"でも"中立的な安定"でもなく，立位姿勢を維持するための機構を働かせ続けなければ維持することのできない"不安定な平衡点"にある（▶**図 17**）．

2 安定を動的に維持するメカニズム

　身体の立位姿勢維持には重心の制御が重要であるが，身体には重心に関する直接的な情報を与えてくれるセンサーは備わっていない．したがって，身体の姿勢制御のためには，深部感覚に加えて，視覚，前庭感覚，足底感覚などの特殊感覚・

体性感覚を組み合わせて必要な情報をつくり出す必要がある．
　1 つの感覚入力情報だけでは立位姿勢保持に必要とされる情報が不十分である場合は，複数の感覚情報を"統合"させて立位保持に必要な情報をつくり出す．たとえば，閉眼静止立位で足関節が急に底屈位になったという深部感覚情報が得られたとする．しかし，この情報だけでは立位保持のために何をすればよいかを決めるには十分でない．ここで頭部が重力方向に対して傾いているという前庭からの追加情報があれば，身体全体が後方に傾斜した可能性が高いので，足関節背屈筋の活動が立位保持に必要な方策となる．しかし，ここでさらに頸部が伸展しているという深部感覚情報があれば，傾いているのは身体ではなく頭部だけなので，「空を見上げていたら急に足元がつま先下がりになった」ことがわかる．この場合はさらに足関節底屈を強めることが必要になる．
　視覚・前庭感覚および関節覚や足底の感覚以外の感覚も，立位姿勢制御のための感覚情報に統合できる．閉眼では視覚情報が失われるため静止立位での動揺が大きくなることが知られているが，この際に指先で軽く近くのテーブルか壁に触れることで姿勢の動揺が減少することが報告されている[12]．指先から得られるものは触覚だけで，支持

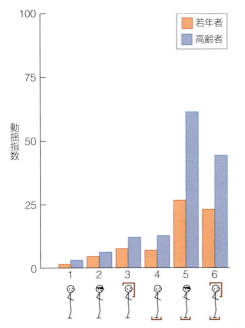

▶図 18　感覚 6 条件での静止立位重心動揺の比較

1：前庭感覚・視覚・体性感覚(足底)正常
2：前庭感覚・体性感覚正常，視覚感覚欠如
3：前庭感覚・体性感覚正常，視覚感覚不正確(筒を被る)
4：前庭感覚・視覚正常，体性感覚不正確(床が重心動揺とともに動く)
5：前庭感覚正常，視覚感覚欠如，体性感覚不正確
6：前庭感覚正常，視覚・体性感覚不正確
〔Shumway-Cook, A., Woollacott, M.: Motor Control; Theory and Practical Applications. 2nd ed., pp.1–304, Williams & Wilkins, Baltimore, 2001 より改変〕

物から指先に与えられる力は小さく力学的に姿勢を修正するにはまったく足りないが，指先からの感覚入力が他の体性感覚と統合されて姿勢保持に使われていることがわかる．

　臨床的には，特定の感覚情報をシステマティックに遮断し，立位での身体動揺の変化を観察することにより，立位姿勢保持に関する感覚情報統合の適応能を評価することができる．たとえば，感覚遮断の立位で高齢者は若年者よりも強く影響が出現することが報告されている（▶図 18)[5]．

3 外乱に対する姿勢制御

　立位姿勢保持システムのメカニズムについてよ

り詳しく知るためには，外部からの入力に対するシステムのふるまいを観察することが助けとなる．箱の中身がわからないときに，箱を振ってみることで中身の推測ができるのと同じである．

　外乱に対抗して立位を保つ姿勢調整反応を観察すると，環境要因としての外乱の種類と強さ，そして筋力や感覚などの個体要因の組み合わせにより，特定の時間的・空間的パターン（戦略）を示すことが報告されている（▶図 19)[5]．たとえば，床面の水平移動に対する姿勢応答では，腓腹筋，ハムストリングス，傍脊柱筋の順に遠位から近位へと筋活動が観察される．身体の傾きに対して，身体全体の回転中心となる足関節のモーメントにより身体重心を支持基底面上に戻そうとする “足関節戦略” がみられる．これに対し，細い梁のような足よりも狭い支持面の立位，あるいは軟らかい支持面上の立位では，外乱に対して体幹・股関節筋群の共同的な収縮により股関節の屈曲・伸展運動を伴う “股関節戦略” が観察される．

　これに対し，安静立位から，上肢を急激に動かしたり，壁に固定されているハンドルを引くような課題を遂行する場合，上肢の筋活動の “開始以前” に，体幹や下肢に姿勢保持のための筋活動が観察される（▶図 20)．これらの筋活動は，課題遂行に伴いやってくるであろう外乱を予想してあらかじめプログラムされていた反応であり，その実行はフィードバックを伴う閉ループ制御ではなく，予測的姿勢調整という開ループ制御で行われる．このメカニズムは運動学習によって獲得されるもので，運動発達の初期には観察されない[13]．

E 運動学習とは

1 運動学習の定義

　運動学習にはさまざまな定義が存在するが，その 1 つが「熟練パフォーマンスの能力に，比較的

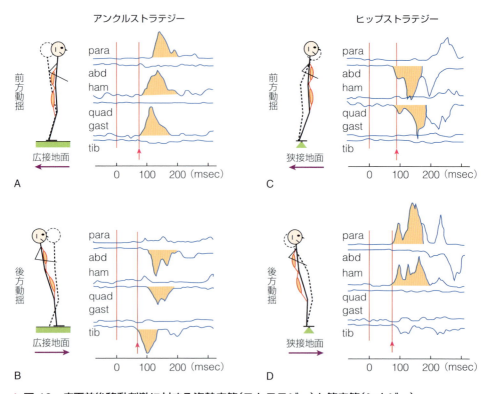

アンクルストラテジー　　　　　　　　　ヒップストラテジー

▶図 19　床面前後移動刺激に対する姿勢応答（ストラテジー）と筋応答（シナジー）
A：足底接地面が広い安定下での前方動揺，B：足底接地面が広い安定下での後方動揺，C：足底接地面が狭い不安定下での前方動揺，D：足底接地面が狭い不安定下での後方動揺
筋応答–para：背筋，abd：腹筋，ham：ハムストリングス，quad：大腿四頭筋，gast：腓腹筋，tib：前脛骨筋
〔Shumway-Cook, A., Woollacott, M.: Motor Control; Theory and Practical Applications. 2nd ed., pp.1–304, Williams & Wilkins, Baltimore, 2001 より一部改変〕

永続的変化を導く，練習や経験に関連した一連の過程」である．熟練とは，観察される運動に滑らかさや正確さをもたらすものである．英語ではスキル（skilled）という言葉であり，技能や巧みさともいわれる．パフォーマンスとは運動課題を遂行した結果であり，観察が可能である．この定義によれば運動学習は"能力"に変化をもたらすものであるから，運動学習の成否を知るためには，その能力の変化をとらえる必要がある．パフォーマンスは運動遂行能力を可視化したものといえる．
　運動学習による能力の変化は比較的永続的に持続する必要がある．比較的永続するということは，①練習や経験の直後に一時的なパフォーマンスの変化がみられても，それだけでは"学習"と

はいえないということであり，②さらに，学習された能力でも，長期間の経過後には減弱・喪失する可能性があることを意味する．
　臨床的には，理学療法士の介入に伴い「できなかったことができるようになる」あるいは「よりよくできるようになる」ことはパフォーマンスの向上ととらえることができる．ただしパフォーマンス変化をもたらす原因が運動学習以外にも存在するため，この変化を運動学習の変化であるとは結論できない．たとえば，運動に必要なエネルギーを供給する体力や，成長に伴う身体の物理的変化（たとえば身長の伸び）などはパフォーマンスに影響を与える．逆に，学習の結果として能力を獲得していても，疲労などの生理学的影響，不安や動

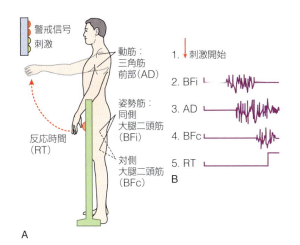

▶図20　一側上肢挙上時にみられる予測的姿勢制御
A：実験の模式図，B：筋活動の記録（動筋 AD に先行し姿勢筋 BFi が活動する）
〔Lee, W.A.: Anticipatory control of postural and task muscles during rapid arm flexion. *J. Mot. Behav.*, 12(3): 185–196, 1980 より一部改変〕

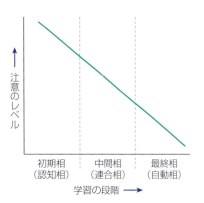

▶図21　運動技能の獲得レベルに伴う注意力の変化

機づけなどの心理学的影響により，能力が観察されるパフォーマンスに反映されないこともある．

2　能力の変化の測り方

　学習が "能力の変化" だとすれば，パフォーマンスの変化そのものをとらえるだけでは学習をとらえたことにはならない．パフォーマンスの変化から学習の変化を類推するには，パフォーマンスに関するさらなる情報が必要となる．

a　保持テスト

　運動記憶の保持状態はパフォーマンスの変化を通じてテストされる．そして，パフォーマンスの変化が一時的なものでないことを確かめるために行われる再テストを**保持テスト**と呼ぶ．これは特定の練習や経験のあとでパフォーマンスを計測し，さらに，しばらくの保持間隔経過後に同一課題あるいは条件で再びパフォーマンスを計測するものである．パフォーマンスの結果がどの程度欠落したか，あるいは保たれていたかにより，運動学習の保持の程度を解釈する．

b　転移テスト

　特定の課題や条件での練習や経験によって獲得された能力が，異なる課題あるいは条件でのパフォーマンスに好影響を与えることを**正の転移**といい，この転移を確かめるためのテストが転移テストである．たとえば，右手で練習したのちに左手でのパフォーマンスの向上をみることで両側性の運動転移を知ることができる．類似性のある課題間では転移がおこりやすいと考えられているが，"類似性" とは観察される運動の "見た目の類似性" なのか，その運動をおこしている "過程の類似性" なのかについては議論がある．

3　運動学習のステージ

　Fitts ら[14] によると，運動学習では学習者は大まかに 3 つの相を通過し，相の進行に伴い運動遂行に必要とされる "注意" のレベルは徐々に低下する（▶図21）．

　初期相（認知相）においては，課題が学習者にとって新しいもので，学習者は「何がなされなくてはならないか」「パフォーマンスはどのように評価されるか」「どのように取り組むことがよいパフォーマンスにつながるか」などについての理解を探し求める．この相では試行錯誤，取捨選択が行われ，パフォーマンスの安定は必ずしも得ら

れない．中間相（連合相）では「どのようなパター
ンで運動を行うか」という問いはほぼ解決され，
より効率的な方法や細かな修正が行われる．運動
パターンはより一定になり，課題自体の言語的あ
るいは認知的な側面はこの相では次第に影を潜
める．学習の最終的な相である最終相（自動相）で
は，課題はほぼ意識的にではなく "自動的" に遂
行されるため，課題遂行中でもまるで「注意を払っ
ていない」ようにみえる．

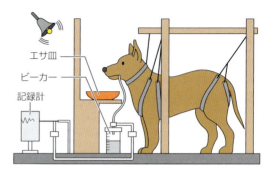

▶図 22　パブロフの犬

F 運動学習のメカニズム

1 条件づけ

　熟練パフォーマンスの変化から運動学習を類推
するやり方は，実際に観察できる "行動" の変化
から心的過程の理解を試みる行動主義の心理学と
の共通点が見出される．1900 年代前半には "条
件づけ" の観点から行動の変化の理解が試みられ
た．

　古典的条件づけは，「パブロフの犬」の実験で観
察された条件反射の成立に伴う行動変容を説明す
る理論である．犬に対する刺激であるエサの提示
は，唾液の分泌という反射を，特に練習などを必
要とせずに無条件に引き起こす．その意味でエサ
の提示は "無条件刺激" といえる．エサを与える
際にベルの音を同時に聞かせると，ベルの音とい
う "刺激" は，首をかしげるなどの "定位反応" を
引き起こす．ベルの音は唾液の分泌という反射に
ついては関係がないので，唾液の分泌については
"中性刺激" といえる．しかし，無条件刺激と中性
刺激を同時に提示することを継続する "条件づけ"
を繰り返すことで，中性刺激であったベルの音を
聞くだけで唾液の分泌が観察されるようになる．
条件づけの過程を経ることで，ベルの音が "条件
反射" としての唾液の分泌を引き起こす "条件刺
激" として成立されたと理解できる（▶図 22）．

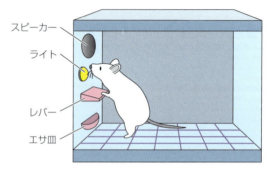

▶図 23　スキナー箱

　オペラント条件づけは，「スキナー箱」の実験で
観察された報酬に対する適応としての行動の変
化を説明する理論である．ラットを入れる箱を用
意する．箱の内側にはエサ皿とそれに連動したレ
バーがあり，ラットがレバーを押すとエサ皿にエ
サが出てくる仕組みになっている．箱に入れられ
たラットは箱の中を探索しているが，そのうち偶
然にレバーに触れエサにありつけることがある．
ラットはまた探索行動を続けるが，またレバーに
触れてエサにありつく．もともとは偶然におこっ
ていたレバーを押すという行動（オペラント行動）
がエサという**報酬**と組み合わされることにより，
徐々に自発的行動としてその頻度を増していくこ
とが観察される．この頻度の増加を**強化**と呼ぶ．
行動の結果の良し悪しとその行動の出現頻度変化
の関係は**効果の法則**と呼ばれる（▶図 23）．

　2 つの条件づけは，ある過程を経ることで新し
い行動がおこるという点で共通しているが，3 つ

▶表1 2つの条件づけの比較

古典的条件づけ	オペラント条件づけ
● 刺激が "提示" され，反応は誘発される ● 条件刺激が明らか ● 条件刺激と無条件刺激の "対" 提示は検者が操作	● 誘発刺激はなく，反応は自発的 ● "環境" が刺激となる ● 条件づけの進行は，被検体の反応に依存する

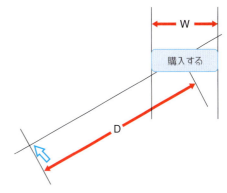

▶図 25 運動の速度と正確さのトレードオフ
カーソルで「購入する」ボタンを押す課題の難しさは，ボタンまでの距離 D やボタンの幅 W で決まり，課題が難しくなるほどカーソルの動きは遅くなる．

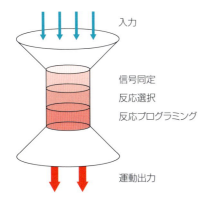

▶図 24 情報処理モデル
入力が直列で処理されていく情報処理モデルでは，その段階のどこかで問題が生じると，そこがボトルネックとなって反応の遅延など運動出力に問題が生じる．

の点で大きく異なっている（▶表 1）．

2 情報処理モデル

コンピュータ科学の発展と並行して，運動学習を理解する1つのモデルとして，環境から得られた情報に対して，脳のなかで「信号同定」→「反応選択」→「反応プログラミング」→「実行」といくつかの段階を順に処理していく**情報処理モデル**がある（▶図 24）．

ある特定の時点での同一個人内，つまり同一の情報処理能力であれば，課題条件の難しさの関数として運動実行速度が変化することが観察できることを示した古典的な例が，「運動の速度と正確さのトレードオフ」として知られる **Fitts（フィッツ）の法則**[15] である．机上でのポインティングを課題動作とすると，課題の難易度はターゲットまでの距離やターゲットのサイズにより定義さ

れ，この難易度の上昇とポインティング運動時間の延長が数学的関係で表されることが示された（▶図 25）．

逆に同じ運動課題であっても，異なる情報処理能力をもつ2群の間で比較をすると，より情報処理能力の低い群で，運動実行速度の低下やばらつきの増大などのパフォーマンスの低下が観察されることが示されている．たとえば，高齢者やParkinson（パーキンソン）病患者では，歩行などの運動課題と，話すあるいは暗算をするなどの認知課題を同時に付加する**多重課題**条件下において，歩行速度や歩幅のばらつきの大きさに，健常群よりも有意に大きな負の影響がみられることが知られている．

多重課題の影響の大きさは，それぞれの課題負荷の強度に加えて，組み合わされる課題の性質に影響される．さらに多重課題の場合は，どちらの課題を優先するかという能力も問われる．歩きながら計算課題を行う多重課題では，歩きの運動課題処理を優先して計算課題に遅延や誤りを生じさせるか，あるいは計算課題を優先させ歩行スピードの低下や歩幅のばらつきを許すかという2つの選択肢が考えられる．

3 運動学習と記憶

運動学習の成立には，「能力の変化が比較的永続的であること」が必要条件である．これは運動学習には，保存と想起が可能な**運動記憶**の機構が必要であることを示唆する．

a 運動記憶を構成する要素

Atkinson ら[16] によると，運動記憶には保持時間と役割の異なる以下の3つの要素があると考えられている．①運動感覚や環境からの入力をすべて受け付け，「選択的注意」でその一部を次の段階に受け渡すまで一時的（250 msec 程度）に保存する**感覚記憶**，②大きな容量をもち長期に保持できる**長期記憶**，そして③長期記憶から呼び出された情報と，感覚貯蔵からの「いま」の情報を合わせて処理し反応出力へとつなげる保持時間 30 秒程度の**短期記憶**（あるいは作業記憶）である（▶**図 26**）．

長期記憶と短期記憶は，書庫と作業テーブルによく例えられる．繰り返しの練習（あるいはリハーサル）により長期記憶に成功裏に保存された情報も，それを必要なときに検索して取り出すことができなければパフォーマンスの向上となって現れることができない．さらに，作業テーブルである短期記憶は容量と保持時間に制限があり（言語的な実験では電話番号程度の長さ，運動では1分程度），ここで情報を処理しきれなければ運動出力として遅延やエラーが発生する．

b 宣言的記憶と手続き的記憶

長期記憶に貯蔵される学習の結果は，その内容により宣言的記憶と手続き的記憶の2つに分類され，その背景となる脳の回路も異なる．

宣言的記憶は陳述的記憶とも呼ばれ，言語的に宣言できる内容をもつ記憶のなかでも「いつ何々をした」というような特定の時間的・空間的文脈に紐づけられた**エピソード記憶**と，「日本の首都は東京」のような文脈との関連性をもたない事実

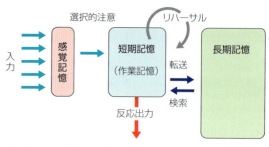

▶図 26　記憶のモデル

や概念のような**意味記憶**が含まれる．

一方，**手続き的記憶**は言語的に宣言できない非宣言的記憶である．手続き記憶はいわゆる "反復によって体で覚える記憶" であり，知識への意識的なアクセスを伴わずに運動で表現される．自転車の乗り方や水泳などの習得は，運動に関する手続き記憶によって達成される．

4 学習と意識

運動学習は学習すべき内容への意識の違いにより，潜在学習と顕在学習の2つに分類することができる．

潜在学習では，学習者が "何を学習するか" について，その過程中には特定の意識をもっていない．しかし，練習や経験後にはパフォーマンスの向上が観察され，確かに "学習された" ことが確認できるタイプの学習である．その意味では，小児の発達に伴う初期の認知や運動の学習はほぼ潜在学習であると考えられる．

一方，**顕在学習**では学習すべき事柄が明示的に示されており，したがって何を身につけたか言語的に表現できる．言語学習で例えると，「主語の次には述語をもってくる」などの文法に従って新しい言語を学習していくやり方に似ている．運動課題の例では「膝を少し曲げながら腰を前に出してください」という指示は，「膝を曲げながら腰を前に出す」ことが獲得すべき能力である場合は，顕在的に課題が提示されているといえる．

G 運動学習を促進するための "構成"

　学習によるパフォーマンス向上の程度には練習や経験の "量" が影響する．しかし，"量" のみならず，その "構成" も学習に影響を与えることが知られている．新しい熟練パフォーマンスを発揮できる能力の学習には反復練習が用いられることが多いが，理学療法士としては運動学習のゴールを達成するために「何をどう反復するか」の練習計画を立てる必要がある．

1 反復の様式

　課題練習の順番によって練習は**ブロック練習**と**ランダム練習**に分けることができる．ブロック練習では一度の練習セッションでまず 1 つの課題について練習し，その後，次のセッションで別の課題を練習する．それに対してランダム練習では，1 つの練習セッションのなかで複数の課題を練習する．キーボードを見ないで文字を打つブラインドタッチを練習する例を考える．ブロック練習では，まず右の人差し指で JJJ…J を練習し，次に左手の小指で AAA…A を練習する．小指で A が打てるようになったら次は右手の薬指で PPP…P と練習する．ランダム練習では JAPPAPJJ…P のようにキーボードをバラバラに打つ練習をする．

　練習課題の内容により**部分練習**と**全体練習**に分けることもできる．1 つの課題をいくつかの小課題に分け，それぞれの小課題について練習を行うのが部分練習である．小課題は処理する情報が全課題よりも少ないためパフォーマンスが安定しやすく，また特に難しい小課題について多く練習をすることができる利点がある．ただし，全課題をどのように小課題に分割するかが必ずしも明示的でない．さらに，達成された小課題を再びつなぎ合わせるという新たな学習の転移課題が発生する．

　情報処理モデルで理解する運動学習では，一度に処理を必要とする情報量が少ないブロック練習あるいは部分練習で練習中のパフォーマンスが安定しやすく，セッション直後のパフォーマンスレベルも高い傾向にある．ランダム練習では異なった課題を練習するため，練習が行われる文脈が異なり，互いに干渉し合うことで直後のパフォーマンスはむしろ低下する．しかし，長期的な保持ではむしろ高い成績を残すことが報告されている（**文脈干渉効果**）．

2 感覚フィードバック

a ソースとタイミング

　運動に伴って得られる感覚情報がフィードバックであり，運動学習の成否に大きな影響を与える．フィードバックはその情報の**ソース**と得られる**タイミング**により分類することができる．

　内在的フィードバックは，そのソースが学習者本人であり，他者の介在なく自ら得られる感覚情報である．視覚や平衡感覚のような特殊感覚や，運動中の筋肉や関節の固有感覚情報などを含む体性感覚の情報が含まれる．**外在的フィードバック**は，内在的フィードバックをさらに強化するもので，学習者以外の外部ソースから得られるものである．代表的なものは，療法士による言語的フィードバックである．運動中の筋活動も筋電図で視覚化することにより外在的フィードバックとして利用できる．

　運動後に与えられる外在的フィードバックはその内容により，**運動の結果の知識**(knowledge of results; KR) と，**パフォーマンスの知識**(knowledge of performance; KP)に分けられる．体操競技で，「ただいまの演技は 9.2 でした」というのは KR である．KP は結果が出る原因となった運動パターンへのフィードバックであり，「投球するときに，肘が下がり過ぎている」という言語的フィードバックや，ビデオテープを見せるなどの非言語的なものが含まれる．

　また，付与タイミングによってフィードバック

▶図 27　フィードバックのタイミング
練習の終了後から KR 付与までの時間が「KR 遅延」，KR 付与後から次の練習までの時間が「KR 後遅延」．KR 遅延・KR 後遅延の長さが，運動学習に影響を与えることが知られている．

を分類すると，運動中に逐次的に与えられ，遂行中の運動の変更に用いることができるものと，運動後に与えられ，次回の運動に影響を及ぼすことができるものがある（▶図 27）．

b 適切なフィードバックの程度

　フィードバックされた情報が運動学習に用いられるためには，学習者の情報処理過程を経なければならない．特に，外部から与えられるフィードバックの適用を誤れば，認知的な情報処理過程を妨げ，運動学習に対して負の効果になるおそれもある．たとえば，理学療法士のハンドリングは有効な触覚的フィードバックでもあるが，過剰な“誘導”にもなりうる．また，過剰に頻回なフィードバック付与は，フィードバックを受け取ること自体が目的化してしまい，その後の認知的処理が不十分になってしまう“フィードバック依存性”を生み出す危険性をもつ．

　1 つの課題に対する運動学習の進行に伴いパフォーマンスレベルが向上するため，その課題遂行に関連するフィードバックの必要量は徐々に減少する（漸減フィードバック）．あらかじめ設定した一定の基準以上のエラーが出現したときにフィードバックを与える帯域フィードバックでも，学習の進行によりフィードバックの量は結果として漸減する．すべての試行に対して常にフィードバックを与える方法は，必ずしも運動学習に好影響を及ぼさないことが知られている．頻回すぎるフィードバックを回避しつつ，フィードバックの情報量を減らさないよう，数回の試

行後にまとめのフィードバックを与えるのが要約フィードバックである．

c 学習と注意

　スキルの必要な運動の練習時に，運動の学習者の注意をどこに向けさせるかにより結果が異なることが報告されている．たとえば，上肢運動の「肘を伸ばしてください」という指示や，歩行練習での「腰を左に動かしながら左膝を伸ばしてください」といった指示は自分の身体内に注意を向けさせているので，注意の内的焦点化と呼ばれる．一方，「手をカップに近づけてください」「1 段上に上がってみましょう」といった指示は身体外に注意を向けさせているので，外的焦点化を促す言語的指示となる．

　さまざまな運動に関して，外的焦点化を促す言語指示が最終的によりよい学習につながるという結果が報告されている[17]．その理由を示唆する 1 つの考えは，運動スキルが十分に獲得され自動化された段階では学習者は個々の肢節の動きに注意を払っていないため，最初からその状態をゴールにした練習がよいというものである．

H 運動制御・運動学習の臨床応用

　運動制御・運動学習の知見の多くは健常者を対象として得られたものが多く，障害された制御の再獲得，失われたスキルの再学習に対する適用の妥当性については，いまだに仮説レベルのものが多いが，臨床応用例も散見される．

　たとえば，運動学習は能力に“変化”をもたらすものだが，必ずしもよいほうに変化するとは限らない．長期間の不使用によって“使えるのに使わない”ことを学習し，パフォーマンスが低下するという道筋が考えられる（不使用の学習）．

　この過程を逆転させるために，主に脳卒中後の慢性期の患者の上肢を対象に，健側を拘束する

CI療法（constraint-induced movement therapy; CIMT）が開発されて，その有効性を確かめるために大規模な研究が行われている．

　早期から課題特異的な高密度のトレーニングを提供することを目的に，ロボットを用いたリハビリテーションが注目を集めている．近年ではテクノロジーの発展に助けられ，自由度6以上のトレーニングロボットも開発され，さらにトレーニングの「ゲーム化」と組み合わせることで上肢への大量なトレーニングが可能になっている．

　歩行トレーニングについても，ロボットセラピーの有効性が示されている．脊髄損傷・頭部外傷あるいは脳性麻痺などの患者を対象者とし，ハーネスにより体重が（部分）免荷された状態で，下肢を外骨格状のロボット脚に固定し，理学療法士がステッピングのパターンや早さなどをコンピュータでプログラミングを行う．

　現在までの運動制御・運動学習についてのさまざまな知見は，健常者の運動制御・運動学習の解明に対する努力により積み上げられてきた．たとえば，課題の複雑性が低い場合は潜在学習が優れており，逆に複雑性が高い場合には顕在学習が優れているという報告がある．さらに健常で動機づけの高いアスリートでは，より認知的負荷の高い多様性練習の効果が高いとされている．しかし，理学療法士のクライアントには，疾患により学習能力に障害が疑われる場合も多く，十分な動機づけが得られていない場合も多い．さらに一度失われたスキルの"再"学習と新しいスキルの学習の関係については議論が始まったばかりである．"障害者の運動学習"や"運動制御の再獲得"などは，まさに最前線の理学療法士がその解明について責任を負っている領域である．

●引用文献
1) Bernstein, N.A.: The co-ordination and Regulationof Movements. Pergamon Press, Oxford, 1967.
2) Scholz, J.P., Schöner, G.: The uncontrolled manifold concept: identifying control variables for a functional task. *Exp. Brain Res.*, 126(3):289–306, 1999.
3) Sherrington, C.S.: The Integrative Action of the Nervous System. New Haven, CT, Yale University Press, 1906.
4) Contemporary Management of Motor Control Problems. Proceedings of the II STEP Conference. pp.1–126, 265–268, Alexandria, 1991.
5) Shumway-Cook, A., Woollacott, M.: Motor Control; Theory and Practical Applications. 2nd ed., pp.1–304, Williams & Wilkins, Baltimore, 2001.
6) Shik, M.L., et al.: Control of walking and running by means of electrical stimulation of the midbrain. *Biophysics*, 11:756–765, 1966.
7) Raibert, M.H.: Motor Control and Learning by the State Space Model. Cambridge: Artificial Intelligence Laboratory, MIT, 1977.
8) Schmidt, R.A.: A schema theory of discrete motor skill learning. *Psychological Review*, 82(4):225–260, 1975.
9) 大橋ゆかり：運動学習理論. 理学療法, 11(1):25–30, 1994.
10) Thelen, E., et al.: The relationship between physical growth and a newborn reflex. *Infant Behav. Dev.*, 7(4):479–493, 1984.
11) Gibson, J.J.: The Ecological Approach to Visual Perception. Houghton Mifflin, Boston, 1979.
12) Jeka, J.J.: Light touch contact as a balance aid. *Phys. Ther.*, 77(5):476–487, 1997.
13) Lee, W.A.: Anticipatory control of postural and task muscles during rapid arm flexion. *J. Mot. Behav.*, 12(3):185–196, 1980.
14) Fitts, P.M., Posner, M.I.: Human Performance. Brooks and Cole, Oxford, England, 1967.
15) Fitts, P.M.: The information capacity of the human motor system in controlling the amplitude of movement. *J. Exp. Psychol.*, 47(6):381–391, 1954.
16) Atkinson, R.C., Shiffrin, R.M.: Human memory: a proposed system and its control processes. In Spence, K.W., Spence, J.T. (eds): The Psychology of Learning and Motivation (Volume 2), Academic Press, New York, 1968.
17) Wulf, G., Dufek, J.S.: Increased jump height with an external focus due to enhanced lower extremity joint kinetics. *J. Mot. Behav.*, 41(5):401–409, 2009.

第5章 運動と神経

学習目標
- 運動を制御する神経機構の主な仕組みについて知る.
- 運動がスムーズに遂行できる背景にある神経機構を理解する.
- 運動にかかわる目に見えない神経系の機能を知り, 運動療法の実践に活かす.

私たちが目にしているダイナミックな運動は, 筋の出力によって骨・関節が動いた結果である (▶図1). しかし, 筋を動かしているのは, 私たちが直接見ることのできない神経からの信号であり, その信号は脳(中枢神経系)から伝達される. 図1のようなすばらしい運動ができるためには何が必要だろうか. 理学療法士にとって, 運動と神経との関係を理解することは運動療法の実践に向けて大きな力となる.

運動には, 眼球や四肢の動き, 歩行や呼吸・発声などがあり, 大きく, 反射運動, 定型運動, 随意運動の3つに分けることができる.

反射運動は刺激によって不随意に誘発される比較的単純な運動である. 定型運動は複雑な運動であってもひとたび始まると無意識かつ自動的に続けることができる運動である. 随意運動は意識的に実行され, 反復により無意識下でも実行することが可能となる. これらは自身の身体を外界の環境にうまく適応(調節)させ, 生きていくために重要な要素となる.

運動を上手に行うためには, 脳のさまざまな領域の働きが欠かせない. 脳が全身の司令塔となって, 全身の筋へ適切な指令を送り, 大きな運動から巧緻動作など, 手足を連動して動かすことができる. また, 一流のプロスポーツ選手では, 一般的な選手と比べて, 使われている脳の部位が異なり, 神経活動の効率性(調節機構や学習など)が高いことが一部明らかになっている.

この章では, 運動に関連する神経機構の主な仕組みについて述べる.

A ヒトの運動機能の獲得（進化と発達）

脳は発生学的に3層から構成されている(▶図2)[1].
①深層:「生存」のための旧線条体(基底核), 古小脳, 脳幹, 脊髄

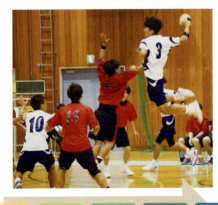

| 脳 | 神経 | 筋 | 骨 | 運動 |

▶図1 ダイナミックな運動

78

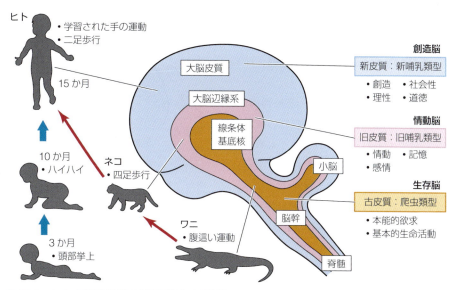

▶図2　ヒトの運動機能の獲得（進化と発達）
〔高草木 薫：ヒトの脳と運動制御─脳の理解とリハビリテーションのために. 長崎理学療法, 7:1-10, 2007
より〕

②中間層：「感情・情動」を支える大脳辺縁系
③表層：言語・将来性・芸術などをつかさどる新
　皮質

　脊椎動物の運動機能は，ワニなどの爬虫類にお
ける腹這い運動（主に体幹）から，馬やネコなどの
四足歩行，そしてヒトの二足歩行へと進化を遂げ
てきた．この運動機能の進化を支えている要因と
して，「抗重力筋と姿勢制御（機能）の発達」があげ
られる．同様な特徴として，ヒトの運動機能の発
達がある．ヒトは生後1年数か月の間に二足歩行
が可能となる．二足歩行を獲得する過程では，頸
部から体幹，下肢の抗重力伸展活動による体重支
持，そしてその姿勢を制御するために必要な神経
機能の獲得がある．このように，中枢神経系の進
化と運動機能の発達の過程には，脳・身体・環境
の相互作用が重要だと考えられている[1]．

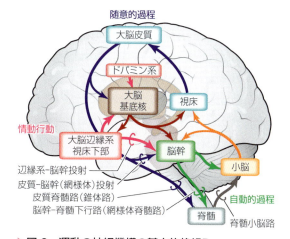

▶図3　運動の神経機構の基本的枠組み
①脳幹と脊髄の働きによる生得的な運動パターン
②大脳辺縁系・視床下部から脳幹への投射系によって誘発され
　る情動行動
③大脳皮質の活動を必要とする随意的な運動や行動
〔高草木 薫：大脳皮質・脳幹-脊髄による姿勢と歩行の制御機構.
脊髄外科, 27(3):208-215, 2013 より〕

B 運動を制御する神経機構（基本的枠組み）

　ヒトが運動機能を獲得してきた進化と発達の過

程を考えると，運動制御を次の3つの基本的な枠
組み（▶図3）[2]で説明することができる[1]．

1 古皮質の働きによるパターン化された定型的で自動的な運動

定型的で自動的な運動には，歩行，姿勢制御，咀嚼，嚥下，排尿などが含まれる．これらの運動は生後間もなく発現するので生得的運動とも考えられ，脳幹や小脳，脊髄のシステムを駆動して発現される定型的な運動パターンといわれている．古皮質には生存とこれらの運動パターンとが密接に関連する自律神経機能（呼吸，循環，消化，吸収など）が備わっている．

2 旧皮質に由来する情動行動

不快な刺激を避ける逃避行動や，危険を察知した際にみられる防御反応（姿勢），捕食や性行動などの快感と結びつく行動は，典型的な情動行動の例である．これらは，「快―不快」の情報がもととなり，大脳辺縁系や視床下部からの情報が直接的に脳幹の運動システムを駆動することで誘発される．情動行動は，旧皮質（脳幹内）に存在する定型的な自動運動パターンの組み合わせにより構成される．

3 新皮質に由来する随意的な運動

随意的な行動は，ヒトが運動学習により獲得した運動パターンや習慣，技術などを含む．発達した大脳皮質は，運動だけでなく，「人間らしさ」にかかわることが知られている．特に前頭連合野は，ヒトの判断や思考，計画・企画・創造などの抽象的な概念，注意や行動，感情の抑制，コミュニケーションなどの高次脳機能と運動にかかわることが知られている．

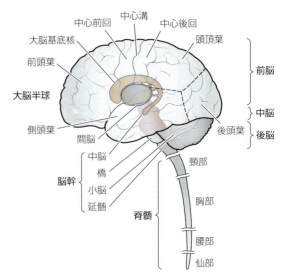

▶図 4　中枢神経系の主要な構成要素
〔Leonard, C.T.（著），松村道一ほか（監訳）：ヒトの動きの神経科学. p.3, 市村出版, 2002 より一部改変〕

C 運動にかかわる神経の部位（役割）

運動には脳のさまざまな場所がかかわる．身体を動かす際に働く代表的な脳の構造について下記に示した．大脳の表面部分にある運動領野，皮質下にある大脳基底核，中脳，橋，延髄を合わせた脳幹，そして後頭部に位置する小脳などがあげられる．

1 中枢神経系

中枢神経系（central nervous system）は，脳（brain）と脊髄（spinal cord）に分けられる．さらに中枢神経系は以下のように 7 つの領域に分けることができる（▶図 4）[3]．
①大脳半球（cerebral hemisphere）
②間脳（diencephalon）（さらに視床，視床下部に区分される）
③中脳（midbrain）
④橋（pons）

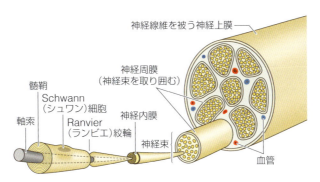

▶図5　末梢神経の断面構造

⑤延髄（medulla）

⑥小脳（cerebellum）

⑦脊髄（spinal cord）

　中枢神経系は，多くの**神経核**（nucleus）から構成される．神経核はニューロンの集団であり，主に灰白質からなる．なんらかの神経系の分岐点や中継点となっている神経細胞群の高密度な集合であり，ヒト特有の運動にとって重要な基盤となる．また，多くの場合，われわれは自らの運動を意識していない．この無意識かつ適応的な行動の発現には大脳皮質だけでなく，皮質下構造の機能も重要となる．

2 末梢神経系

　末梢神経系（peripheral nervous system）も脊椎動物における神経系を構成する要素の１つである．末梢神経は，多数の神経線維の束である神経線維束が集合した構造をしている．多数の有髄神経線維と無髄神経線維は神経内膜により包まれ，それらが束になった神経束は神経周膜で包まれる．さらに，神経上膜でいくつかの神経束が包まれ，末梢神経が形成されている（▶図5）．

　末梢神経系に存在する**感覚ニューロン**は，感覚情報を脊髄や高次脳へ伝達する．大脳皮質の運動野や脊髄前角にある**運動ニューロン**は，末梢神経を介して骨格筋へ投射する．これらの細胞体は中枢に位置するが，その軸索投射は末梢神経系の一部としてみなされている．また，自律神経系も末梢神経系の一部と考えられている．自律神経系の働きや相互作用は複雑であり，直接的には運動に関与していないと考えられている．

3 神経系を構成する細胞

　神経系は，ニューロン（神経細胞）とそれを支持・保護する**グリア細胞**（神経膠細胞）によって構成される．脳には，100〜1,000億個のニューロンがあるといわれている[4]．ニューロンは，①**細胞体**，②他の細胞からの入力を受ける**樹状突起**，③他の細胞に出力する**軸索**の主に３つに区分けされ，情報の伝達や処理に関与する（▶図6A）．軸索は細胞体からの情報を送り，樹状突起はその情報を受け入れ，軸索よりも多く存在する．運動制御は，このニューロンの線維連絡が密であればあるほどうまくいくと考えられる．また，グリア細胞は，ニューロンを保護したり栄養物質が行きわたるように調節したりすることで，神経系が正常に機能することを助けている．

a 感覚ニューロン（▶図6B）

　感覚ニューロン（sensory neuron）の細胞体は，脊髄の外部（後根神経節）に位置している．感覚ニューロンは軽く触れたときや叩かれたときの痛みまで，幅広い刺激に対して反応し，外界に適応するための重要な情報源となる．感覚ニューロン

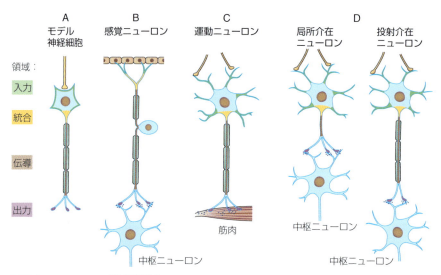

▶図 6　ニューロン（神経細胞）
〔Kandel, E.R. ほか（編）：カンデル神経科学. p.29, メディカル・サイエンス・インターナショナル, 2014 より一部改変〕

の種類により，異なる刺激に反応する感覚受容器がある．感覚受容器には，運動の変化を検出するものから，嗅覚・聴覚・触覚・温冷覚・痛覚など，さまざまな感覚情報を受け取って伝達するものがある．感覚情報は，求心性神経線維を通り，脊髄を経由して大脳皮質や視床へと到達する．

b 運動ニューロン（▶図 6 C）

　運動ニューロン（motor neuron）の細胞体は，脊髄や脳幹に位置している．軸索を通じて筋（筋紡錘）へ情報を伝達している．運動ニューロンの主な役割は，中枢神経系からの指示を筋へ伝え，実行（制御）することである．運動ニューロンは，感覚ニューロンと直接的・間接的に豊富な線維連絡があり，その線維連絡が直接的であれば，刺激に対してよりすばやく反応できるようになる．

c 介在ニューロン（▶図 6 D）

　介在ニューロン（interneuron）は最も数が多く，投射（中継）介在ニューロンと局所介在ニューロンの 2 種類に分類される．投射介在ニューロンは長い軸索をもち，情報を 1 つの脳領域から別の脳領域へと長い距離を伝達する．局所介在ニューロンは，近接した神経細胞と連絡する細胞であり，短い軸索を有する．

　これらの 3 つのニューロンは，運動機能にかかわる神経回路の一部であり，次項の「運動にかかわる反射作用」にも重要な要素として関与している．

D 運動にかかわる反射作用

1 主動作筋に関係する反射

　膝蓋腱をゴムハンマーで叩くと無意識に膝が伸展する現象は，単純な伸張反射の一例である（▶図 7）．膝蓋腱反射は，感覚ニューロンと運動ニューロンの簡単な回路によって制御されている．
　伸張した筋から感覚情報を伝達する Ia 群神経線維は多くが分岐しており，伸張された筋以外にも感覚情報を伝えている．分岐した側枝には共同

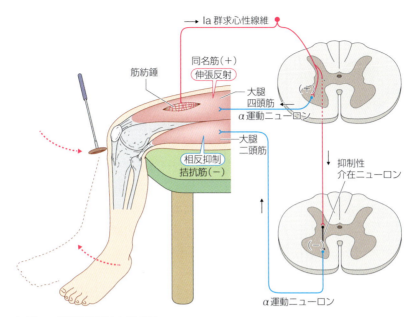

▶図7　膝蓋腱反射の模式図
①腱が伸張され，筋紡錘も刺激を受ける．
②筋紡錘からの情報は感覚ニューロン(type Ia sensory fiber; Ia 群求心性線維)によって脊髄(前角細胞)へ伝達される．
③脊髄においてこの感覚ニューロンは，伸張した大腿四頭筋の収縮をつかさどる伸筋の運動ニューロンに興奮性シナプスをつくって伸筋を活性化することで膝が伸びる反射がおこる．
④同時に，感覚ニューロンは介在ニューロンを介して拮抗筋(この場合はハムストリングス)の収縮をつかさどる屈筋の運動ニューロンを間接的に抑制する(相反抑制)．

筋の運動ニューロンにシナプス結合するものがある(▶図8)³⁾．共同筋(協働筋)(図8，上腕筋)は負荷が増大したときに，主動作筋(図8，上腕二頭筋)と類似した作用で，出力を増大する補助的役割を担う．Ia 群神経線維の分岐や共同筋へ入力する他の感覚線維は，上記の作用を補助する役割がある．

　運動課題を遂行するためには，主動作筋と共同筋だけでなく，身体各部位における複数の筋の協調が必要となる．各関節にまたがる筋群を同時かつ協調的に活動させるためには，脊髄固有ニューロンが重要な役割を担う．脊髄固有ニューロンは脊髄に存在し，収束性情報の入力を豊富に受ける．脊髄固有ニューロンは介在ニューロンであり，その軸索は複数の脊髄分節にまたがり，細胞体から遠く離れて，いくつかの脊髄分節に分散している介在ニューロンと運動ニューロンに投射している(▶図9)⁵⁾．

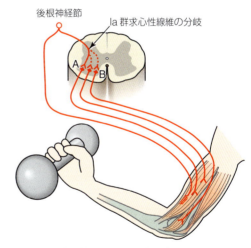

▶図8　共同筋への Ia 群神経線維の分岐
A：主動作筋を支配する運動ニューロンを示す．Ia 群神経線維や他の感覚線維から直接入力を受ける．
B：共同筋を支配する運動ニューロンを示す．主動作筋からくる感覚線維の入力を受け，運動の負荷量によって複数の筋が動員される 1 つの機構である．
〔Leonard, C.T.(著)，松村道一ほか(監訳)：ヒトの動きの神経科学．p.76, 市村出版, 2002 より〕

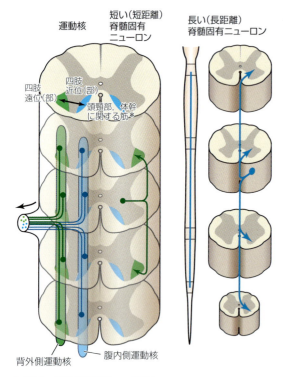

▶**図 9　脊髄固有ニューロン**
脊髄固有ニューロンは，脊髄内で脊髄の分節間を上行・下行して，介在ニューロンと運動ニューロンにシナプス結合し，運動における姿勢制御や四肢間の協調に大きく貢献している。
*以下，本書では体幹筋と定義する。
〔Kandel, T.M., et al.: Principles of Neural Science. 4th ed., pp.654–674, McGraw-Hill, 2000 より〕

この作用は，随意運動における姿勢制御や四肢間の協調に大きく貢献している。四肢の運動には，近位筋（姿勢筋）の安定性および姿勢筋と四肢間の協調が必要となる。複数の筋が協調して活動するためには，必要な筋と筋をつなぐ脊髄固有ニューロンによる作用も重要である。

❷ 拮抗筋に関係する反射回路

運動を滑らかに遂行するためには，主動作筋に対する拮抗筋との関係を理解する必要がある。相反神経支配は，伸張反射だけでなく随意運動にも役立っている。たとえば，運動する際に主動作筋が収縮して同時に拮抗筋が弛緩すると，運動に対する抵抗が少なくなり，運動速度や効率性が高ま

ることが知られている。

ⓐ Ia 抑制性介在ニューロンによる相反抑制

Ia 群神経線維は，脊髄に入る際に分岐することを前述した。その分岐の 1 つに介在ニューロンとのシナプス結合がある。Ia 群神経線維から入力を受ける介在ニューロンの 1 つが Ia 抑制性介在ニューロンである。Ia 抑制性介在ニューロンは運動ニューロンとの結合を通じて伸張反射回路における拮抗筋の収縮の調整にかかわる（▶図 10 A）。この回路が随意運動の制御の単純化に貢献している。

また，主動作筋と拮抗筋が同時に収縮することが必要な場面もある。たとえば，ドッジボールで強いボールを両手で受け止める際，肘の屈筋と伸筋が共収縮（同時収縮）（co-contraction）することにより，関節を保持する必要がある。Ia 抑制性介在ニューロンは，皮質脊髄路や他の下行路からも興奮性入力や抑制性入力を受ける（▶図 10 A）。この複数の下行路からの入力は，介在ニューロンが個々の関節での拮抗筋の共収縮を調整することを可能にする[4]。

ⓑ Renshaw 細胞による反回抑制

α 運動ニューロンと Ia 抑制性介在ニューロンに直接シナプス結合している介在ニューロンを，**Renshaw**（レンショウ）**細胞**という。α 運動ニューロンは Renshaw 細胞を活性化させる。Renshaw 細胞は自分を興奮させた α 運動ニューロンに戻り，抑制する。さらに α 運動ニューロンだけでなく，同じ関節の共同筋を支配する α 運動ニューロンも抑制する。つまり，Renshaw 細胞が活性化されると，運動ニューロンの出力を減少させることになる。この抑制機構を**反回抑制**と呼ぶ（▶図 10 B）。Renshaw 細胞は，主動作筋とその共同筋の α 運動ニューロンを抑制する。さらに Renshaw 細胞は，拮抗筋の Ia 抑制介在ニューロンを抑制（脱抑制）する。これは運動課題に適した

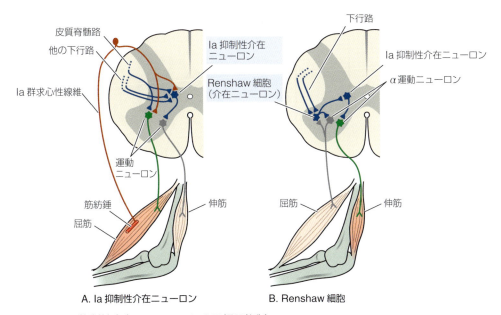

▶図 10　Ia 抑制性介在ニューロンによる相反抑制
〔Kandel, E.R. ほか（編）：カンデル神経科学. p.785, メディカル・サイエンス・インターナショナル, 2014 より〕

主動作筋と拮抗筋の共収縮を導くことに寄与する.

　たとえば, ラケットでボールを打つときに, 肘の屈曲と伸展の切り替えが重要となる（▶図 11）[3]. ボールがラケットに当たるまでは, やや肘が屈曲位（上腕二頭筋と上腕三頭筋の共収縮）で保持する必要がある. その後, ボールがラケットに当たってからは, 共収縮から上腕二頭筋の強い収縮と上腕三頭筋の弛緩に切り替わることで, 肘を屈曲して打ち返すことができる. Renshaw 細胞は上記のような神経系の働きを調整し, 主動作筋や拮抗筋のバランスを調節する役目を果たしていると考えられる（上位中枢からの調節に関する説明はここでは控える）.

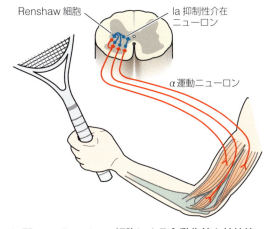

▶図 11　Renshaw 細胞による主動作筋と拮抗筋のバランス調節
〔Leonard, C.T.（著）, 松村道一ほか（監訳）：ヒトの動きの神経科学. p.80, 市村出版, 2002 より〕

E 運動に重要な下行性の神経機構

　複雑な運動を実行するためには, 運動制御にかかわる下行路の理解が必要になる. 運動を制御する下行路は, 大脳皮質や脳幹（中脳, 橋, 延髄）から脊髄の運動ニューロンまたは介在ニューロンへ投射している（▶図 12）[6].

　これらの下行路には大脳皮質から脊髄へ直接入力している皮質脊髄路がある.

　皮質脊髄路は頭頂葉や前頭葉の後方部分（4 野

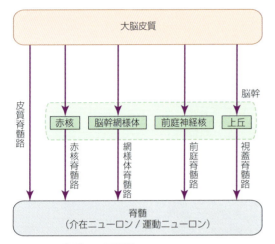

▶図 12　脊髄への下行路
〔伊藤宏司：身体運動の制御と適応—リハビリ・介護, ロボットへの応用. p.101, オーム社, 2020 より〕

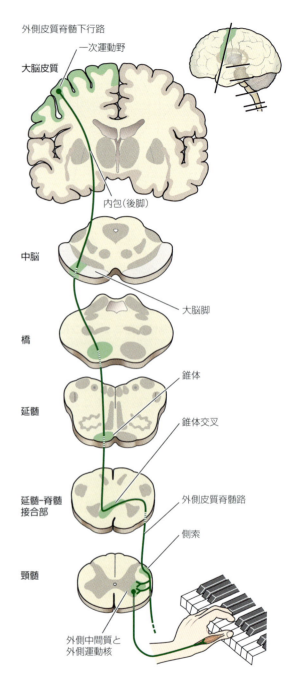

▶図 13　皮質脊髄路の経路
〔Kandel, E.R. ほか（編）：カンデル神経科学. p.362, メディカル・サイエンス・インターナショナル, 2014 より〕

と 6 野）を含む中心溝付近の広い領域（約 40％ が大脳皮質の運動野）から始まる[4]. これらの軸索は，内包（後脚），中脳（大脳脚）を下行する. 一部（約 10％）は同側を下行し，大部分（約 90％）は延髄で錐体交叉して反対側を下行して脊髄に投射する. 一次運動野の 4 野は，脊髄運動ニューロンと直接結合する唯一の皮質運動領野である. 皮質脊髄路は，主に上肢・手指などの遠位筋を制御しており，ピアノを演奏するなどの手指の複雑な動きや巧緻運動の際に重要である（▶図 13）[4].

皮質脊髄路を下行する運動に関する情報は，感覚情報と他の運動関連領域からの情報の両者によって調節される. 正確かつ適切な随意運動を成立させるためには，小脳や大脳基底核といった運動関連領域との関係も重要な役割を果たす. また，滑らかな運動を遂行するためには，触覚や視覚，固有感覚からのフィードバック情報が必要である. 小脳や大脳基底核は運動学習にかかわり，繰り返しによる運動技能の上達にとって大切な役割がある. 上記のように，随意運動には，運動系のすべての構成要素とその連携が重要となる（▶図 14）[4].

脊髄運動ニューロンへの間接経路は 4 野と 6 野から始まり，脳幹の内側と外側を経由する. 内側

下行路（腹内側系）は，主に網様体脊髄路，内側・外側前庭脊髄路，視蓋脊髄路があり，これらは脊髄前索を下行して，脊髄灰白質の腹内側部に終わる. **網様体脊髄路**は橋・延髄網様体に存在する網

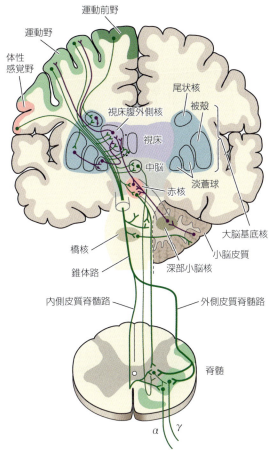

運動前野

運動野

体性
感覚野

尾状核

視床腹外側核

被殻

視床

中脳

淡蒼球

赤核

大脳基底核

小脳皮質

橋核

深部小脳核

錐体路

内側皮質脊髄路

外側皮質脊髄路

脊髄

α γ

▶図14 随意運動にかかわる構成要素とその連携
〔Kandel, E.R. ほか（編）：カンデル神経科学. p.363, メディカル・サイエンス・インターナショナル, 2014 より〕

様体脊髄路ニューロンを介して，同側あるいは両側の脊髄介在ニューロン・運動ニューロンに投射する．網様体脊髄路ニューロンの多くは，頚髄から仙髄にまで軸索を投射し，起立や歩行に必要な全身の筋緊張レベルの調節，体幹・上下肢のアライメントの調節に重要な役割を担う[7]．**前庭脊髄路**は同側の前庭神経核（前庭器官から入力）から始まり，両側の脊髄運動ニューロン・介在ニューロンに投射して，姿勢制御に関連する頚部や体幹，四肢の抗重力筋を活性化する．上丘から出ている視蓋脊髄路は，視覚あるいは聴覚でとらえた対象物への頭部・眼球の運動・方向を制御する．

外側下行路（背外側系）は主に**赤核脊髄路**であ

り，赤核の大細胞部から始まり反対側の側索背側部を下行して，脊髄灰白質の背外側部に終わる．ネコやサルを対象とした実験では，主に四肢の遠位筋に関係し，屈筋に作用する役割があるとされている（ヒトでは不明な点が多い）．

F 運動に重要な姿勢制御と上行性の神経機構

　運動を円滑に遂行するためには，姿勢制御が基盤となる．姿勢制御に重要な下行性の神経機構は，主に**網様体脊髄路系**，前庭脊髄路などの**脳幹−脊髄投射系**で構成される（▶図15）[2]．これらは，脊髄の前索や前側索を下行し，体幹筋や上下肢の近位伸筋群を支配するため，起立，歩行，姿勢制御に関与する．特に網様体脊髄路は，6野から脳幹へ投射し，両側性にすべての髄節に投射する．つまり，両上下肢と体幹の姿勢や運動準備のプログラムに関連している[8]．

　皮質網様体投射は網様体脊髄路系を介して，体幹・上下肢のアライメントの変化や筋緊張レベルの調節に関与すると考えられる[8]．網様体脊髄路が，①筋緊張の調節や姿勢制御，歩行運動に関与すること，②感覚性入力や脳幹の神経伝達物質，睡眠・覚醒状態が網様体脊髄路の機能を強く修飾すること，そして，③随意運動に随伴する姿勢制御には皮質網様体投射−網様体脊髄路が関与する可能性が示された[7, 9]．

　たとえば，テーブルの奥にある食物を取ろうとした際，①椅子から立ち上がり，②片手を伸ばしてリーチして，③箸で食物を掴む．この場合，手指の巧緻運動だけでなく，下肢・体幹・頭頚部のバランスをうまく調節・維持しなければならない．姿勢の維持や歩行は両側頭頚部・体幹，下肢の筋活動制御を内側下行路系が担い，同時に，反対側の上肢・手指の巧緻運動を外側下行路系が担っている．すなわち，内側・外側下行路の機能が統合されることで，適切な運動が遂行できている．

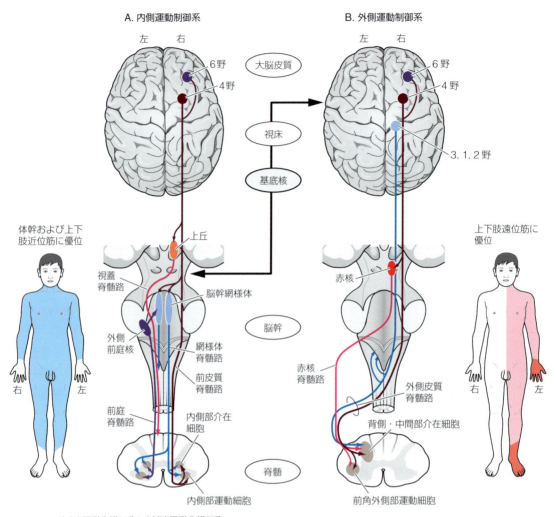

A. 内側運動制御系　　　　B. 外側運動制御系

▶図 15　内側運動制御系と外側運動制御系

各制御系が支配する身体領域を青および赤で示した．内側運動制御系は，両側の体幹と近位の伸筋群（抗重力筋）を，外側運動制御系は，反対側の上下肢遠位筋の屈筋群の運動を制御する．
〔髙草木 薫：大脳皮質・脳幹−脊髄による姿勢と歩行の制御機構. 脊髄外科, 27(3):208–215, 2013 より〕

　姿勢制御に重要な上行性の神経機構は，意識にのぼる固有感覚と識別性の触覚を伝える**後索内側毛帯路**と，侵害感覚と温度覚を別々に伝える**外側脊髄視床路**などがあり，体性感覚野へとつながる．意識にのぼらない筋・関節からの固有受容感覚情報は，**後脊髄小脳路**により小脳へ伝えられる[10]．立位で急な外乱に対してすばやくバランスを修正するためには重要な経路である．上述の多重感覚情報は，支持基底面上と空間上にある頭部・体幹，上下肢の位置をリアルタイムにフィードバックし，身体内部の環境である身体図式を確立している．手足や身体の位置，体の傾きがリアルタイムにわかるからこそ，運動時にはすぐにその状況から動き出すことが可能となる[11]．感覚情報と運動との関係は密接であり，ヒトが進化の過程で獲得してきた二足歩行や発声，手の巧緻動作などの複雑な機能に不可欠である．特に手や顔（唇や舌）の領域は，器用さを欠く足や体幹に比べ体部位再現領域が広く（▶図 16）[12]，生活動作における重要度が高いことが示されている[3]．

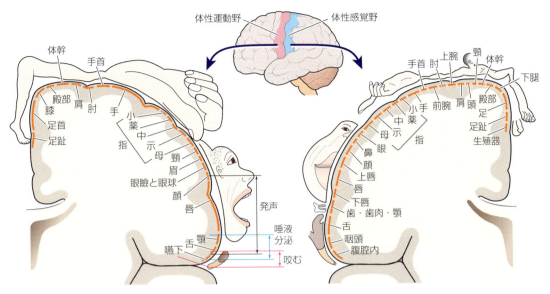

▶図 16　体部位再現領域
〔Penfield, W., et al.: The Cerebral Cortex of Man. Macmillan, New York, 1950 より改変〕

G 運動の調節にかかわる神経系

1 大脳基底核による運動の調節

大脳基底核は皮質下の神経細胞体の集まった部位をいい，解剖学的には尾状核，被殻，淡蒼球を指す．また，機能として関係の深い中脳の黒質と視床下核を合わせて呼ぶこともある（▶図 17）．

大脳基底核の機能は，小脳などとともに身体がスムーズに運動できるように下行路による運動指令を調節している．大脳皮質からの入力情報を受け，①運動を滑らかに開始・停止できるように切り替える，②一定の姿勢を保つ，③状況に応じて適切な行動を選択するなどの役割がある．

また，大脳基底核は，大脳皮質－大脳基底核－視床－大脳皮質というループ（回路）を形成して運動を調節している．普段は視床を介して大脳皮質に抑制性（不必要な動きのブレーキ役）に働いている．基底核の問題により，この抑制が強くなる（ブレーキ機能が強く働きすぎる）と，すくみ足や寡動といった症状が出現する．その症状を示す代表的な疾患が Parkinson（パーキンソン）病である．一方で，抑制が弱くなる（ブレーキ機能が働かない）と，不必要な運動（不随意運動）が出現する．Huntington（ハンチントン）舞踏病がその代表的疾患である（▶図 18）[13]．

基底核内では，直接路と間接路との 2 種類の経路がある．この両者のバランスによって必要な運動を正確に選択し実行することができ，また正しいタイミングで運動を開始・停止することが可能となる．

2 小脳による運動の調節

小脳は，脳幹の後方に位置し，上・中・下小脳脚という線維の束でそれぞれ中脳・橋・延髄と連絡している．小脳は大きく 3 つの部位（大脳皮質，脊髄，前庭神経系）から入力を受け，情報の統合と処理を行ったのちにそれぞれの系統に再出力している．小脳の役割は，入力された情報をもとに運動を調節し，滑らかで適切な運動（滑らかに話

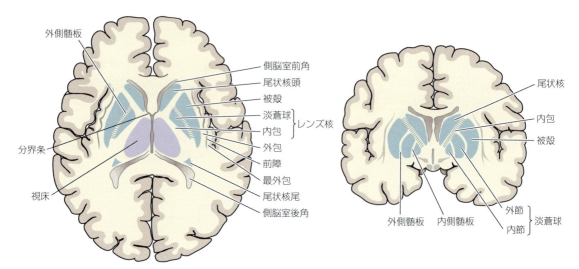

▶図 17　大脳基底核

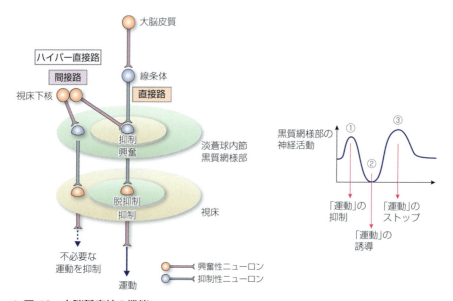

▶図 18　大脳基底核の機能

〔南部 篤：大脳皮質運動野と大脳基底核. 小澤瀞司ほか（編）：標準生理学, 第 8 版, pp.355, 360, 医学書院, 2014 より一部改変〕

す，運動を予測して適切に動く，学習した運動を滑らかに実行するなど)を可能にしている.

　小脳は系統発生学的に，①大脳小脳(小脳半球)，②脊髄小脳(小脳虫部)，③前庭小脳(片葉小節葉)の 3 つの領域に分けられる(▶図 19).

a 大脳小脳（小脳半球）

　大脳皮質からの情報は，橋を介して伝えられ小脳半球で統合される. その後，視床を経由して再び大脳皮質に出力される. 運動の計画や円滑化に働き，四肢の運動調節にかかわると考えられている. 近年では，認知や言語機能などの高次脳機能にもかかわることが明らかになっている.

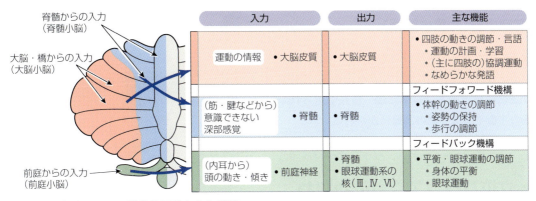

表の内容：

入力		出力	主な機能
運動の情報 ・大脳皮質		・大脳皮質	・四肢の動きの調節・言語 ・運動の計画・学習 ・(主に四肢の)協調運動 ・なめらかな発語
			フィードフォワード機構
(筋・腱などから) 意識できない 深部感覚 ・脊髄		・脊髄	・体幹の動きの調節 ・姿勢の保持 ・歩行の調節
			フィードバック機構
(内耳から) 頭の動き・傾き ・前庭神経		・脊髄 ・眼球運動系の 核(Ⅲ, Ⅳ, Ⅵ)	・平衡・眼球運動の調節 ・身体の平衡 ・眼球運動

図中ラベル：
脊髄からの入力（脊髄小脳）
大脳・橋からの入力（大脳小脳）
前庭からの入力（前庭小脳）

▶図 19　小脳の 3 つの機能的区分と主な機能

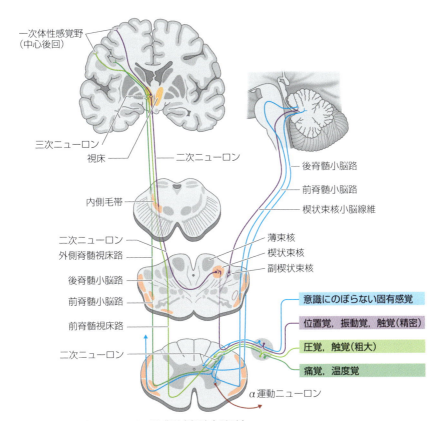

▶図 20　意識できない深部感覚（脊髄小脳路）

ｂ脊髄小脳（小脳虫部）

　筋や腱からの意識できない深部感覚が，脊髄小脳路などを経由して脊髄（一部は延髄）から小脳虫部と中間部へ伝わる．意識できない深部感覚の経路は大まかに上半身と下半身で分けられる（▶図 20）．ポイントは，上半身・下半身ともに，同側の小脳へ情報が伝達され処理されることである．この情報は脳幹を経由して脊髄に出力され，すばやく姿勢や歩行を調節（フィードバック）する重要な役割をもつ．主に体幹の動きの調節にかかわる．

ⓒ 前庭小脳（片葉小節葉）

内耳の前庭器官から頭の位置や傾きに関する情報が前庭神経を通じ，片葉小節葉へ伝わる．出力先は主に眼球運動系（核）や脊髄へ情報が送られ，身体の平衡や眼球運動の調節にかかわる．

Ⓗ 立位バランス能力にかかわる運動・姿勢制御

ヒトの二足直立姿勢は，唯一床へ接している足底面が狭く，一番高い位置に重たい頭部があり物理的に不安定である．その姿勢は一定の範囲内で絶えず揺れ動きながら保たれ，過去の経験をもとに学習された筋骨格系と神経系の相互作用によって複雑かつ効率的に制御されている[14]．Massionは，環境におけるヒトの対応過程を，姿勢制御と運動制御を合わせた姿勢ネットワークとして体系づけ[11]，目に見える立位バランス能力の背景となる見えない部分の理解を助けてくれる．そこでは，視覚や前庭感覚，固有受容感覚などの多重感覚入力によるフィードバック情報が特に重要とされている．また高草木は，姿勢制御を予測的姿勢制御と代償（反応）性姿勢制御とに分けて説明している[2]．**予測的姿勢制御**とは，目的とする運動・動作に最適な姿勢をあらかじめ提供する仕組みであり，学習による予測に基づくフィードバック型の姿勢調節をいう．また，**代償（反応）性姿勢制御**とは，主に外乱に対して姿勢を保持する仕組みであり，感覚情報に基づくフィードバック型の姿勢調節をいう．前述の多重感覚情報は，重力下で支持基底面（base of support; BOS）上と空間にある頭部・体幹，上下肢の位置をリアルタイムにフィードバックし，身体図式を確立している．手足や身体の位置，体の傾きがリアルタイムにわかるからこそ，運動時にはすぐにその状況から動き出すことが可能となり，予測的姿勢制御に重要な要素となる．また，外乱などに対するすばやい反応が求

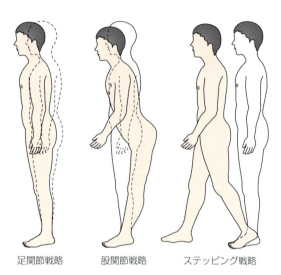

足関節戦略　　股関節戦略　　ステッピング戦略

▶図 21　直立動揺制御における 3 つの姿勢運動戦略
〔Shumway-Cook, A. ほか（著），田中 繁ほか（監訳）：モーターコントロール—運動制御の理論から臨床実践へ．原著第 3 版，p.161, 医歯薬出版, 2011 より〕

められる場面では代償（反応）性姿勢制御が求められ，入力された感覚情報から運動をすばやく選択する処理を皮質下（脊髄・脳幹など）で行う必要がある．

外乱時の姿勢戦略は，**足関節戦略**（ankle strategy），**股関節戦略**（hip strategy），**ステッピング戦略**（stepping strategy）の 3 つがある（▶図 21）．足関節戦略と股関節戦略は身体重心を現在の BOS 内に保持しようとする対応であり，ステッピング戦略は，新たに BOS を前後左右へ広げる対応である[15]．いずれも転倒予防には欠かせない代償（反応）性姿勢制御である．

立位における姿勢制御には，視覚系からの情報を中心に，前庭系や体性感覚系からの情報が中枢神経系で統合され，最適な筋緊張の命令が運動系に出力されて行われる（▶図 22）[16]．身体の静的・動的バランスを保つためには，視覚と前庭感覚のみならず体性感覚が不可欠である[11]．明るい環境下の情報は，体性感覚 70％，視覚 10％，前庭感覚に 20％ 依存している[17]（▶図 23）．特に体性感覚情報は，立位保持中に下肢の筋紡錘や腱紡錘および関節受容器などの固有感覚情報や足底の圧

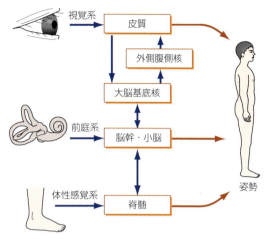

▶図22　立位での姿勢制御にかかわる感覚情報
〔Lundy-Ekman, L.: Neuroscience—Fundamentals for Rehabilitation. 4th ed., p.254, Saunders, 2012 より〕

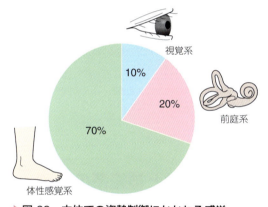

▶図23　立位での姿勢制御にかかわる感覚
〔Horak, F.B.: Postural orientation and equilibrium: what do we need to know about neural control of balance to prevent falls? *Age Ageing*, 35(Suppl 2):ii7–ii11, 2006 より改変〕

力を知覚する皮膚感覚情報を示し，いずれも運動器の変形が刺激となり身体運動や位置情報を感受する．多くは意識にのぼらず立位バランス能力に作用している[4]．環境が変わると，それぞれの感覚への依存度を再調整する必要がある．下り坂では，前庭感覚が優位になり，暗闇になれば，体性感覚が優位になる．また，BOS が不安定な場面では，視覚が優位になり，姿勢を制御する．

加齢に伴う立位バランス能力と転倒との関係

運動療法の対象者の多くは高齢者である．加齢に伴い立位バランス能力は低下するが，感覚入力の減少，反応潜時の遅延，足関節の筋力低下，安定限界の知覚減退，不安定性検出の減退，感覚情報への異常反応などの要素が影響していると考えられており，感覚統合システムと筋骨格系機能低下が大きな要因といわれている[18]．特に感覚統合システムの機能低下は姿勢制御に悪影響を及ぼす大きな原因となる．視覚，前庭感覚，そして体性感覚システムの統合は，1つのシステムに変化がおこると他のシステムへの依存が高くなり，特に高齢者は視覚情報への依存度が高くなるといわれている[19]．

また，筋活動の変化では踏み台が動く際の姿勢反応をみた研究から，高齢者で若年者に比べて外乱に対する反応が遅く，通常は遠位筋から近位筋へと順に生じる筋活動の活性化とは逆方向の活性化が報告された[20]．姿勢戦略の選択は加齢に影響を受ける[21]．高齢者では，足関節戦略で対応する領域は狭く四肢近位筋を過剰に活動させ，股関節戦略やステッピング戦略に頼ることが多くなる．

転倒はさまざまな機能低下が累積した結果生じる．高齢者では危険回避のために重心を下げ，力学的な釣り合いをとるような運動・姿勢戦略がしばしば確認される．機能的であるよりもその場の都合のよい動きが選択・実行され，それが継続されている．その誤学習・不使用を学習した結果であるフィードフォワード制御は改善が必要であり，フィードバック制御を含めた練習課題の工夫が重要である．

姿勢制御に重要な多重感覚入力は感覚統合において平等ではなく，各感覚入力に対する重みづけには個人差がある．さらにその重みづけは環境や疾病などに応じて変化するとされ，sensory reweighting hypothesis（感覚入力の再重みづけ

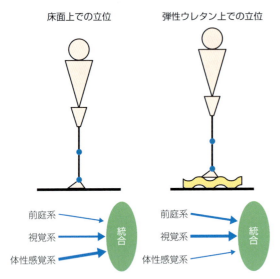

▶図 24 「感覚情報の重みづけ」の状況変化
〔政二 慶：立位姿勢の制御機構．大築立志ほか（編著）：姿勢の脳・神経科学—その基礎から臨床まで，p.59，市村出版，2011 より〕

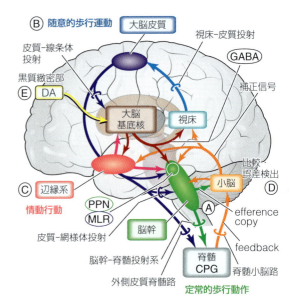

▶図 25 歩行運動にかかわる神経系の役割
CPG：歩行パターン発生器，DA：ドパミン，GABA：γ−アミノ酪酸，MLR：中脳歩行誘発野，PPN：脚橋被蓋核
A：「脳幹と脊髄による定常的歩行動作」
B：「大脳皮質が関与する随意的歩行運動」
C：「辺縁系の活動によって誘発される情動行動」
D：「小脳による運動学習」
E：「強化学習」
〔高草木 薫ほか：大脳基底核による姿勢と歩行の調節機構．*Brain and Nerve*, 74(9):1067–1079, 2022 より〕

仮説）と呼ばれている[22]．高齢者では視覚入力に対する重みづけが高く，若年成人に比べて感覚の再重みづけに時間がかかることも示唆されている[23]．藤原らは，立位での床振動を利用した予測的姿勢制御の練習効果の転移について報告している．練習初期は視覚情報が優位に働くが，練習が進むにつれて非視覚系が強く機能するようになったことで，開眼での練習効果が閉眼時の姿勢制御にも及んだと述べている[24]．このことからも姿勢制御の練習では，関連する非視覚系の感覚情報の重みづけの再学習が重要である．

各感覚系から伝わる情報は身体がおかれた環境によって異なる[25]ため，練習の環境設定にも注意が必要である（▶図 24）．感覚情報の再重みづけを促す身体活動としてバランスボードに類似する支持面の傾斜外乱を加える実験では，下肢体性感覚入力の信頼性を損ない視覚入力に対する重みづけを高める結果となった[26]．運動療法を行うにあたり，鏡の使用や不安定な板などの上に立つ練習課題を選択する際は，望む結果を生み出せない可能性があるため注意が必要である．

J 歩行運動と神経系の役割

これまで，運動と神経とのかかわりを説明してきた．最後に歩行運動にかかわる神経系の役割を簡単に紹介する．高草木は，歩行にかかわる神経系の役割を次の図 25 A〜E のように分けて説明している[27]．

図 25 A は，脳幹と脊髄による定常的歩行動作を示す．律動的な上下肢・体幹の動作とこれを支持する姿勢筋緊張や姿勢反射で構成され，脳幹と脊髄が中核的な役割を担っている．

脚橋被蓋核（PPN）／中脳歩行誘発野（MLR）からの信号が脊髄の中枢パターン発生器（CPG）を駆動する．

図 25 B は，大脳皮質が関与する随意的歩行運動を示す．歩行の開始や障害物を回避するときの

注意や正確な動作を担っている.

　図 25 C は，辺縁系の活動によって誘発される情動行動を示す.危険から回避する逃避行動は，大脳辺縁系から脳幹・脊髄へ信号が伝達される.

　図 25 D は，小脳による運動学習を示す.小脳は大脳皮質からの運動出力のコピー（efference copy）と脊髄小脳路を介する感覚フィードバックの情報を受け取る.双方の情報を照合・比較して誤差を修正し，繰り返しによって誤差が減少すると，動作がより正確になる.この一連の過程が小脳での運動学習である.

　図 25 E は，強化学習を示す.基底核（BG）は大脳皮質や辺縁系からの入力を受ける.基底核は，ドパミン（DA）の作用を受けて，大脳皮質・辺縁系・脳幹の活動を調節し，状況における最適な行為の習得を促す.つまり，基底核は「行為の適切さ」を，小脳は「動作の正確さ」を調節することによって，運動の学習に貢献している.

　これらのように，歩行を含めたすべての運動がスムーズに遂行できる背景には，大脳皮質から皮質下，脊髄までの多くの神経系が制御にかかわっている.各項目は，成書からさらに詳しく学ぶことで，運動にかかわる目に見えない神経系の機能を理解することができ，疾患を問わずこれから運動療法を実施するための多くの気づきを与えてくれるものになる.

●引用文献
1) 高草木 薫：ヒトの脳と運動制御─脳の理解とリハビリテーションのために. 長崎理学療法, 7:1–10, 2007.
2) 高草木 薫：大脳皮質・脳幹─脊髄による姿勢と歩行の制御機構. 脊髄外科, 27(3):208–215, 2013.
3) Leonard, C.T.（著）, 松村道一ほか（監訳）：ヒトの動きの神経科学. pp.101–102, 市村出版, 2002.
4) Kandel, E.R. ほか（編）：カンデル神経科学. pp.20, 29, 362, 363, 785, 942–946, メディカル・サイエンス・インターナショナル, 2014.
5) Kandel, T.M., et al.: Principles of Neural Science. 4th ed., pp.654–674, McGraw-Hill, 2000.
6) 伊藤宏司：身体運動の制御と適応─リハビリ・介護, ロボットへの応用. p.101, オーム社, 2020.
7) 高草木 薫ほか：網様体脊髄路. Clin. Neurosci., 27(7): 752–756, 2009.
8) 高草木 薫：大脳基底核による運動の制御. 臨床神経学, 49(6):325–334, 2009.
9) 高草木 薫：姿勢筋緊張の調節と運動機能. Clin. Neurosci., 28(7):733–737, 2010.
10) Fitzgerald, M.J.T. ほか（著）, 井出千束（監訳）：臨床神経解剖学. 原著第 6 版, p.179–184, 医歯薬出版, 2013.
11) Massion, J.: Postural control system. Curr. Opin. Neurobiol., 4(6):877–887, 1994.
12) Penfield, W., et al.: The Cerebral Cortex of Man. Macmillan, New York, 1950.
13) 南部 篤：大脳皮質運動野と大脳基底核. 小澤瀞司ほか（編）：標準生理学, 第 8 版, pp.355, 360, 医学書院, 2014.
14) 高村浩司：前庭および脊髄小脳神経回路の障害と理学療法. PT ジャーナル, 47(1):32–37, 2013.
15) Shumway-Cook, A. ほか（著）, 田中 繁ほか（監訳）：モーターコントロール─運動制御の理論から臨床実践へ. 原著第 3 版, pp.160–163, 医歯薬出版, 2011.
16) Lundy-Ekman, L.: Neuroscience─Fundamentals for Rehabilitation. 4th ed., p.254, Saunders, 2012.
17) Horak, F.B.: Postural orientation and equilibrium: what do we need to know about neural control of balance to prevent falls? Age Ageing, 35(Suppl 2): ii7–ii11, 2006.
18) Anson, E., et al.: Loss of peripheral sensory function explains much of the increase in postural sway in healthy older adults. Front. Aging Neurosci., 9: 202, 2017.
19) Alexander, N.B.: Postural control in older adults. J. Am. Geriatr. Soc., 42(1):93–108, 1994.
20) Stelmach, G.E., et al.: Age, functional postural reflexes, and voluntary sway. J. Gerontol., 44(4):100–106, 1989.
21) Horak, F.B., et al.: Components of postural dyscontrol in the elderly: a review. Neurobiol. Aging, 10(6):727–738, 1989.
22) Peterka, R.J.: Sensorimotor integration in human postural control. J. Neurophysiol., 88(3):1097–1118, 2002.
23) Teasdale, N., et al.: Attentional demands for postural control: the effects of aging and sensory reintegration. Gait Posture, 14(3):203–210, 2001.
24) 藤原勝夫ほか：水平床振動を繰り返し負荷した場合の立位姿勢調節の変化. 体力科学, 37(1):25–36, 1988.
25) 政二 慶：立位姿勢の制御機構. 大築立志ほか（編著）：姿勢の脳・神経科学─その基礎から臨床まで, pp.51–69, 市村出版, 2011.
26) Logan, D., et al.: Asymmetric sensory reweighting in human upright stance. PLoS One, 9(6):e100418, 2014.
27) 高草木 薫ほか：大脳基底核による姿勢と歩行の調節機構. Brain and Nerve, 74(9):1067–1079, 2022.

6章

運動と呼吸

- 呼吸運動に関する解剖学的構造を知る.
- 呼吸における換気とガス交換のメカニズムとその過程を知る.
- 運動時の呼吸応答と調節について理解する.

A 呼吸の役割

1 呼吸とは

　生物は外界から得たエネルギー源を燃焼させ, その結果生じたエネルギーで生命活動を営んでいる. このエネルギーを取り出す過程を総合して**呼吸**(respiration)という.

　呼吸とは, 生命を維持するために必要な酸素を大気中から生体内に取り込み, 発生した二酸化炭素を生体外へ排出することである. 呼吸の過程は, 生体と外界との間の気体(ガス)の交換, すなわち大気中の酸素を肺胞まで取り込んで二酸化炭素を排出する**外呼吸**(肺呼吸)と, 細胞による酸素の利用と二酸化炭素生成および細胞と血液(体液循環)との間のガス交換を意味する**内呼吸**(組織呼吸)の2つに分類される(▶図1). 通常, 呼吸とは外呼吸を意味し, その最終目的はガス交換である. ガス交換を維持するためには, 絶え間ない換気によって酸素を連続的に供給することが必要不可欠である. 人間が生きていくためにはこの"換気"と"ガス交換"の2つのプロセスが順調に作動する必要がある.

　前述した役割を果たすための中心となる器官が**呼吸器系**(respiratory system)である. この器

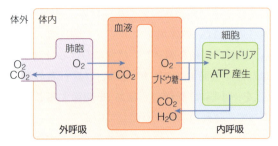

▶図1　外呼吸と内呼吸

官は肺を換気するための"ポンプ"である胸郭系と, ガス交換器である肺実質・気道系に大別することができる(▶図2).

2 なぜ生物は呼吸をしなければ ならないのか

　生物が取り込んだ酸素は, 生命活動に必要なエネルギーを栄養素から取り出すために利用される. 各細胞に運搬された酸素は, 細胞内小器官であるミトコンドリアのなかでブドウ糖や脂肪を酸化し, アデノシン三リン酸(adenosine triphosphate; ATP)として合成, 蓄積される(▶図1). 生体では, 生命活動に必要なエネルギーはすべてこのATPを利用している.

　多くの生物は, 酸素の供給がない状態でも栄養素からいくらかのエネルギーを取り出すことが可能である. しかし, 身体の大きな生物の場合には

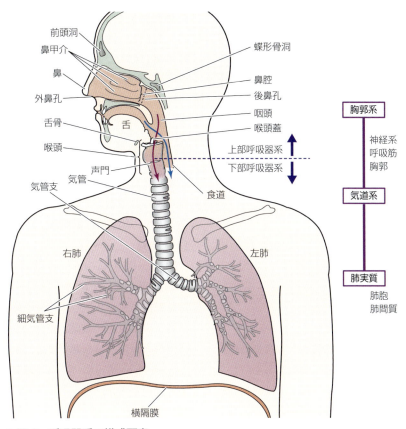

前頭洞
鼻甲介
鼻
外鼻孔
舌骨
舌
喉頭
声門
気管支
気管
右肺
細気管支
横隔膜

蝶形骨洞
鼻腔
後鼻孔
咽頭
喉頭蓋
上部呼吸器系
下部呼吸器系
食道
左肺

胸郭系
神経系
呼吸筋
胸郭
気道系
肺実質
肺胞
肺間質

▶図2　呼吸器系の構成要素

効率が悪く，その生命を維持することが困難である．酸素は反応性が高いため，その供給がない場合と比較して実に約20倍のエネルギーを取り出すことができ，効率のよい代謝を可能にしている．しかし，反応性が高いということは，同時に毒性が生じるということも意味している．酸素は生体にとって必要不可欠ではあるが，生体内に蓄えておくことができないために，絶えず外界からの持続的な取り込みが必要となる．

　人間の場合，身体に貯蔵可能な酸素量は成人でおよそ1,500 mLであるとされる．酸素消費量は5 mL/kg/分であり，体重50 kgの成人では安静時で250 mL/分となるため，貯蔵された酸素は，およそ6分間の酸素消費量に相当することになる．単純計算では，外から酸素を取り込まなければ，人間は6分以上生きていることは不可能ということになる．そのような意味で，連続した酸素の供給が必要不可欠となる．

　また，毎分250 mLの酸素を使って栄養素を燃やすと，毎分約200 mLの二酸化炭素が発生する．これは水に溶けて炭酸になり，血液を酸性にするため，絶えず外界に捨て続ける必要がある．ここにも換気を絶え間なく続けなければいけない理由がある．

B　呼吸のメカニズム

　呼吸は複雑な過程を経て行われるが，その主要なメカニズムは"**換気**"，"**ガス交換**"，"**ガス搬送**"の3つである．以下，それぞれについて基本構造とその役割について解説する．

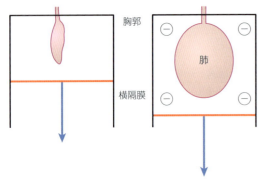

▶図 3　呼吸運動の仕組み
シリンダー(胸郭)の中のピストン(横隔膜)が移動することで陰圧が発生し，風船(肺)が拡張する．

1 換気

a 換気とは

　換気(ventilation)とは，肺の中のガスを新鮮な外気と交換することを意味し，肺に外気を取り込むための運動を**呼吸運動**という．この呼吸運動がポンプの役割となって換気を行っている．

　肺は自らの力で拡張することができないため，呼吸運動を行う筋群，すなわち呼吸筋(吸気筋群)の収縮によって得られた胸郭の拡張運動の結果，その肺容量が変化する．胸郭は密閉されているため，胸郭が拡張すると胸腔内(肺内)が陰圧となり，その際，外界と交通している気道を通して空気が肺内に取り込まれる(▶図 3)．この過程を**吸気**という．成人の場合，安静時では約 500 mL の空気が吸い込まれるが，この 1 回の呼吸ごとに取り込まれる空気の量を **1 回換気量**(tidal volume; VT)という．この空気は鼻腔から気管，気管支を経て，最終的に肺胞に到達する．

　吸気に引き続いて，代謝に伴って生体内で発生した二酸化炭素を放出するために，肺から二酸化炭素が多く含まれたガスが排出される．これを**呼気**という．安静呼吸の場合，呼気はまったく受動的に行われており，呼吸筋の働きは関与しない．これは，拡張した肺は膨らんだゴム風船と同様，自ら収縮する力をもっている弾性体であり，本質

的に絶えず縮まろうとする性質をもつためである．しかし，咳嗽をはじめとした努力性の呼気を行う場合には，腹筋群を中心とした呼吸筋(呼気筋群)の作用が必要となる．

　このように，胸腔内圧が変化することで肺は拡張と収縮を繰り返し，換気が行われる．

b 換気を行うための基本構成

　換気は胸郭の拡張と受動的収縮によるポンプ運動によってなされるが，その中心を担うのが支持系としての胸郭と，駆動系としての呼吸筋である．

(1) 胸郭

　胸郭(▶図 4)は胸椎，肋骨，胸骨が連結してつくる籠状の骨格であり，弾力をもった強固な構造を形成している．この内側を**胸腔**と呼ぶ．胸郭は外気圧に耐え，吸気に際して胸腔内を陰圧にするための重要な構造物である．胸郭は一定の弾性(elasticity)[*1]をもち，それは呼気の際に肺内の空気を排出する力にもなる．

(2) 呼吸筋

　肺の換気は胸郭の容積を変化させることによって行われる．安静換気では，吸気は胸郭の容積を広げる作用をもつ吸気筋群，特に横隔膜と外肋間筋の働きによって行われ(▶図 5)，呼気は胸郭および肺の弾性によって受動的に行われる．努力換気の際には，吸気，呼気ともに頸部や体幹の筋群も積極的に動員する．このような筋群を呼吸補助筋群という．

　横隔膜は吸気筋のなかでも主要な役割を占めている．横隔膜は胸腔と腹腔の境にあるドーム型の形状をしたシート状の筋である．吸気時にはドームの脚の部分(zone of apposition)(▶図 6)[1]が短縮し，ピストンが尾側方向へスライドするような形で胸郭の容積を拡張させている(▶図 7)．その際に同時に腹腔内圧が上昇するため，下部肋骨は外方に広げられる(▶図 8)[2]．横隔膜の表面

　[*1]：物体に力を加えると変形し，力を取り除くともとの状態に戻ろうとする性質

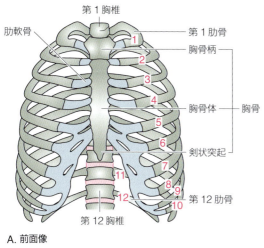

第1胸椎
肋軟骨
第1肋骨
胸骨柄
1
2
3
4
胸骨体
胸骨
5
剣状突起
6
7
11
8 9
12
第12肋骨
10
第12胸椎

A. 前面像

▶図4　胸郭の構造
胸部 X 線写真による胸郭の構造（B）

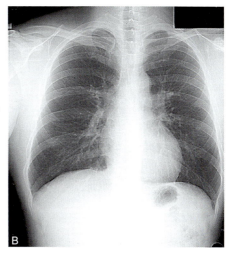

B

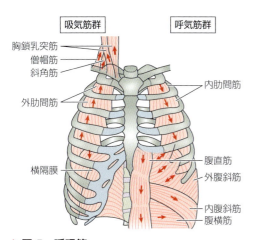

吸気筋群　　呼気筋群

胸鎖乳突筋
僧帽筋
斜角筋
内肋間筋
外肋間筋
横隔膜
腹直筋
外腹斜筋
内腹斜筋
腹横筋

▶図5　呼吸筋

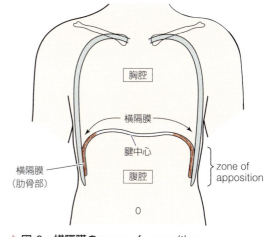

胸腔
横隔膜
腱中心
横隔膜
（肋骨部）
腹腔
zone of apposition
0

▶図6　横隔膜の zone of apposition
zone of apposition が短縮することで横隔膜が下降する.
〔Troyer, A.D., et al.: Action of the diaphragm on the rib
cage. *J. Appl. Physiol. (1985)*, 121(2):391–400, 2016
より〕

積は約 $250\,\text{cm}^2$ であり，安静吸気時には $2\,\text{cm}$ ほど尾側に移動する．したがって，その容量変化は $250\,\text{cm}^2 \times 2\,\text{cm} = 500\,\text{cm}^3$ 程度となり，おおむね成人の安静時 VT に相当する．横隔膜による換気システムは，いわばシリンダー・ピストン形式であり，きわめて効率のよい換気システムであるといえる．このシステムにおいては，気道抵抗が十分に小さければ，換気に必要なエネルギーはごくわずかである．換気は1分間に6Lから短時間なら 100L 前後まで増加可能で，30〜40L/分程度の換気は運動時を中心に日常的に行っている．

（3）換気の調節

　換気の調節は呼吸筋活動をコントロールすることで行われる．これには中枢神経系の呼吸中枢，中枢神経と呼吸筋を結ぶ末梢神経系が関与する．

　われわれは意識しなくても，安静時には1分間あたり 16 回程度の呼吸運動を行っている．これは延髄にある**呼吸中枢**によって呼吸リズムが規則正しくコントロールされているためである．呼

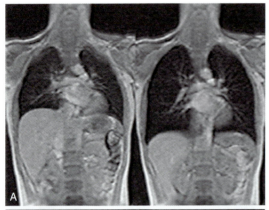

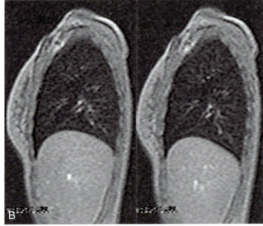

▶図 7　dynamic MRI による健常成人の呼吸運動
A：前額面．横隔膜の収縮によって肺が拡張する(右)．
B：矢状面．ピストンとしての横隔膜の動きが理解できる.

▶図 8　横隔膜とその作用様式
● 横隔膜は胸郭内でピストン運動を行う(A，B).
● 腱中心が固定されると，腱中心の周囲から作用する筋線維は
　下位肋骨を挙上する(C).
● 同時に胸骨の補助を伴って上位肋骨が挙上する(A).
● 横隔膜は胸郭の 3 方向の径すべてをそれ自体で増加させる
　(A，B).
〔Kapandji, I.A.: The Physiology of the Joints, Volume
Three. 6th ed., Churchill Livingstone, 2008 より〕

吸中枢には呼息時，吸息時にそれぞれ興奮する
呼息および吸息ニューロンが存在し，規則正しい
興奮を呼吸筋に送っている．このニューロン群
の活動は，その上部の橋に存在する呼吸調節中枢
の修飾を受けている．呼吸調節中枢は吸息と呼息
の切り替えをコントロールする．また，呼吸運動
は**化学受容器**(chemoreceptor)や肺の**伸展受容器**
(stretch receptor)からの求心性入力の修飾を受
け，調節されている.

　化学受容器には末梢性および中枢性受容器が存
在し，酸素ではなく二酸化炭素によって換気の修
正を行っている．二酸化炭素は水に対して溶解し
やすく，また水に溶けると酸性となることから，そ
の測定が酸素より容易であり，呼吸中枢ではわず

かな変化〔動脈血液中の二酸化炭素分圧($PaCO_2$)
でわずか数 mmHg の変化〕でも感知できるとさ
れている．これに対して，酸素に対する感覚は
きわめて鈍感であり，動脈血酸素分圧(PaO_2)で
60 mmHg 前後まではその低下を感知することが
できず，また，それ以下となっても意識の上には
ほとんどのぼらないことが知られている.

　二酸化炭素のレベルだけでなく，実際の胸郭の
動きも常に監視され，中枢へとフィードバックさ
れている．換気の監視システムの担い手は肋間筋
の筋紡錘と横隔膜の腱器官で，それぞれ胸郭の動
きと張力をモニタリングしている．その情報は呼
吸中枢で換気の出力と対比され，換気の不足や停
止に対し，鋭敏な反応が生み出されている．この

ような反応は「求心性情報のミスマッチ」と呼ばれ
ており，呼吸困難が発生する際の重要な機序の1
つとなっている．

（4）換気の能力とその評価

●換気の機能

　換気の中心的役割を担うのは胸郭と呼吸筋であ
るが，換気の能力を考える場合には，これに肺・
胸郭弾性および気道を加える必要がある．この4
つのパーツによって換気能力が決定され，また，
これらのパーツの障害によって換気の障害が生じ
る．

　換気能力は最大VTと最大呼吸数の積によって
規定される．維持可能な最大VTはおよそ**肺活
量**（vital capacity; VC）の60％（最大吸気量とほ
ぼ等値）であり，最大呼吸数は気道系が正常であ
れば横隔膜の収縮速度によって決定され，およそ
50～60回/分である．したがって，気道系が正常
な場合の最大換気能力はVCに比例し，VCのお
よそ30～35倍となる．これに対し，気道の障害
による気流制限があると，最大呼吸数は気流速度
の関数となる．気道障害による気流制限に基づく
換気障害を閉塞性換気障害と呼ぶが，換気能力は
1秒量〔最大吸気位から努力呼出を行ったときの
最初の1秒間に呼出される量（forced expiratory
volume in one second; $FEV_{1.0}$）〕に比例し，その
およそ35～40倍となる．また，閉塞性換気障害
がなければ$FEV_{1.0} = 0.8～0.9 VC$となることか
ら，換気能力はおよそ40あるいは35 × $FEV_{1.0}$
と見積もることが可能である．いずれにせよ，換
気能力はVCと$FEV_{1.0}$によって把握可能であ
る．

●肺気量分画（▶図9）

　吸気筋が最大収縮を行ったときの肺気量位を**全
肺気量**（total lung capacity; TLC）と呼ぶ．TLC
は吸気筋力と肺・胸郭弾性のバランスによって決
定され，吸気筋力が低下したり，肺・胸郭の弾性
が亢進した（つまり，肺・胸郭が硬くなった）状態
で減少する．**機能的残気量**（functional residual
capacity; FRC）は肺・胸郭弾性の静止位であり，

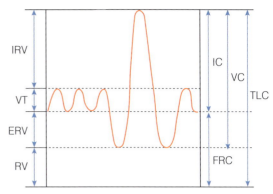

▶**図9　肺気量分画**
肺気量分画は，基本的な4分画（volume）と，それらの組み合
わせによる4分画（capacity）から構成される．
IRV：予備吸気量（inspiratory reserve volume）

肺と胸郭の弾性によって決定される．弾性が低
下すればFRCは大きく，弾性が亢進すれば小さ
くなる方向に傾く．ただし肺の弾性は静止位では
内向き，胸郭の弾性は外向きの状態で釣り合って
いるため，通常では肺弾性の亢進はFRCを小さ
く，胸郭弾性の亢進はFRCを大きくする方向に
作用する．通常の換気は，このTLCとFRCの
間で行われ，TLCからFRCの差を**最大吸気量**
（inspiratory capacity; IC）と呼ぶ．

　呼気筋（主に腹筋群）を用いることによって，
FRCから呼出を行うことができる．この呼出量
を**予備呼気量**（expiratory reserve volume; ERV）
と呼び，最終的な呼出位を**残気量**（residual vol-
ume; RV）と呼ぶ．RVは呼気筋力にも依存する
が，主として低肺気量位における気道の虚脱に
よって規定される．したがって，気道の狭窄や肺
胞の牽引力の低下のために気道に虚脱が生じやす
い状態となれば，RVは異常に増大する．

　VCはTLCとRVの差として規定される．
TLC減少，RV増大の両者によって減少し，吸気
筋と肺・胸郭弾性の系，気道系のいずれの障害に
よっても減少する可能性がある．

●気流

　最大気流速度は気道系によって決定される．気
流速度を最も簡便に測定する手技は，前述の強制

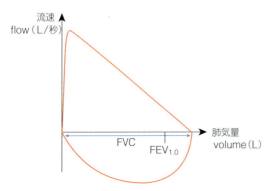

▶図 10　フローボリュームカーブ
横軸を肺気量，縦軸を流速とし，その関係を示している.
FVC：努力性肺活量(forced vital capacity)

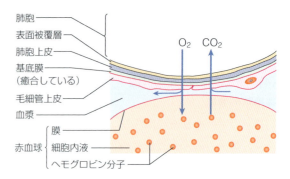

PO$_2$ = 150 mmHg
PCO$_2$ = 0 mmHg 〕気道開通時の
大気圧中の分圧

▶図 11　酸素と二酸化炭素の拡散の経路
〔Netter, F.H.(著), 前川暢夫(監)：医学図譜集 呼吸器編(日本語版 The CIBA Collection of Medical Illustrations, Volume 7, Respiratory System). p.65, 日本チバガイギー(丸善), 1981 より〕

呼出における $FEV_{1.0}$ の測定である. $FEV_{1.0}$ は呼出初期 1 秒間の最大平均流速とみなすこともできる. また，さらに詳細に流速をみるには肺気量と流速との関係をみる**フローボリュームカーブ**が有用である(▶図 10). フローボリュームカーブの後半 2/3 は努力非依存性領域と呼ばれ，努力のいかんにかかわらず，肺気量に対して一定の気流速度を示す. これは気流速度に一定の制限が加わっていることを意味する.

　気道を流れる気流速度は主として気道の内径と気道壁の性状(柔らかさ)によって決定され，各肺気量位において一定の制限を受ける. さらに低肺気量位においては肺胞の牽引力が低下し，気道に虚脱が生じて流速が低下あるいは停止する. この現象をダイナミックコンプレッション(dynamic compression)と呼び，これが始まる肺気量位を**クロージングボリューム**(closing volume)と呼ぶ.

2 ガス交換

a ガス交換とは

　酸素を取り入れて二酸化炭素を放出することを**ガス交換**(gas exchange)と呼ぶ. ガス交換には肺胞気と血液の間で行われるものと，全身の細胞レベルで行われるものがある. エネルギー産生を継続して行うためには，肺胞に到達した酸素は血液

中，さらには細胞に移動し，全身から集められた二酸化炭素は肺胞内に排出される必要がある. ガス交換は換気とともに呼吸の重要な要素である.

　肺での酸素の移動は**拡散**(diffusion)によって行われる. 拡散とは，熱エネルギーによってランダムな運動を行っている分子が，濃度(分圧：乱運動を行っている分子が互いにぶつかり合ったり，ものの表面に衝突した際に生じる圧力)の高いほうから低いほうへ移動して均一な状態になる現象を意味する. 酸素についていえば，肺胞内の酸素分子の濃度は肺毛細血管の濃度より高いので，酸素分子は肺胞から肺毛細血管へ移動して，平衡状態に達するという過程である. 二酸化炭素では，その分子濃度は肺毛細血管のほうが肺胞より高いので，酸素とは逆の現象が生じる.

　拡散は，面積が広く，移動距離が短く，分子が小さく，濃度差が大きいほど速くなる. 肺胞内の酸素は，肺胞上皮細胞，間質，血管内皮細胞，血漿，赤血球膜を通って，最終的に赤血球中のヘモグロビンと結合する(▶図 11)[3]. 肺間質の浮腫や線維化などによって，このどこかに異常が生じると拡散が障害され，酸素の取り込み能力が低下する. しかし，二酸化炭素の拡散速度は酸素の約 20 倍も速いので，拡散障害のために二酸化炭素の排

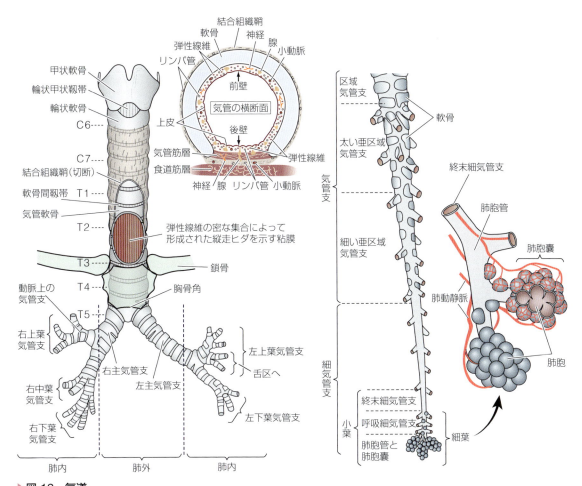

▶図 12　気道
〔Netter, F.H.（著）, 前川暢夫（監）：医学図譜集 呼吸器編（日本語版 The CIBA Collection of Medical Illustrations, Volume 7, Respiratory System）. pp.23, 24, 日本チバガイギー（丸善）, 1981 より〕

出障害をきたすことはない.

D ガス交換を行うための基本構造

　肺におけるガス交換は, 肺毛細血管と接触した肺胞で行われる. 換気によって外界から取り込まれた空気は, 鼻腔や咽頭, 喉頭, 気管, 気管支を通過し, 肺胞に到達する（▶図 12）[3]. 気管支は基本的に 2 分岐を繰り返しながら末梢へと広がり, 最終的には**肺胞**となって終結する（▶図 13）[4].

　肺の容積は 4,000 mL ほどであるが, これが単なる球形であれば, その表面積はたかだか 1,800 cm^2 ほどである. しかし, 気管支が肺胞に到達するま

でに 20 回ほどは分岐するため, 肺胞の総数は約 3 億個, 個々の肺胞の大きさは 0.1 mm で, 肺胞総表面積はおよそ 60 m^2 となる（▶図 13）. また, 酸素の透過をよくするために肺胞の壁厚は極限まで薄くされ, わずか 1 μm（肺胞腔内から毛細血管内までの距離は最も短いところで約 0.3 μm）である. これによって酸素の透過にはわずか 0.2 秒しか時間がかからず, 酸素摂取効率にとって非常に都合のよい構造となっている.

C ガス交換の調節

　ガス交換は拡散のほかに, 肺胞での換気や換気

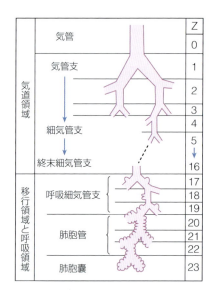

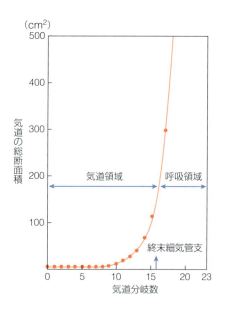

▶図 13　気道系モデル
〔West, J.B.(著), 桑平一郎(訳)：ウエスト呼吸生理学入門, 正常肺編. p.6, 7, メディカル・サイエンス・インターナショナル, 2009 より改変〕

と血流のバランスなどによっても大きな影響を受ける．以下に，ガス交換に影響する因子について解説する．これらの因子が障害されるとガス交換障害をきたすことになり，特に生体にとって酸素が不足した状態，低酸素血症をきたす原因となる．

(1) 拡散障害

　酸素が肺胞内から赤血球まで移動するためには，肺胞上皮細胞，間質，血管内皮細胞，血漿，赤血球膜と多くの関門を通過する必要がある（▶図 11）．これらのどこかに障害があると，酸素の取り込み障害が生じる．これを**拡散障害**という．肺胞間質はきわめて菲薄であるために，浮腫や細胞浸潤による影響を高度に受ける．白血球の好中球はせいぜい十数 μm の直径であるが，これが肺胞間質に浸潤すると肺胞壁の厚みは一気に数十倍（したがって拡散能力は数十分の 1）へと変化することになる．

　酸素が肺胞から赤血球内まで拡散するのに 0.25 秒程度かかるといわれているが，血液が肺胞と接する時間は 0.75 秒程度であるため（▶図 14）[3]，通常は十分な拡散時間を有していることになる．し

かし，拡散に要する時間が増した場合や，循環の亢進による血流速度が速くなった場合にはガス交換を完了できなくなり，酸素化の障害が生じる．

(2) 換気血流比不均衡

　換気血流比（$\dot{V}A/\dot{Q}C$ 比）は，肺における換気（$\dot{V}A$）と肺血流（$\dot{Q}C$）のバランスを意味し，肺におけるガス交換に最も大きな影響を与えている．ガス交換が正常に営まれている場合には，全肺胞の平均 $\dot{V}A/\dot{Q}C$ 比は 4/5 で約 0.8 に保たれているが，肺に病的な状態が存在すると，この比率が崩れることになる．$\dot{V}A/\dot{Q}C$ 比が適切でないために生じるガス交換障害を換気血流比不均衡という．

　約 3 億個のすべての肺胞で $\dot{V}A/\dot{Q}C$ 比が適切であれば，最も効率のよいガス交換が可能となる．しかし，重力の影響や横隔膜が胸郭の尾側に偏って位置することなどから，実際には $\dot{V}A/\dot{Q}C$ 比が 0.8 から大きく外れる肺胞が大多数を占めている．特に重力の影響は大きく，立位の場合，換気および血流とも肺尖部から肺底部にいくに従い増加するが，血流の増加の程度が換気に比べてはるかに大きいため，$\dot{V}A/\dot{Q}C$ 比としては肺底部に移

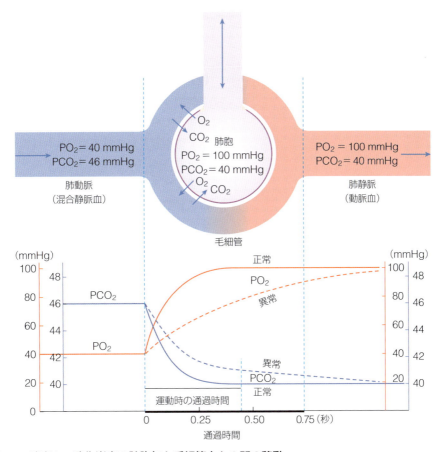

▶図 14　酸素と二酸化炭素の肺胞気と毛細管血との間の移動
〔Netter, F.H.(著), 前川暢夫(監)：医学図譜集 呼吸器編(日本語版 The CIBA Collection of Medical Illustrations, Volume 7, Respiratory System). p.65, 日本チバガイギー(丸善), 1981 より〕

動するに従って低下する.

(3) 死腔

死腔(しくう)とは,肺内に取り込まれても血液とガス交換することなく呼出されるガスの量である. 二酸化炭素を受け取ることができない無駄な換気となるため,死腔が増大すると換気に無駄が生じ,二酸化炭素の排出能力が低下する.

外界と肺胞との間は気道で結ばれているが,同一の導管で空気の出し入れを行わなければならないため,吸入した外気のうち,気道内容量分は肺胞に達することなく,次の呼気時に呼出されることになる. 吸気の開始時は,気道内のガスが肺胞へ入り込む. 吸気開始時の気道内は一呼吸前の呼気ガスで満たされているので,気道の容量以上の

吸気を行って初めて肺胞に新鮮なガスが供給されることになる. 気道ではガス交換ができないため,気道内容量分は死腔となる. これを**解剖学的死腔**といい,成人で約 150 mL である. また,外気が肺胞に達しても,その肺胞に血流が流れていなければガス交換は行われず,そのまま呼出されることになる. これを**肺胞死腔**という. 解剖学的死腔と肺胞死腔を合わせて**生理学的死腔**と呼び,換気効率を考えるときに重要である. 通常,臨床で死腔といえば生理学的死腔を意味する. 実際にガス交換に関与する換気量(有効換気量)は呼吸パターンに影響される(▶図 15).

(4) シャント

肺内でガス交換に関与しない血流を**シャント**と

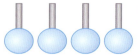

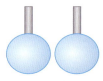

▶図15　呼吸パターンと死腔

浅くて速い呼吸パターンは死腔を増加させ，換気の無駄を生じやすい．

いう．酸素化されない血液が動脈血に混合するため，PaO_2 が低下する．正常な場合でもシャントは存在するが，心拍出量の5%以下のために，ほとんど問題とならない．換気がまったくない肺胞へ流れる肺血流はガス交換をまったく受けないため，混合静脈血[*2] と同じガス組成（酸素分圧 40 mmHg，二酸化炭素分圧 45 mmHg）のまま肺静脈へ還流する（肺内シャントという）．これにより酸素分圧が低下する．

ⓓ ガス交換の能力とその評価

ガス交換の機能は，肺胞壁の酸素透過性（拡散能力）および各肺胞への換気配分の均等性によって影響される．

（1）拡散能力

肺胞における拡散能力は肺胞表面積と肺胞気・動脈血酸素分圧較差（A-aDO_2）に比例し，肺胞の厚みに反比例する．肺胞表面積が減少すれば全体の酸素摂取量が減少し，肺胞の厚みが増したり肺胞気酸素分圧（PAO_2）が減少すれば単位面積あたりの拡散速度が低下する．拡散速度が低下すると肺胞血流速度が増した状態（心拍出が増加した状態）で酸素を受け取ることができない状況が生じる．

肺胞の酸素拡散能力を直接測定することは不可能なため，その代用として一酸化炭素を用いた肺拡散能力（$DLco$）測定を実施することで評価する．

（2）換気と血流の分布

肺胞で適正にガス交換が行われるためには，心臓からの血流に見合った肺胞換気量が，個々の肺胞レベルで確保されていなければならない．この換気と血流の適正比は 1：1 であり，実際にこれは驚くべき正確さで保たれている．これを保つために各肺胞への換気はできるかぎり均等化されているが，さらに肺動脈側には PAO_2 に対応した血流調節能力があり，低換気の肺胞への血流を絞り，$\dot{V}A/\dot{Q}C$ 比の乱れを最小限にしている．

換気と血流がマッチしない状態を**換気血流比不等分布**という（▶図16）[3]．臨床現場において，低酸素血症の要因として最多である．換気の均等性を日常的に測定することは困難であるが，N_2 洗い出し曲線を用いたり，定性的にはシンチグラフィーを用いて評価を行う．

（3）動脈血液ガス

血液ガス検査では，PaO_2 および $PaCO_2$，pH を測定する．基準値はそれぞれ 80〜100 mmHg，35〜45 mmHg，7.35〜7.45 である．

肺胞気・動脈血酸素分圧較差（A-aDO_2）[*3] はガス交換障害の存在を示す指標である．PaO_2 は定常状態では 100 mmHg であり，A-aDO_2 は数 mmHg である．A-aDO_2 は拡散障害によって増大し，また換気に不均等があるとシャント血流が肺静脈血に混入するため PaO_2 が低下し，見かけ上 A-aDO_2 の拡大が生じる．

（4）パルスオキシメータによる酸素飽和度（SpO_2）

動脈血の酸素飽和度（arterial oxygen saturation; SaO_2）は酸化ヘモグロビン/ヘモグロビン総量の比を示すもので，パルスオキシメータを用いたヘモグロビンの色調変化によって非観血的に測定が可能である．この場合 SpO_2（percutaneous

---

*2：肺動脈の血液で，全身を循環してきた血液

*3：肺胞気酸素分圧（PAO_2）と PaO_2 との差

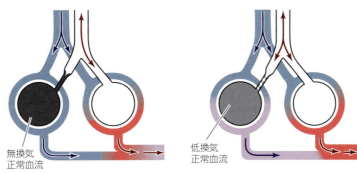

A．シャント様効果 ： 血流は十分であるが，換気が乏しい状態

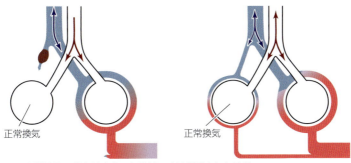

B．死腔様効果 ： 換気は十分であるが，血流が減少した状態

▶図 16　換気血流比不均等分布

〔Netter, F.H.（著），前川暢夫（監）：医学図譜集 呼吸器編（日本語版 The CIBA Collection of Medical Illustrations, Volume 7, Respiratory System）．p.67, 日本チバガイギー（丸善），1981 より〕

oxygen saturation；経皮的酸素飽和度）と記載する．PaO_2 と SpO_2 とは一致しないので，後述する酸素解離曲線（▶図 17）[5] との関係で理解する必要がある．

C 運動負荷に伴う正常な呼吸応答とその調節

1 運動時における呼吸の役割

骨格筋の収縮をはじめとする多くの生命現象の直接的なエネルギー源は ATP である．運動は骨格筋の活動によって行われるが，そのエネルギーを得るためにも ATP が絶えず供給され続ける必要がある．身体運動をおこす骨格筋が収縮する

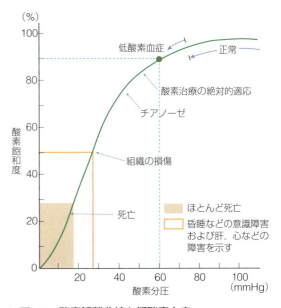

▶図 17　酸素解離曲線と低酸素血症

〔赤柴恒人：カラー版 呼吸のしくみとその管理．エキスパートナース MOOK 33, p.30, 照林社, 1999 より〕

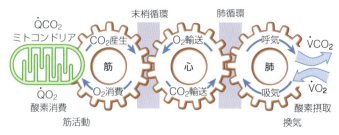

▶**図 18　酸素の摂取から消費までの流れ**
〔Wasserman, K., Hansen, J.E., Sue, D.Y., et al.（著）, 谷口興一（監訳）：運動負荷テストの原理とその評価法─心肺運動負荷テストの基礎と臨床. p.5, 南江堂, 1999 より〕

際，筋内に貯蔵されている ATP 供給源はごくわずかであるため，運動が長時間続くときには酸素や糖質，脂質といった ATP の産生に必要な物質を円滑に供給し続ける必要がある.

運動時には骨格筋の活動量が増加するが，その筋活動に見合った酸素を安静時よりも余分に供給しなければならない. 運動時における呼吸の役割は，運動量に見合った酸素を肺から取り込み，循環を通じて活動骨格筋における代謝に見合う酸素を供給して，運動の持続に必要なエネルギーを生成することである.

身体運動に伴う筋活動，循環系および肺の働き，言い換えると酸素の摂取から消費までの流れは**図 18**[6]のように直列に連結し，互いに影響を及ぼし合っているため，いずれかに障害があればすべてに影響が現れる.

2 運動負荷

生体における運動時の呼吸応答は，運動負荷試験によって解明されてきた. **運動負荷試験**とは，運動中に体内に取り込まれる酸素と，体内で産生されて最終的に大気中に排出される二酸化炭素との生理学的な反応をさまざまな指標によって推測する手段である. 通常，トレッドミルやエルゴメータを用い，呼気ガス分析装置を併用して病態の把握，運動処方および治療効果判定などに幅広く活用されている.

生体に運動を負荷する方法には，負荷の強度を直線的あるいは段階的に上げ続ける漸増負荷法，さらには一定の負荷強度を一定時間負荷する定常負荷法がある. 運動時の呼吸応答は，それぞれの負荷方法によって異なる.

3 運動による換気の反応

酸素の取り込みを大気中から増やすためには，肺での換気量を増加させ，肺血流量の増加と相まってガス交換を促進することが最初の段階となる. ここで血液は十分に酸素化され，心拍出量も増加して運動筋への血流を増大させる. 運動筋では血管の拡張が生じて，局所の血流はさらに増加し，酸素の供給を有利なものにする. 運動筋に取り込まれた酸素は細胞内のミトコンドリアで利用され，大量の ATP を生成する.

a 漸増運動負荷による換気の反応

運動の強度を連続的に上げ続けると，換気はスムーズに増加する. 安静時に 5〜8 L/分である換気量（分時換気量；$\dot{V}E$）[*4]は最大で 70〜120 L，多い例では 200 L にも達する. 換気量は最大負荷量のおよそ 50％ までは直線的に増加するが，それ以降は $\dot{V}E$ の増加が急峻となる屈曲点がみられる. この点は代謝産物として乳酸が血液中に増え始めるのとほぼ同じであり，上がり続ける運動強

---

*4：1 分間あたりの換気の総量であり，VT と呼吸数の積. $\dot{V}E$ と略す.

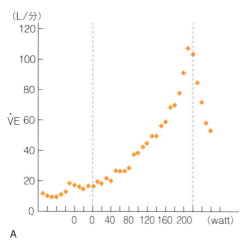
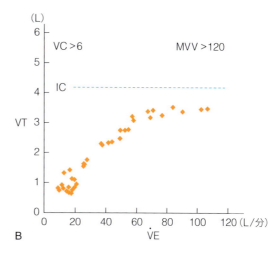

▶図 19　漸増運動負荷による換気の反応

A：運動負荷の増大に伴って換気量は直線的に増加するが，途中からその傾きが大きくなっている.
B：VT は運動負荷に伴って増大するが，途中から頭打ちになっている.

〔Wasserman, K., Hansen, J.E., Sue, D.Y., et al.（著）, 谷口興一（監訳）：運動負荷テストの原理とその評価法―心肺運動
負荷テストの基礎と臨床. p.166, 南江堂, 1999 より〕

度のために，酸素の需要量に対し供給量が間に合わなくなった状態，つまり有酸素的エネルギー供給機構に加えて，無酸素的エネルギー供給機構が働き始めたことを意味している.

　筋内が酸素不足の状態になると，エネルギー供給の過程でグリコーゲンが無酸素的に分解され，生成された乳酸が血中に流出する. 乳酸の蓄積によって組織はアシドーシス（酸性）に傾くため，それを防ぐ必要性から，重炭酸イオン（HCO_3^-）による緩衝作用が生じる. その結果，過剰な二酸化炭素が排出され，換気が亢進されることになる. $\dot{V}E$ は二酸化炭素の産生量に応じて増大するため，最大負荷付近まで二酸化炭素排出量に比例した増加を示す.

　このように，急激に血中乳酸が増え始めたり，呼気中の二酸化炭素濃度が増え始める時点を**無酸素性作業閾値**（anaerobic threshold; AT）と呼ぶ. 運動筋において産生される二酸化炭素排出量は酸素摂取量とほぼ等しく，AT 以下の負荷強度では負荷量に比例してほぼ直線的に増加するが，AT を超える負荷強度では乳酸の産生に依存し，非直線的に急上昇する. 運動負荷強度がさらに増量

し，重炭酸系の緩衝能力を超えると血液中の pH が低下し始め，これにより呼吸中枢が刺激され，換気量は急激に増加する. このポイントを**呼吸性代償**（respiratory compensation; RC）という.

　健常者の運動時呼吸パターンは，軽度から中等度の負荷強度では主に VT を増やし，呼吸数の増加はわずかである. 負荷強度が強くなると 1 回換気量の増加は VC の 50% あたりで頭打ちとなり，呼吸数の増加によって $\dot{V}E$ を増やすようになる（▶**図 19**）[6]. 激しい運動では呼吸数は 60〜70 回/分にも達する.

　運動中の換気量を評価する際に，安静時の最大換気量（maximal voluntary ventilation; MVV）[*5]との比較は換気に余裕があるかを示す指標となる. 健常者では最大運動負荷時の換気量（$\dot{V}Emax$）は MVV の 70% 程度にとどまっており，最大負荷においても換気にはかなりの余力が残っていることを示す.

---

　*5：1 分間に換気可能な最大値であり，その個人が有する換気量の最大容量を意味する.

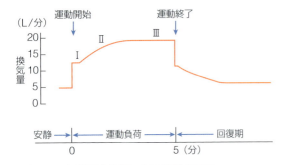

▶図 20　定常運動負荷による換気の反応
〔堀 清記（編）：TEXT 生理学. 第 3 版, p.132, 南山堂, 1999 より〕

b 定常運動負荷による換気の反応

一定負荷の運動を行った場合，換気応答の動態は 3 相に分けられており，それぞれ，運動開始直後の速い応答を第 I 相，それに引き続いて緩徐に上昇し定常状態に達するまでを第 II 相，定常状態を第 III 相と呼ぶ（▶図 20）[7]．第 I 相は，運動開始から 15〜20 秒ほどの短時間にみられる換気量が急激に増加する相である．この反応は運動開始時の心拍出量，肺血流量の増加によって肺への二酸化炭素運搬量に比例して換気量が増加し，肺のガス交換が急激に増加することを反映している．第 II 相は心拍出量の増加とともに，内呼吸の増加に伴うガス交換を反映する．肺でのガス交換は細胞内でのガス交換より遅れるため，$\dot{V}E$ の変化は二酸化炭素排出量（$\dot{V}CO_2$）の変化からわずかに遅れる．この遅れは運動筋から肺への血流に依存する．第 III 相に達するまで約 70 秒程度を要する[*6]．第 III 相では $\dot{V}E$ は代謝量に見合っており，外呼吸と内呼吸間での代謝が恒常状態にあることを意味している．

このような運動時の換気応答のメカニズムは，運動に伴う $PaCO_2$ や pH の変動を化学受容器が感知して換気の増加をもたらすという "体液性要因" と，運動筋や関節の機械的受容器などから求心性インパルスが脊髄レベルの反射や呼吸中枢を介する反射を通じて出され，呼吸筋の収縮力が増すことで換気を増加させる "神経性要因" に大別される．運動時の換気亢進は両者によって調節されている．

4 運動によるガス交換の反応

a 拡散

運動に伴って拡散能力は増加する．運動時の一酸化炭素拡散能（$DLco$）は $\dot{V}O_2$ とともに増加するが，肺毛細管血流量は 2 倍以上に上昇しうるのに対し，肺胞膜の拡散能は 50% 以下の上昇にとどまる．したがって，運動時 $DLco$ の増大は，閉じていた毛細血管が開く（リクルートメント）ことによる毛細血管血流増大によるものである．

安静時において拡散は 0.25 秒で終了し，肺毛細血管内の血流が肺胞に接している時間は 0.75 秒程度であるため，酸素を受け取るのに十分な時間的余裕がある（▶図 14 ➡ 105 ページ）．運動を行うと心拍出量が増加し，血流が速くなるため，血液が肺毛細血管を流れている時間も短縮し，ガス交換可能な時間が限られてくる．しかし，健常者では 1/3 まで接触時間が短縮してもガス交換を終えることが可能である．拡散能力が障害されると，ガス交換を終えるのに時間を要する．ガス交換に要する時間以上に循環速度が増すと，血液は十分に酸素化されないので，低酸素血症を呈するようになる．

b 動脈血液ガス

一般に健常者では PaO_2 はほとんど変化せず，一定の値を保っている．PAO_2 は安静時に PaO_2 より数 mmHg 高値を示しているが，中等度以上の運動負荷では乳酸産生による過換気のために増加する．そのため $A\text{-}aDO_2$ は運動時に開大するが，30 mmHg 以上にはならない．また，運動時には生理学的死腔の増大，$\dot{V}A/\dot{Q}C$ 比の肺内局所間不均等分布も生じるため，$A\text{-}aDO_2$ の開大に影響する．

---

*6：この時間を時定数という．

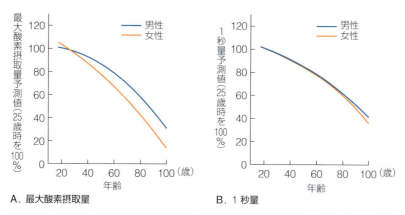

A. 最大酸素摂取量　　　　　　　　　　　　B. 1秒量

▶図21　加齢による呼吸機能の低下：最大酸素摂取量(A)と1秒量(B)の経年変化

〔Roman, M.A., et al.: Exercise, ageing and the lung. *Eur. Respir. J.*, 48:1471–1486, 2016 より〕

$PaCO_2$ は軽度〜中等度の負荷では変化しないが，高強度の運動になるにつれて代謝性アシドーシスが強くなるため，換気刺激が著しくなり，低下する．

D　呼吸機能に影響する要因

1　加齢による影響

呼吸器系は加齢による影響を大きく受け，その機能は直線的に低下する．その要因としては，呼吸器系は常時，外界と直接つながっており，大気汚染物質や粉塵，病原微生物などに曝露されるリスクが高いこと，肺実質の変化のみならず，胸郭や呼吸筋，神経系の影響を受けること，呼吸運動による肺および胸郭の拡張と虚脱を繰り返すために構造的な変性をきたしやすいこと，などが指摘されている．機能の変化は，①肺弾性収縮力の低下，②胸郭コンプライアンスの低下，③呼吸筋力の弱化の3点に集約できる．

①は加齢により肺胞が拡大することによる．肺胞は呼気時に支持組織として末梢気道を外側に牽引する役割を果たすが，その牽引力が低下する

ため，呼気時の末梢気道閉塞につながる（$FEV_{1.0}$ の減少）（▶図21）[8]．②は胸郭が硬くなることであり，脊柱後弯も伴いやすくなり横隔膜の収縮効率にも影響し，③をきたす．肺気量分画では，加齢に影響を受けないとする TLC に対し，RV や FRC が増加することで VC は相対的に減少する（▶図22）[9]．これらの結果，運動時に十分な換気量を増加させることが困難となり，運動耐容能に影響を及ぼす（▶図21）．

2　安静臥床による影響

安静臥床が呼吸機能に及ぼす影響としては，肺容量（FRC）の減少が最も顕著である．また，荷重側（下側）肺領域の肺胞や末梢気道が虚脱するためにガス交換障害や，肺コンプライアンスが減少，気道抵抗が増大して呼吸仕事量が増加する．この理由は，肺は大きな臓器であり，組織密度が低く伸展性に富み，血液とガスが薄い肺胞毛細管膜を隔てて存在するなど，構造上の特質によって重力の影響を強く受けている器官であることによる．これらの変化は，数日間といった短期間であれば一時的であるが，数週間の長期にわたると器質化し，運動時の呼吸機能に大きく影響する．

また，安静臥床の長期化や慢性呼吸器疾患によ

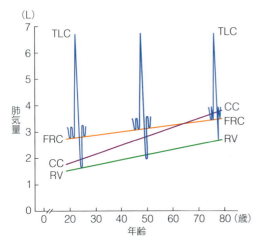

▶図 22　加齢による呼吸機能の低下：肺気量分
　　　　画の経年変化
TLC（全肺気量），RV（残気量），FRC（機能的残気量），CC
（クロージング・キャパシティ）
表示されていないが VC（肺活量）は TLC − RV で算出され
る．加齢に伴う最も目立つ変化は RV の増加と VC の減少
である．
〔福田 健：肺の加齢による変化. *Dokkyo J. Med. Sci.*,
35:219–226, 2008 より〕

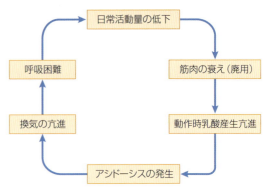

▶図 23　デコンディショニングによる悪循環

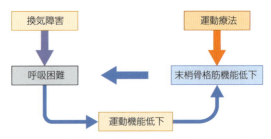

▶図 24　呼吸困難の悪循環に対する運動療法の作
　　　　用機序

る身体活動量低下によって末梢骨格筋の廃用性機
能低下を中心としたデコンディショニング（運動
不足状態）が生じる．これは運動時の好気的代謝
能力の低下によって特徴づけられ，筋活動能力を
低下させるとともに，糖分解が亢進して過剰に産
生された乳酸が血液中に放出されることによって
アシドーシスを生じさせる．それが呼吸中枢を刺
激して換気の亢進を引き起こす．これが呼吸困難
を増強し，運動を制限するといった悪循環を形成
する要因となる（▶図 23）．

E 呼吸機能からみた運動療法の効果

　運動による呼吸機能の改善は困難であるが，十
分な強度の運動療法は末梢骨格筋の好気的代謝
能力を改善し，それによって労作時の乳酸産生の
亢進を抑制する．さらに換気需要が軽減すること
で，同一の運動量における換気量が減少，それに

伴って呼吸困難の軽減が生じて運動耐容能が改善
する（▶図 24）．運動不足状態による身体活動量
低下と呼吸困難の悪循環を断ち切る手段として，
運動療法は最も効果的である．

　慢性呼吸器疾患を対象とした運動療法は，呼吸
機能を改善させないが，労作時呼吸困難の軽減，
運動耐容能と ADL の改善，それに伴い健康関連
QOL が改善することが強い科学的根拠によって
証明されている．

●引用文献
1) Troyer, A.D., et al.: Action of the diaphragm on the rib cage. *J. Appl. Physiol. (1985)*, 121(2):391–400, 2016.
2) Kapandji, I.A.: The Physiology of the Joints, Volume Three. 6th ed., Churchill Livingstone, 2008.
3) Netter, F.H.（著），前川暢夫（監）：医学図譜集 呼吸器編（日本語版 The CIBA Collection of Medical Illustrations, Volume 7, Respiratory System）．日本チバガイギー（丸善），1981.
4) West, J.B.（著），桑平一郎（訳）：ウエスト呼吸生理学

　　入門, 正常肺編. メディカル・サイエンス・インターナ
　　ショナル, 2009.
5) 赤柴恒人：カラー版 呼吸のしくみとその管理. エキス
　　パートナース MOOK 33, 照林社, 1999.
6) Wasserman, K., Hansen, J.E., Sue, D.Y., et al.（著），
　　谷口興一（監訳）：運動負荷テストの原理とその評価法
　　—心肺運動負荷テストの基礎と臨床. 南江堂, 1999.

7) 堀 清記（編）：TEXT 生理学. 第 3 版, p.132, 南山堂,
　　1999.
8) Roman, M.A., et al.: Exercise, ageing and the lung.
　　Eur. Respir. J., 48:1471–1486, 2016.
9) 福田 健：肺の加齢による変化. *Dokkyo J. Med. Sci.*,
　　35:219–226, 2008.

運動と循環

- 循環に関する解剖学的構造を知る.
- 運動時の循環器系の役割と適応，およびその障害について理解する.
- 加齢と安静が循環機能に与える影響を知る.
- 運動の種類と循環器系の反応について理解する.

A 循環器系の役割

循環器系は心臓と脈管から構成される血液の運搬系(▶図 1)で，筋肉や各種臓器が代謝(エネルギー発生)を長時間にわたって持続できるように，絶え間なく酸素や栄養素を供給している. また，代謝の際に生じた副産物(老廃物)を筋肉や各種臓器から速やかに取り除いたり，体の熱を効率よく放散したり，各種臓器の働きを調節するためにホルモンを必要各所に運搬する働きもある.

1 心臓

心臓は収縮と拡張を繰り返し，血液を送り出すポンプとして働く. 収縮期血圧(血液を心臓から送り出す力)を 120 mmHg とすると，水銀の比重は水の 13.6 倍なので 120 mm × 13.6 = 163 cmH$_2$O となり，血圧 120 mmHg は水を 163 cm 噴き上げる力ということになる.

2 血管

血管は**外膜，中膜，内膜**の 3 層からなり(▶図 2)，外膜は結合組織が多く，中膜は平滑筋と弾性線維，内膜の最内層には内皮細胞がある.

a 動脈系

動脈は心臓から末梢組織へ酸素が豊富な血液を送る高圧管である. 心臓→大動脈→動脈→細動脈

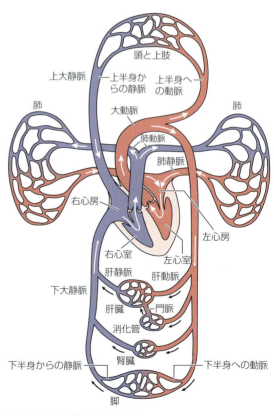

▶図 1　循環器系の模式図

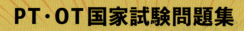

→毛細血管と続く（▶図 3）[1].

大動脈や動脈は壁が厚いので，その周辺ではガス交換は行われない．また，平滑筋組織が発達しているので弾性が高い.

細動脈は単層の平滑筋に覆われている．豊富な交感神経支配を受け，平滑筋の収縮と弛緩によりその時々の環境に応じて血流を調整している．この平滑筋の収縮と弛緩によっておこる血流調節は，運動時に必要な活動筋に血液を分配するためにはきわめて重要な働きである.

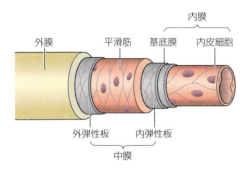

▶図 2　動脈血管構造

b 毛細血管

毛細血管は細動脈よりもさらに細く，赤血球が変形して通過できる程度の非常に細かな血管網である．毛細血管は単層の内皮細胞のみでできている．組織とのガス交換，栄養や代謝産物の受け渡しは毛細血管膜を通して行われる.

c 静脈系

酸素が少なくなった血液は毛細血管より細静脈に流れ込む．細静脈では水分の交換が行われる．細静脈に続く静脈は単層の平滑筋によって覆われ，神経やホルモンによってその収縮や弛緩がコントロールされている.

血液は細静脈に入るとその勢い（圧）は少なくなり，右心房に戻るころにはほとんどゼロに近くなる．静脈系は低い圧の環境で働くので，平滑筋自体は薄く，血管を収縮する力は少ない．一方，多層の平滑筋で覆われる動脈と違い，静脈はわずかな内圧の上昇で血管が大きく拡張するので，血液

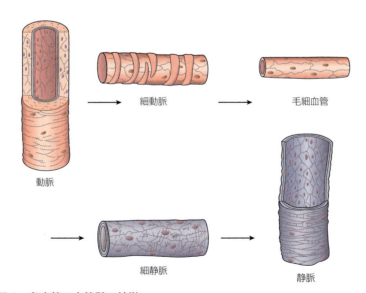

▶図 3　各血管の血管壁の特徴
動脈は平滑筋組織が発達しているので弾性が高い．細動脈は単層の平滑筋に覆われている．毛細血管は細動脈よりもさらに細く，単層の内皮細胞のみでできている．細静脈は内皮細胞が結合組織性の線維細胞で覆われ，静脈は単層の平滑筋によって覆われ，四肢の静脈には静脈弁を認める.
〔McArdle, W.D., et al.: Exercise Physiology: Energy, Nutrition & Human Performance: Instructor's Resource. 6th ed., Lippincott Williams & Wilkins, 2006 より改変〕

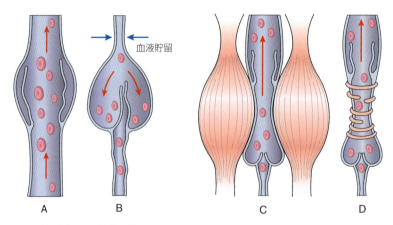

▶図 4　静脈内での血流と静脈弁の機能
〔McArdle, W.D., et al.: Exercise Physiology: Energy, Nutrition & Human Performance: Instructor's Resource. 6th ed., Lippincott Williams & Wilkins, 2006 より改変〕

を貯留する能力は高く，「容量血管」や「血液の貯蔵器」と呼ばれる．実際，安静時には全血液量の約 65％ が静脈にあるといわれている．

また，静脈には膜性の弁があり，正常な血流は妨げず（▶図 4 A）[1]，上から下への逆流を防ぐ（▶図 4 B）．また血液は，筋ポンプ作用によって押し上げられたり（▶図 4 C），静脈の平滑筋収縮（▶図 4 D）によって心臓の方向へ押し出される．

B　運動時の循環器系の適応

運動が始まると，活動筋での血液（酸素，栄養素など）の需要に応えるために，循環器系では心拍出量増加と血流再配分という主に 2 つの機構が働き，運動に必要な血液を骨格筋に運搬する．

1　心拍出量の増加

運動時には，活動筋の酸素消費（酸素摂取量）に比例して心拍出量は増加する．心拍出量は心拍数と 1 回拍出量の積によって求められる．身体運動による心拍数と 1 回拍出量の増加の機序を図 5 A[2] に示す．

$$心拍出量＝心拍数×1 回拍出量$$
〔cardiac output（CO）
$$= heart\ rate（HR）× stroke\ volume（SV）〕$$

a　心拍数の増加

運動時の心拍数の増加は，交感神経活動の亢進と副交感神経（迷走神経）活動の抑制が関与している．そのほか，副腎髄質から分泌されるカテコールアミンも心拍数の増加をもたらす．

b　1 回拍出量の増加

運動を開始すると，心拍数と同様に，交感神経活動の亢進により心筋収縮力が増し，1 回拍出量が増加する．また，筋ポンプや呼吸ポンプ作用により静脈還流が増加することも，1 回拍出量が増加するメカニズムとして重要である．

心筋は心腔内に血液が充満し，心筋が伸張された際により強い収縮力を発揮するという特徴〔Frank-Starling（フランク・スターリング）の法則〕（▶図 5 B）をもつ．つまり，運動が開始されると，末梢骨格筋が収縮し，筋ポンプ作用によって静脈還流が増加する（▶図 4）．また，換気が亢進して呼吸が深くなり，胸腔内が陰圧になることによって生じる呼吸ポンプ作用によっても静脈還流が増加する（▶図 6）．静脈還流が増えると左

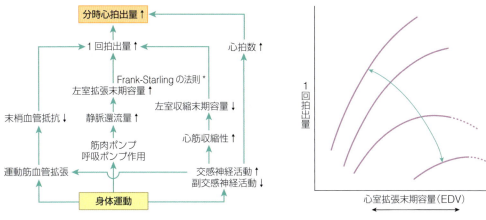

A. 運動時心拍出量増加の機序

B. Frank-Starling の法則

▶図5　心拍出量の増加

＊Frank-Starling の法則：心筋は伸張された際により強い収縮力を発揮する．心筋の長さは左室拡張末期容量に比例するため，この増加は心筋の収縮力の増大につながる．

〔山﨑裕司：運動と循環．吉尾雅春（編）：標準理学療法学 専門分野 運動療法学 総論，第 2 版，p.111，医学書院，2006 より改変〕

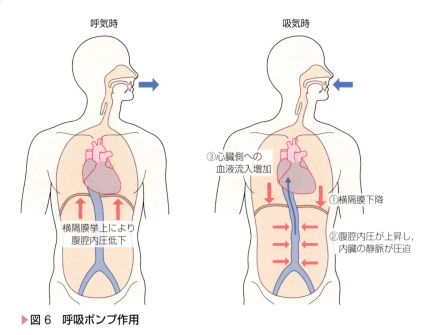

▶図6　呼吸ポンプ作用

室の拡張末期容量が増加し，心筋がより伸張され（Frank-Starling の法則により），1 回拍出量が増加する．

2 運動強度と心拍出量増加の関係

　心拍出量は運動強度に比例して増加する

（▶図 7）[3]．比較的軽い運動では，心拍出量の増加は 1 回拍出量の増加が主に関与する．1 回拍出量の増加は最大酸素摂取量（$\dot{V}O_2max$）の 40〜60% 程度の中程度の運動強度で頭打ちとなり，その後は主に心拍数の増加が心拍出量の増加に関与する．

　年齢や障害によっても異なるが，通常，最大運

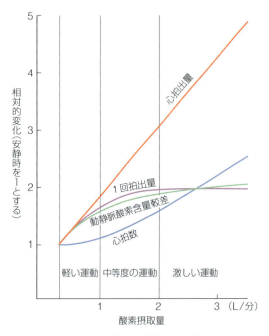

▶図 7　運動強度と心拍出量増加の関係
〔Brouha, L., Radford, E.P., Jr.: The Cardiovascular System in Muscular Activity. In Johnson, W.R.(ed): Science and Medicine of Exercise and Sports, pp.178–206, Harper and Brothers, 1960 より〕

動時に健常者の心拍数は安静時の 2～3 倍に増加する．1 回拍出量も安静時の 1.5～2 倍に達するので，心拍出量は安静時の約 5 倍程度に増加する（▶図 7）．

3 運動時の末梢の反応

a 活動筋での酸素の取り込みの増加

運動によって心拍出量は増加するが，末梢骨格筋での酸素の取り込みも増加する．末梢骨格筋での酸素の取り込みは**動静脈酸素含量較差**で求められ，動静脈酸素含量較差は Fick（フィック）の理論式から求められる．

Fick の理論式（▶図 8）
酸素摂取量＝心拍出量×動静脈酸素含量較差
$$\dot{V}O_2 = CO \times C(a\text{-}v)O_2$$

酸素摂取量＝1 回拍出量×心拍数
　　　　　×動静脈酸素含量較差
$$\dot{V}O_2 = SV \times HR \times C(a\text{-}v)O_2$$

運動時，運動強度が増加して，末梢骨格筋での酸素摂取量（酸素消費量）が増加しても，動脈血の酸素含量自体は変化しないが，末梢骨格筋で酸素が消費されるので，混合静脈血の酸素含量は減少する．そのため，動静脈酸素含量較差も拡大する（▶図 9）[4]．特に 1 回拍出量と同様に中程度の運動強度まで速やかに増加し，その後は徐々に頭打ちになる（▶図 7，9）．

動静脈酸素含量較差は安静時は約 5～6 mL/100 mL だが，最大運動時には 12～13 mL/100 mL と，2～2.5 倍に増加する．

b 血流再配分

運動時には，活動筋の酸素消費（酸素摂取量）に比例して心拍出量が増加するが，心臓から送り出された血液は，酸素需要が増大した骨格筋に多く流れるように調節される（▶図 10 ➡ 120 ページ）．

運動開始後，活動筋の血管は拡張し，血流量はただちに増加する．また，活動してない部分の血管は収縮し，血流量は相対的に減少する．

安静時は相対的に臓器への血流が多く，内臓では全血流量の 25～30％，脳は 15～20％ が配分されている．一方，最大運動時には，脳血流量は安静時も運動時も絶対量は 1,000 mL/分 と保たれるが，皮膚や肝臓，胃，腸，腎臓などの腹部臓器の相対的血流量は低下（絶対量はやや低下）し，筋血流量は絶対値も相対値も増加する．

活動筋の血流量を増加させる機序には，血管拡張に働く機序として，局所調節機序（代謝性因子，血管内皮性因子など）と中枢性調節機序（交感神経因子，内分泌性因子など）がある．また，必要のない血管を収縮させて，必要なところの血液を補う血管収縮機序もある（▶図 11 ➡ 121 ページ）．

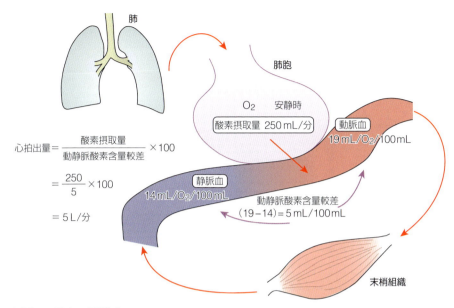

$$心拍出量 = \frac{酸素摂取量}{動静脈酸素含量較差} \times 100$$

$$= \frac{250}{5} \times 100$$

$$= 5\,L/分$$

▶図8 Fick の理論式
肺で酸素化された血液(動脈血)が左心室から拍出されるときの動脈血酸素含量は 19 mL/100 mL. 末梢骨格筋で酸素は消費(摂取)され(酸素摂取量)，静脈血が右心房に戻ってきたときの静脈血酸素含量は 14 mL/100 mL であった. 安静時の心拍出量は約 5 L/分であるので，酸素摂取量は 5 ×(19 − 14)× 10[*] で 250 mL/分と算出される.
[*] 単位を合わせるために × 10 とする.

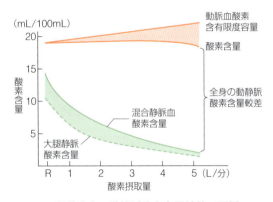

▶図9 運動強度と動静脈酸素含量較差の関係
〔Rowell, L.B.: Circulatory adjustment to dynamic exercise. Human Circulation—Regulation During Physical Stress, p.229, Oxford University Press, 1986 より〕

(1) 血管拡張機序

①神経性調節機序

●交感神経因子(▶表1 ➡ 122 ページ)

コリン作動性交感神経から遊出される**アセチルコリン**は血管を拡張させる. 運動開始後初期の血流増加は，この神経系の作用によるものと考えられている.

●内分泌性(ホルモン)因子

交感神経活動により，副腎髄質から**カテコールアミン**(アドレナリン，ノルアドレナリン)が分泌される. このカテコールアミンが血管平滑筋の β 受容体と結合すると血管は拡張する. 骨格筋や心筋の毛細管では β 受容体を多くもっているので，運動時に骨格筋や心筋では血流量が増大する.

②局所調節機序

●代謝性因子

運動によって産生される代謝産物は血管の収縮と拡張に直接的に作用する. 特に，血管が拡張する代謝物質として，アデノシン三リン酸(adenosine triphosphate; ATP)の分解産物の**アデノシン**が強力に関与することが知られている. また，二酸化炭素や乳酸が水素イオン(H^+)を低下させることが血管拡張に作用する.

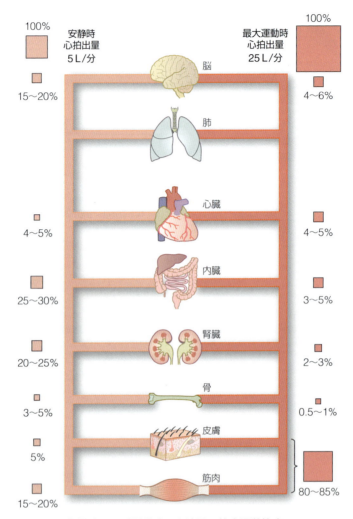

100%　　安静時　　　　　　　　　　　　100%
　　　　心拍出量　　　　　　　　　最大運動時
　　　　5 L/分　　　　　　　　　　心拍出量
　　　　　　　　　　　　　　　　　25 L/分

脳
15〜20%　　　　　　　　　　　　4〜6%

肺

心臓
4〜5%　　　　　　　　　　　　　4〜5%

内臓
25〜30%　　　　　　　　　　　　3〜5%

腎臓
20〜25%　　　　　　　　　　　　2〜3%

骨
3〜5%　　　　　　　　　　　　0.5〜1%

皮膚
5%

筋肉
15〜20%　　　　　　　　　　　　80〜85%

▶図 10　安静時および運動時の血流量の体内配分比率

●血管内皮性因子

　運動が開始され，血管に流れる血流が増加する
と，血管内皮細胞は血流が血管壁に与える壁ずり
応力（wall shear stress）を感知して，血管内皮細胞
由来血管作動物質（endothelium-derived relaxing
factor; EDRF）を産生・放出する．EDRF のなか
でも**一酸化窒素**（nitric oxide; NO）は強力に血管
拡張に作用する（▶**図 12** ➡ 122 ページ）[5]．NO は
比較的大きな細動脈に作用する．

（2）　血管収縮機序

●**交感神経因子**

　交感神経活動により，交感神経線維終末から**ノ
ルアドレナリン**が遊出され，これが血管平滑筋
にある α 受容体と結合すると血管は収縮する．脾
臓，腎臓，皮膚，腸管では特に強く作用する．

●**内分泌性（ホルモン）因子**

　交感神経活動により，副腎髄質から**カテコール
アミン**（アドレナリン，ノルアドレナリン）が分泌
される．このカテコールアミンが血管平滑筋の α
受容体と結合すると血管は収縮する．脾臓，腎臓，

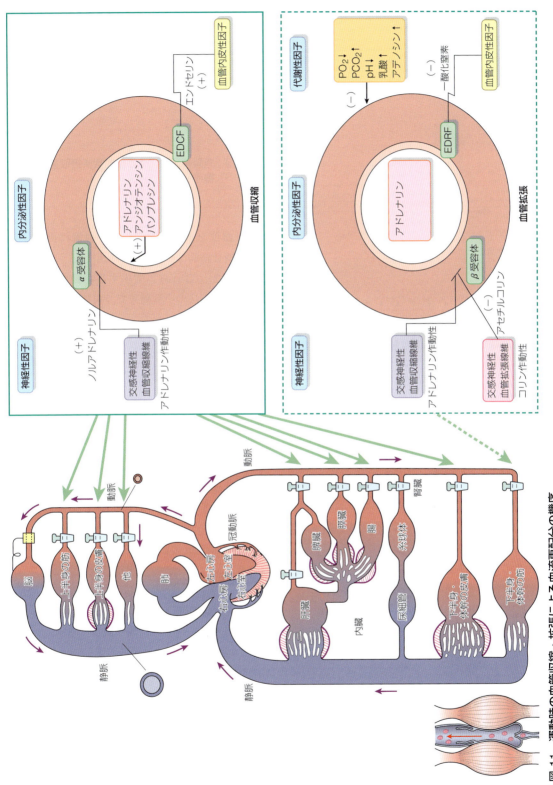

▲ 図 11　運動時の血管収縮・拡張による血流再配分の機序

▶表 1　自律神経系と心臓循環系の機能

交感神経	副交感神経
● 心拍数↑ ● 心収縮力↑ ● 冠動脈拡張 ● 内臓，皮膚の血管収縮 　（アドレナリン作動性α） ● 筋の血管拡張 　（コリン作動性） 　（アドレナリン作動性β）	● 心拍数↓ ● 心収縮力↓ ● 冠動脈収縮 ● 皮膚血管拡張

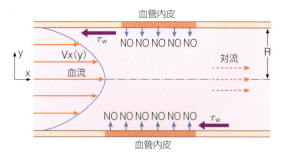

▶図 12　血管内腔における NO 放出と壁ずり応力の関係

内皮細胞は壁ずり応力を感知して血管拡張性物質（NO）を産生・放出する．R：血管半径，Vx(y)：x 方向流速，τ_w：壁ずり応力，D：血管系（D = 2R）

〔Kanai, A.J., et al.: Shear stress induces: ATP independent transient nitric oxide release from vascular endothelial cells, measured directly with a porphyrinic microsensor. *Circ. Res.*, 77:284–293, 1995 より〕

皮膚，腸管では特に強く作用する．

　また，レニン-アンジオテンシン-アルドステロン系や，脳下垂体後葉から分泌される**バソプレシン**の働きによっても血管は収縮する．

◉ **血管内皮性因子**

　EDRF である**エンドセリン-1**（endothelin 1）や**アンジオテンシンⅡ**なども強力な血管収縮物質である．

Ⓒ 有酸素運動と循環機能

　運動によって末梢骨格筋は安静時以上の酸素を必要とし，心臓はそれに見合うだけの血液を拍出するように活動が活発化する．そして，運動筋に

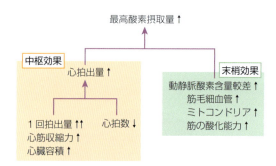

▶図 13　有酸素運動による最高酸素摂取量増加の機序

十分な血液を効率よく送ろうと血流は再配分され，末梢骨格筋は酸素を有効利用しようと適応する（▶図 13）．これらに関係する心臓や血管系の適応が運動療法の中枢効果で，末梢骨格筋での適応機序が末梢効果である．

① 中枢効果

ⓐ 1 回拍出量

　前述したように軽度から中程度の運動中の 1 回拍出量の増加は，主として静脈還流量増加に伴う左室拡張末期容量（LVEDV）の増加が関与している．運動療法を継続すると，この状態に適応して左心室容量は増加し，増大した心臓容積に静脈還流が充満して心臓の収縮力が増加する（Frank-Starling の法則）．

ⓑ 心拍数

　有酸素運動の継続によって，安静時心拍数や同一強度での運動時の心拍数が減少する．これは，先の 1 回拍出量の増加によって運動時の酸素需要が満たされるので，心拍数は少なくてよいという運動への適応反応ともいえる．また，トレーニングによって交感神経の興奮が抑制され，心臓の洞房結節にあるコリン作動性の興奮を高めることから心拍数が少なくなることが知られている．

C 末梢血管抵抗

運動療法によって血管内皮細胞機能が改善することで，末梢血管抵抗が減少する．その結果，心臓は血液を繰り出しやすくなり，さらに心拍数は低下する．

2 末梢効果

一定期間の有酸素運動トレーニングにより末梢骨格筋にも変化が生じる．遅筋線維の増加（疲労しにくく，持久力に関与する遅筋比率の増加），筋グリコーゲン濃度や筋ミオグロビン濃度の増加，毛細血管の発達，ミトコンドリアの数や大きさ，密度の増加，ミトコンドリア内の酸化酵素活性の増加などがあげられる．

どちらかというと，短期間の有酸素運動では末梢効果のほうが現れやすい．

D 運動の種類と血圧反応

1 等尺（性）運動と等張（性）運動

運動には，歩行に代表される律動的な動的運動である**等張（性）運動**と，重量物を持ち上げ続けるなどの静的な運動である**等尺（性）運動**がある．通常はこの2つの運動の組み合わせで日常生活が営まれていることが多い．2つの運動の循環器系の反応で明らかに違いがあるものは，血圧の反応である（▶**表2**）[6]．

等尺（性）運動は心拍数の上昇に比べて血圧の上昇が大きい．血圧はオーム（Ω）の法則同様，心拍出量と末梢血管抵抗の積で求められる．律動的な動的運動である等張（性）運動では，筋肉が収縮と弛緩を繰り返し，筋中の血流も増加することから，末梢の細動脈は拡張して末梢血管抵抗が減少するので，収縮期血圧は増加するものの拡張期血

▶表2　等尺（性）運動と等張（性）運動の心血管反応の差異（健常例）

	等尺（性）運動	等張（性）運動
心拍数	↑	↑↑
収縮期血圧	↑↑↑	↑↑
拡張期血圧	↑	→
ダブルプロダクト	↑	↑↑
左室拡張終期圧	→	→〜↑
左室拡張終期容積	→	→〜↑
左室収縮終期容積		↓
1回拍出量	→	↑
左室駆出分画	→〜↑	
心拍出量	↑	↑↑
換気量	↑	↑↑
体酸素摂取量	↑	↑↑
筋血流量	↑〜↓	↑↑

〔鰺坂隆一：Isometric 運動と isotonic 運動の違いは．村山正博（編）：循環器 Now 10，運動指導・運動療法，p.69，南江堂，1995 より改変〕

圧はほとんど変化しない．一方，筋肉が収縮を続ける静的運動である等尺（性）運動では，末梢血管が筋肉で押しつぶされるために末梢血管抵抗はむしろ上昇し，収縮期血圧，拡張期血圧ともに上昇する．したがって，心疾患患者に対する等尺（性）運動は，発症が間もないほど注意が必要である．

●引用文献
1) McArdle, W.D., et al.: Exercise Physiology: Energy, Nutrition & Human Performance: Instructor's Resource. 6th ed., Lippincott Williams & Wilkins, 2006.
2) 山崎裕司：運動と循環．吉尾雅春（編）：標準理学療法学 専門分野 運動療法学 総論，第2版，p.111，医学書院，2006.
3) Brouha, L., Radford, E.P., Jr.: The Cardiovascular System in Muscular Activity. In Johnson, W.R.(ed): Science and Medicine of Exercise and Sports, pp.178-206, Harper and Brothers, 1960.
4) Rowell, L.B.: Circulatory adjustment to dynamic exercise. Human Circulation—Regulation During Physical Stress, pp.213-256, Oxford University Press, 1986.

5) Kanai, A.J., et al.: Shear stress induces: ATP independent transient nitric oxide release from vascular endothelial cells, measured directly with a porphyrinic microsensor. *Circ. Res.*, 77:284–293, 1995.

6) 鰺坂隆一：Isometric 運動と isotonic 運動の違いは. 村山正博（編）：循環器 Now 10, 運動指導・運動療法, pp.68–69, 南江堂, 1995.

第 8 章

運動と代謝

**学習
目標**
- 安静および運動時のエネルギー源を知る.
- 運動におけるエネルギー代謝について理解する.
- 代謝機能が運動に与える影響について理解する.
- 身体活動量の観点から運動と代謝の関係を理解する.

　運動と代謝機能が密接にかかわる疾病には, **生活習慣病**と名づけられた, 糖尿病, 脂質異常症, 高血圧, 肥満などがある. この**代謝**(metabolism)とは, 物質が生体内でエネルギーとして合成されたり〔**同化**(anabolism)〕, 分解されたり〔**異化**(catabolism)〕する過程をいう. 運動療法との関係では, アデノシン三リン酸(adenosine triphosphate; ATP)の生成と糖質, 脂質の流れを理解し, 運動強度や筋収縮によって変化する代謝機能と調節の仕組み, 酸素の取り込み能力と代謝への影響について知っておくことが大事である.

　臨床に 1990 年代以降, 簡易自己採血・測定装置が普及し, 血液中の乳酸, ブドウ糖の値から代謝機能の評価を行うことが可能となり, 患者自身が運動療法の前後でそれらの値を知ることができるようになった.

A 運動と代謝のメカニズム

　運動の燃料源は, 食物のなかに含まれている炭水化物(糖質), 脂肪, 蛋白質の **3 大栄養素**であり, それらは酸化されてエネルギーとなる. エネルギーの代謝とは, 食物栄養素から絶えず水素原子を取り出して, ミトコンドリア内の工場に運び込み, 電子を切り取り, 最終的に酸素分子に渡す過程のことをいう. エネルギーを得るために燃料を燃やす代謝経路は解糖系と有酸素系の 2 つに大別される. 運動時のみならず安静時でも, 最終的には共通の代謝経路が使われる.

1 食物から燃料を得る流れ

　生体内で**糖質**は, 血液中にはブドウ糖として, 肝臓ではグリコーゲンとして貯蔵される.

　脂肪はとりあえず分解されて, グリセリンと脂肪酸になる. また, リン脂質やリポ蛋白質となり細胞膜の材料になるもの, 糖脂質になるものがある. 脂肪酸は加水分解を受け, **遊離脂肪酸**(free fatty acid; FFA)として血液中に放出され燃料となる. 体内に貯蔵されている平均的脂質は体重あたり男性で 15%, 女性で 20% とされる.

　蛋白質はアミノ酸となり, 脱アミノ作用を受け, アミノ窒素の過剰分が尿素として除かれる. 時に, 水のバランスを保ち, 糖質・脂質の枯渇時の燃料源にもなる. 残った炭素骨格が, クエン酸回路で二酸化炭素になるか, グルコース, ケトン体をつくるのに使われる.

　なお, ヒトにおいて代謝に不可欠であるにもかかわらず, 生体内で合成できないアミノ酸を**必須アミノ酸**といい, 食物から摂取しなければならない物質がある. これは, バリン, リジン, スレオ

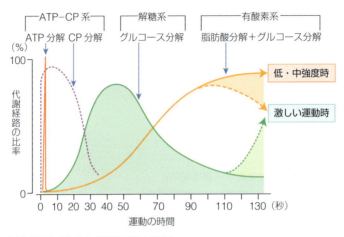

▶図 1　運動時間，強度と代謝経路の関係
開始時：ATP–CP 系，開始時〜初期：解糖系，初期以降：有酸素系代謝経路の比率は，激しい運動で
酸素供給が不足すると再び解糖系が多くなり，有酸素系が少なくなる.

ニン，ロイシン，フェニルアラニン，イソロイシン，トリプトファン，メチオニンの 8 種類である. ビタミン・ミネラル類も食物から摂取する必要がある.

　また，食物中の脂質以外からも脂肪酸は合成される. 肝臓は，余剰なグルコースに由来するアセチル CoA を脂肪酸に合成する（β 酸化）か，エステル化してアシルグリセロールにする.

　糖尿病が悪化し，血糖が骨格筋に取り込まれにくくなった状態で激しい運動を行うと，脂質の分解によりエネルギーを得るようになる. その際，ケトン体が産生されて血中に増加し，ケトアシドーシスと呼ばれる血液の pH が酸性に傾く現象が生じる. 嘔吐や脱水症状を伴い，やがて生命に危険な状況をまねく.

2 解糖系と有酸素系のあらまし

　筋収縮のエネルギー源は ATP である. リンは非常にエネルギーが大きく，酸素により爆発的な反応を生じる. 1 分子の ATP 合成は約 7 kcal 必要となる. このような ATP を得るためにヒトは 3 大栄養素を摂取している.

　運動の時期や強度，筋の働かせ方によって，糖

質と脂質の利用比率が変化する（▶図 1）.

a 運動初期に働く ATP–CP 系

　筋収縮の開始時，安静と運動のはざまではクレアチンリン酸（creatine phosphate; CP）が働く. 高エネルギーリン酸化合物，特にクレアチンリン酸を消費しながら ATP が産生される. リン酸化系という呼ばれ方もある.

　クレアチンリン酸はアミノ酸からつくられ，すべての筋，脳，神経などにある. ATP は筋肉 1 g 中（湿重量）に 6×10^{-6} mol 含まれ，筋が最大限の運動を行うと，3×10^{-6} mol/g/秒の ATP を消費する. 最大限の激しい運動では，新たに ATP が補給されないと 2 秒で完全に使い切ってしまう（ATP の総量は 85 g といわれる）. 血液の流れは ATP を他の組織に運び去ってしまうので，細胞内だけでやりとりしなければならない. 筋肉にはクレアチンリン酸が ATP の 5 倍は含まれており，アデノシン二リン酸（adenosine diphosphate; ADP）と反応して ATP を再合成するため，筋肉内の ATP 濃度は実際ほとんど変化しない. これを Lohman（ローマン）反応という.

　この反応は次のように示すことができる.

ATP–CP 系：クレアチンリン酸 ＋ ADP→ATP
＋クレアチン〔ATP：1 分子産生，クレアチンキ
ナーゼ(CK)が必要〕

b 運動初期ののちに働く解糖系

　酸素供給がない場合には，主として**解糖系**が働
く．ATP–CP 系はいわばスターターであり，持
続性がない．運動の初期では，グリコーゲン(グ
ルコース)の嫌気的分解経路である解糖系が働き，
最終産物は乳酸である．ピルビン酸が乳酸にな
る過程でニコチンアミドアデニンジヌクレオチド
(nicotinamide adenine dinucleotide; NAD)が再
酸化されるため，この経路が反応し続けることが
でき，それゆえに乳酸も蓄積する．この経路は運
動強度が強い場合にも働く．ここで働く酵素はす
べて水溶性である．

　この反応は次のように示すことができる．

解糖系：グルコース→2ATP＋2 乳酸(ATP：2
分子産生，グリコーゲンが使われる場合，3ATP)

c 運動の持続で働く有酸素系

　酸素供給がある場合には**有酸素系**が働く．有酸
素系回路にはミトコンドリア内で行われる **TCA
回路**とそれに続く電子伝達系がある．また，電子
伝達系と共同して働く酸化的リン酸化過程(NAD
がかかわる)がある．

　これらの経路では，主にグリコーゲンおよび脂
肪の分解産物が基質として利用される．ピルビン
酸はアセチル CoA からクエン酸になる過程が不
可逆的なため，脂肪酸からグルコースにはならな
い．同時に，アセチル CoA は TCA 回路に入る
が，この回路はオキサロ酢酸に至ってクエン酸に
変わる．脂肪酸はオキサロ酢酸が豊富にあるとき
だけ反応が続く．オキサロ酢酸が生産されるには
ピルビン酸が働かなければならない．このやりと
りから「脂肪は糖質の炎のなかでのみ燃える」とい
われる．脂肪酸の分解の進行には，一定の水準の

グルコース分解が連続的に行われなければならな
い．脱アミノ化されたアミノ酸は，アラニン，グ
リシン，グルタミン酸となり，それぞれ，ピルビ
ン酸，アセチル CoA，αケトグルタミン酸となっ
て TCA 回路に入る．これらは脂肪酸と違って，
可逆的反応によってグルコースにまで合成可能で
ある．

　この反応は次のように示すことができる．

有酸素系回路：グリコーゲン ＋ O_2 → 36ATP
＋ CO_2 ＋ H_2O(ATP：36 分子産生，酸化酵素が
必要)
脂肪酸 ＋ O_2→130ATP ＋ CO_2 ＋ H_2O(ATP：
130 分子産生，酸化酵素が必要)

B 運動と代謝調節

　運動時の代謝を評価するには，安静時の代謝を
基準にする必要がある．

1 安静を支える代謝のメカニズム

　安静時の代謝とは，食後 12〜14 時間，背臥位絶
対安静で眠っていない状態でのエネルギー消費量
をいう．ただし，睡眠中・飢餓状態では基礎代謝
を下回る．成人の基礎代謝は 1,200〜1,400 kcal
程度で，生命維持に必要な体温保持，呼吸，循環，
分泌作用に必要なエネルギー量である．体表面積
と最も関係し，ほかに体重，身長，性別，年齢の
影響を受ける．正常範囲は標準値の ±10％ とし
ている．

a 安静時の燃料の必要量

　安静時には主に有酸素系回路が働く．安静時に
必要なエネルギー量は以下のとおりである．

● 脳，腎，心筋および筋のグルコース量：300〜
320 g/日(約 1 日の糖質摂取量と等量)

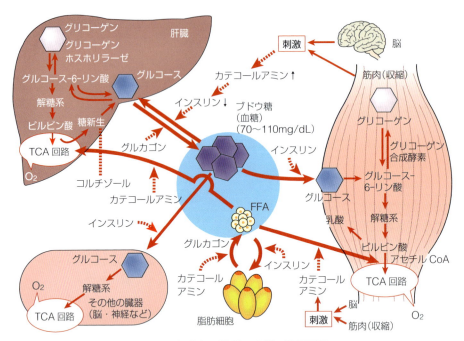

▶図 2　筋肉，肝臓，脳・神経，血液中の糖質と脂質の代謝調節
ヒトが摂取した炭水化物，脂肪が体内で分解され，腸に至るなかで分解されたのち，筋肉や肝臓でエネルギー基質に分解や合成される．出発点を図中の青い円で表す．

- 脳：100 g/ 日（脳血流関門があり脂肪酸が脳に届かないため，燃料として脂肪酸を利用できない）

　安静時の定常状態における呼気ガス分析から**呼吸商（RQ）**を求めると，燃料源がわかる．平均的日本人の呼吸商は，脂質の燃焼のみで 0.7，糖質のみなら 1.0 である．基礎代謝は 0.84（〜0.85）である．これは糖質熱源 45.6%，脂質熱源 54.4% と計算される．このとき，酸素が 1 L 消費されると 4,862 kcal 消費されることになる．身体機能が正常な場合には，絶えず脂質，糖質とも燃料として使われている．

2 運動を支える代謝のメカニズム

　燃料源と代謝経路を調節しているメカニズムを知ることは，運動が代謝に及ぼす影響を理解するうえで重要である（▶図 2）．筋細胞内では，これらの調節をしているものは ADP の濃度であり，

この濃度の変化が最初の情報となる．筋細胞外での調節には血液中のブドウ糖や中性脂肪，コレステロール，アミノ酸などを一定範囲内に保つためのメカニズムがある．この調節にはインスリン，グルカゴン，カテコールアミンなどがかかわり，膵臓，肝臓，筋，脳，そして視床下部も関係する．この代謝調節は全身や局所の運動強度によって異なる．

　筋収縮は，ADP からさらに 1 個のリン酸がとれたアデノシン一リン酸（adenosine monophosphate; AMP）を増加させる．同時に，AMP の働きを促す酵素などを活性化する．AMP の濃度も，細胞内の糖や脂質の燃焼過程を調節する．

a 低強度から中等度運動強度での代謝調節

　50〜60% 最大酸素摂取量（$\dot{V}O_2max$）の中等度以下の運動強度での運動開始以後の代謝調節の機序は次のようになる．
①交感神経系の活動亢進によりカテコールアミン

の分泌が上昇する.

②血中インスリン,血糖は低下したまま推移する.

③血中 FFA は順次上昇し,運動筋への FFA の供給を増加させる.

④運動時のエネルギー源としての糖質消費は少なくなり,脂肪の消費が増加する.

　運動を開始すると,①,②によって FFA とグルコース-6-リン酸が生成される.同時に,②によって血中の FFA とグルコースもまた運動筋に取り込まれ,運動初期の血中 FFA と血糖はともに低下する.同時に,運動筋からの求心性インパルス,運動中枢からのインパルスは視床下部の刺激を強め,①を高める.これは膵 β 細胞の交感神経 α 受容体の刺激を強め,インスリン低下をもたらす.①,②は同時に,肝の交感神経 α,β 受容体の刺激を強める.さらに,肝グリコーゲンの分解を促し,糖質の動員を増進して血糖の上昇をはかる.そして②は,脂肪組織の交感神経 β 受容体の刺激を強めて脂肪の分解を促し,FFA の動員を増して血中 FFA の上昇とそれに伴う運動筋への FFA の供給を増やす.③は脂肪組織での糖質の取り込みも抑制し,α グリセロリン酸の産生を抑制して脂肪の再合成を抑え,④となる.運動初期あるいは中等度の運動強度までは,筋肉ミオグロビンにおける酸素の貯留あるいは酸素の補給も十分あり,多くの脂肪を酸化,燃焼できる.

b 中等度を超える高運動強度での代謝調節

　50〜60% $\dot{V}O_2max$ を超える高い運動強度と代謝での運動開始以後の代謝調節の機序は次のようになる.

①必要な酸素の補給が不足,血中乳酸が増加する.

②交感神経系活動が強まり,アドレナリン,血中カテコールアミンが増加する.

③脳下垂体から副腎皮質刺激ホルモン(adreno-corticotropic hormone; ACTH),コルチゾール分泌が促進される.

④運動初期血糖低下でグルカゴンが分泌,肝グリ

コーゲンが分解される.

⑤コルチゾールは血中乳酸,ピルビン酸,アラニンを肝で糖質に変える(糖質の新生促進).

⑥膵 β 細胞の糖受容体の刺激が強まり,インスリン分泌が増加する.

⑦血中インスリン,血糖の上昇が運動筋への糖質の供給を増加させ,脂質の取り込みを促進する(一方でカテコールアミンなどのホルモン上昇は脂肪組織で脂肪分解を促進).

　最終的に,運動強度がさらに高く,激しくなると,脂肪の酸化・燃焼が困難になる.いよいよ酸素需要に供給が追いつかなくなり,酸素の補給が少なくてすむ糖質をより多く酸化・燃焼する.

c クレアチンリン酸の枯渇による 6-ホスホグリコーゲン利用率の増加

　1分間の全力疾走を1分間の休息をおいて3回行うと,ATP やクレアチンリン酸は減少する.また,解糖系による乳酸産生量は生理的限界に近い 33 mM に達し,pH は下がる.運動の持続が困難になるのは,高エネルギーリン酸化合物の欠乏と pH の低下,運動強度に比例した 6-ホスホグリコーゲン利用率が高くなることによる.

d 局所運動と代謝調節

(1) 最大収縮の 30% を超える収縮は血管を圧迫し,血流を減少させる

　主に大腿四頭筋による膝関節 90°屈曲位での等尺性運動で,最大および最大の 40% の強さでそれぞれ 17 秒と 92 秒間ほど運動を行い,続けられなくなったときには,筋肉中の ATP は疲労により 10〜15% 減少し,クレアチンリン酸は最大の強さで運動すると 68.5% 減少し,最大の 40% の強さの運動では 82.5% 減少するという.

　静的運動は嫌気的代謝に依存する.乳酸の産生によって運動は限界に至る.最大収縮の 30% を超す収縮では血管を圧迫し,その結果血流が減少するためである.動的な短い時間の最大下運動では,前述の Lohman 反応によって ATP は減少し

ない.

(2) 低強度運動の持続による筋グリコーゲンの節約機構始動

局所等張性運動時で $\dot{V}O_2$max 30% となるとき，自転車エルゴメータを漕ぐような運動では，下肢筋のグルコースの取り込み速度と肝のグルコースの放出速度が近似する．実際，4 時間後には燃料として脂肪酸への依存度が増加して 62% を占める．これを筋グリコーゲンの節約機構と呼び，この現象は運動強度に比例して生じる．$\dot{V}O_2$max 20%，50% および 75% の断続的な運動時には脂肪酸の遊離が増加し，その程度は運動強度が高いほど大きくなる．血中 FFA 濃度が上がると，心臓のグルコース利用と酸化速度，および骨格筋のピルビン酸酸化速度が減少すると考えられる．

e 運動前後でグルコースを摂取した場合

① 50% $\dot{V}O_2$max の運動前に摂取した糖質は，開始 15 分ごろから利用され始め，60〜90 分で完全に消費される．

② 30〜60% $\dot{V}O_2$max の運動前，運動中での糖質摂取で，運動に必要なエネルギーは外因性の糖質でまかなえる．

C 代謝からみた運動

代謝機能が及ぼす運動への影響には，血流低下による燃料源と酸素の遮断によっておこる局所運動の停止（急な乳酸の蓄積による筋疲労），および激しい強度の全身運動の停止がある．このような運動の持続能力を決定しているものについて知ることが必要である．

代謝と運動に利用される筋線維タイプの関係や酸素供給の仕組みが深く関係している．

1 筋線維タイプと代謝

筋線維は，その収縮特性から遅筋線維（type I）と速筋線維（type II）に大別され，代謝上の特性がある．また，それぞれ神経支配も異なり，組織化学的性質の相違から，type II 線維でも，力の発揮が中程度で疲労しにくい type IIa（FOG 線維とも呼ばれる）と，解糖能や力の発揮には優れるが毛細血管の発達や酸化能が低く疲労しやすい type IIb（FG 線維）がある．

a 筋線維の違いとグリコーゲンの消費

静的な下肢の等尺性運動では，膝伸展運動（90°）で 20% MVC（maximum voluntary contraction；最大随意収縮）の運動強度を境として，

① 20% MVC より強い運動であれば主に type II 線維でグリコーゲンが使われる．

② 20% MVC より弱い運動であれば主に type I 線維でグリコーゲンが使われる．

最大酸素摂取量下の自転車漕ぎ運動でも最初に type I 線維のグリコーゲンの消費がみられ，疲労とともに枯渇する筋線維タイプは一致し，type I から type IIa，そして type IIb の順となる．最大を超える運動では type II のグリコーゲンが消費されるという．type IIb 線維を多く含む筋は，運動の後半，type I および type IIa 線維を多く含む筋グリコーゲンの消耗後にグリコーゲンが低下する．

2 筋細胞タイプとグルコーストランスポータ

a 主としてインスリンを介した反応

筋細胞の外からインスリン受容体が刺激され，グルコースが取り入れられたのち，運動はグルコーストランスポータ（GLUT）を細胞膜へ移動させ，同時に糖輸送活性も増強する．この仕組みは，インスリンのシグナリング経路と呼ばれてい

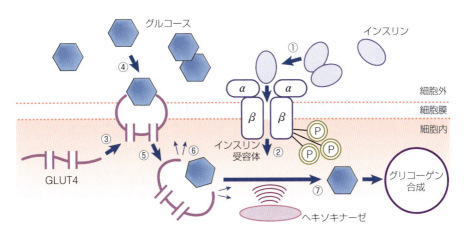

▶図3　運動によるインスリン受容体と GLUT4 の動態(インスリンのシグナリング経路)
①血漿中のインスリンがインスリン受容体のαユニットに結合，②インスリン受容体のβユニットとともに細胞内に没入，③GLUT4 が細胞膜に移動，④細胞膜上で開口した GLUT4 にグルコースが取り込まれる，⑤グルコースをもったまま細胞内に移動，⑥開口しグルコースの細胞内への取り込み完了，⑦ヘキソキナーゼの活性化による働きを得て細胞内でのグリコーゲン合成

る(▶図3).

一方，速収縮性あるいは遅収縮性の赤筋(おのおの type IIa および type I)は，速収縮性の白筋線維(type IIb)に比べ，3〜5 倍の GLUT4 と糖輸送活性を有するなど，筋肉のタイプによって GLUT4 の含有量の最大糖輸送活性は大きく異なる．速収縮性の白筋では運動とインスリンはおのおのが，ほぼ同程度まで糖輸送を増加させるのに対し，速収縮性の赤筋においては，筋収縮(運動)の効果はインスリンの約 2 倍となる．

筋収縮によりもたらされた糖輸送の増加は，インスリン非存在下では即座に低下し始め，通常，2 時間以内にもとのレベルに戻る．GLUT4 は横紋筋で最も多く存在し，インスリン刺激や筋収縮に呼応して細胞内から細胞膜へ移動する．運動は，酵素レベルにおいて骨格筋が運動中にグルコースを酸化して，運動後にグリコーゲンとして糖質を蓄える能力を増すような適応をまねく．

b インスリンを介さない反応

インスリン受容体とインスリンの結合能力の低下で耐糖能の異常がおこっている場合を，インスリン抵抗性が生じているという．しかし，インスリン抵抗性が生じていても，筋細胞内でグルコーストランスポータが膜表面に移動するよう，インスリン受容体を介さずに脂肪細胞が関与するとされる，なんらかの信号を受けることがある．

これは，運動などによって ATP が枯渇すると，ATP を産生するために，ADP から 1 個のリン酸を取り出して AMP を産生する反応が生じる．この AMP の増加と酵素反応を起こす AMPK(AMP-kinase)の活性化は筋収縮に伴って生じるとされ，この両者がインスリン介在信号に代わりグルコーストランスポータの移動を促す．

したがって骨格筋の収縮は，図3の過程のように，インスリンを必要としない GULT4 の移動を促す信号を発生している．これは，運動療法や身体活動による糖代謝の改善にかかわる機序の 1 つに考えられている．運動強度が 50% $\dot{V}O_2max$ 以上のとき，このような信号が働くといわれる．

3 酸素供給系 O_2 kinetics と運動

代謝に使われる酸素は，呼吸循環機能の酸素供給系 O_2 kinetics によって大気中から口，肺，心臓，血管を経て持続的に筋組織に供給される．

a 燃料源の継時的変化と 無酸素性作業閾値

運動強度が低い場合，有酸素系で十分にエネルギー需要量をまかなえるが，運動強度が高くなるとこのような系だけでは不十分となり，嫌気性解糖系もエネルギー代謝に関与するようになる．この嫌気性代謝が運動中に働き始めると，主に解糖系の働きによって乳酸が生成される．一般に，筋組織で生成された乳酸は同時に分解作用も受けるが，乳酸の分子量が小さいので血液中にも容易に拡散する．この血中乳酸は心筋，肝臓および非活動筋に運ばれ，これらの組織内で主に酸化分解される．

しかし，漸増負荷運動中では運動強度の増加に従って乳酸の生成と除去とのバランスが崩れ，ある時点の運動強度以上になると血中の乳酸濃度は急激に増加する．この時点を**無酸素性作業閾値**(anaerobic threshold; AT)と呼んでいる．動脈血中に乳酸が増加すると，主に重炭酸系による緩衝作用により生じた二酸化炭素は肺から多く排出される($\dot{V}CO_2$)．非鍛練者では最大酸素摂取量の 55〜65% のところに AT があるという．また緩衝作用の結果，動脈血液中に増加した水素イオン濃度(H^+)は大動脈や頸動脈を刺激して分時換気量($\dot{V}E$)を増大させる．したがって，漸増負荷運動中に増加した血中乳酸濃度の増加に伴って，$\dot{V}CO_2$ や $\dot{V}E$ が非直線的に増加するようになる．

この反応は以下のように示せる．

嫌気性代謝：乳酸 + $NaHCO_3 \rightarrow$ Na 乳酸 + $H_2CO_3 \rightarrow H_2O + CO_2$

この反応で呼吸商は上がり，血液中の pH や $NaHCO_3$ の低下がみられるばかりでなく，酸素摂取量と換気量の相関関係が崩れる．トレーニングにより，高い運動強度でも乳酸産生の少ない有酸素性代謝でエネルギーを得ているという，代謝過程の転換を示している．

b 乳酸性作業閾値と換気性作業閾値

ガス交換パラメータ($\dot{V}CO_2$ や $\dot{V}E$ など)の変化から AT を求めることができる．この方法は血液採取を伴わないので運動中に測定しやすい．

ところで，乳酸から求めた AT とガス交換パラメータから求めた AT について，現在は前者を**乳酸性作業閾値**(lactate threshold; LT)，後者を**換気性作業閾値**(ventilatory threshold; VT)と呼んで区別している．$\dot{V}CO_2$ や運動強度に対する乳酸濃度をそれぞれ対数で示すと，乳酸の変曲点は 2 本の直線回帰の交点として求めることができる(log-log 法)．

また，V-slope 法という VT を求める方法がある．漸増運動中の $\dot{V}O_2$ と $\dot{V}CO_2$ を測定して，$\dot{V}O_2$ を横軸に $\dot{V}CO_2$ を縦軸にプロットすると，VT の時点を境に 2 本の直線回帰で示すことができる．そこでこの交点を求めることにより，VT を決定するものである〔III−第 3 章「持久力増強運動」の図 9（➡ 187 ページ）参照〕．

4 筋量と代謝

骨格筋量は筋蛋白質の合成と分解の微細なバランスによって維持されており，食事による蛋白質摂取は筋蛋白質合成を増加し，空腹時には筋蛋白質の分解が促進される．

生体において安静時および運動時とも，アミノ酸→蛋白質(同化作用)，蛋白質→アミノ酸(異化作用)の形で，繰り返し相互変換が行われている．

レジスタンス運動は骨格筋の蛋白質同化を刺激する．一過性にレジスタンス運動を行った場合，運動の 1〜2 時間後に蛋白質の合成速度が安静時と比べて増加する．このレジスタンス運動による蛋白質合成速度は低〜中等度(最大挙上重量の 60% 以下)では運動強度に依存して増加し，最大挙上重量の 60〜90% の域においてはほぼ一定になるとされる．食事による筋蛋白質の同化作用は主に蛋白質に含まれる必須アミノ酸による作用で

ある．

　筋量を一定に維持するために，生活行動における身体活動・運動負荷によって筋肉の細胞のなかの蛋白質が破壊されたのちの仕組みが働く．破壊後の修復にタイミングよく蛋白質が補充される必要がある．ヒトが生存するためには，1日の生活行動において，蛋白質は絶えず体外から取り入れられなければならない．蛋白質がアミノ酸に分解され，またその逆で合成される．このような仕組みを蛋白質の回転(tune over)と呼ぶ．この働きが維持されることで健康が保たれる．一方，さまざまな原因によってこの仕組みが支障をきたすと，内部臓器の病気(病態)に限らず，生体の組織を構成する場所に病態が発現する．

　サルコペニア(sarcopenia)と呼ばれる高齢者などにみられる筋量の減少には，加齢に伴う自然減少に加え，食生活における蛋白質摂取量の減少，運動量の減少などの影響があるとされる．

　マイオカイン(myokine)と呼ばれるホルモン様分子物質が，骨格筋の収縮に伴って放出されている．複数の種類が存在するが，全貌はまだ明らかになっていない．代表的なものにインターロイキン-6(interleukin-6; IL-6)がある．この物質は代謝の調整のほかに免疫にもかかわるとされる．

D　運動と代謝の評価

1　長期的運動の代謝における効果

　長期的運動の影響として認められているのは，有酸素系に関しては，骨格筋内ミトコンドリアの数の増加と酵素活性の増加(最大2倍になるという)，毛細血管の増加および動静脈吻合の増加と筋線維の酸素運搬体であるミオグロビン増加(最高，運動前に加えて80%になるという)，ミトコンドリアの酸化能力の増加などがある．解糖系に関しては，用いられる基質の安静時水準の増加が得ら

れるという．筋力の28%の増加は筋のATP，クレアチンリン酸，グリコーゲンの安静時レベルの有意な増加によってもたらされるという．また，呼吸困難や下肢の疲労によって運動が続けられない状態であるオールアウト運動時の血中乳酸レベルが増加するとされる．特に，糖代謝におけるヘキソキナーゼ活性の亢進が認められている．

　筋線維の解剖学的な変化に関しては一致した見解はない．このような変化における代謝機能において，主に働いている代謝経路を判別する方法に，運動負荷前後に小型の機器で指先から採取した血液の乳酸濃度をはかり，LTを求める方法がある．また，呼気ガス分析装置にて$\dot{V}O_2$，$\dot{V}CO_2$を測定して前述のようにVTを調べる方法がある．

2　身体活動量とエネルギー代謝率

　代謝を生体全体で行われるエネルギー代謝の面から評価するために，身体活動の総量を測定する必要がある．身体活動量は，身体活動の動作を構成する姿勢と運動負荷の強弱および継続時間の積で推定でき，これらに費やされた熱量(kcal)で表すことができる．

a　身体活動量(エネルギー消費量)

　生理学的には，ヒトが物理的に運動した結果生じる生体内での物質代謝と，安静時の生体内での物質代謝の総量，すなわちエネルギー消費量を身体活動量としている．

　国民栄養所要量の発表とともに示された身体活動量を求める推定式は，1979(昭和54)年の公衆衛生審議会答申以降，以下のようになっている．
①身体活動量＝生命維持に必要な基礎代謝＋生活に必要な活動代謝＋SDA(食物の特異的動的作用)．これらの推定式は，基礎代謝と運動時代謝に分離して求めているが，基礎代謝と運動時代謝を分けない推定式も用いられる．
②身体活動量＝就寝時間×基礎代謝×体重＋各種活動時のエネルギー消費量×各種の活動時間と

▶表 1　日常生活の RMR と METs

	RMR 低値	RMR 高値	METs 低値	METs 高値
食事	0.4		1.5	
身仕度	0.4		1.5	
入浴	0.7		1.8	
通勤(徒歩)	3		4.6	
通勤(乗物)	0.4	2.2	1.5	3.6
階段(上り)	6	7	8.2	9.4
階段(下り)	3.5		5.2	
読書	0.2		1.2	
休憩	0.2		1.2	
立ち休み	0.4		1.5	
炊事	1	2.5	2.2	4
裁縫	0.3	1	1.4	2.2
洗濯	1.4	2.5	2.7	4
掃きそうじ	2.5	3	4	4.6
拭きそうじ	3.5	4	5.2	5.8
ふとん上げ	4.5	5.3	6.4	7.4
子どもの抱きかかえ	1		2.2	
歩行　　60 m/分	1.8		3.2	
80 m/分	2.8		4.4	
100 m/分	4.7		6.7	

▶表 2　肢位強度式エネルギー係数

	低強度 (楽な感じ)	中強度 (発汗あり)	高強度 (呼吸亢進)
臥位	臥位低強度 0.017	臥位中強度 0.023	臥位高強度 0.026
座位	座位低強度 0.027	座位中強度 0.055	座位高強度 0.062
立位	立位低強度 0.045	立位中強度 0.059	立位高強度 0.097

肢位強度式身体活動量推定法：分時あたりで最も長い時間とっていた姿勢とそのときに感じた運動強度，発汗，呼吸亢進の組み合わせから最も当てはまる表中のエネルギー消費係数を選び，体重と持続時間(分)との積を求めて身体活動量(エネルギー消費量：kcal)を推定する．

▶表 3　エネルギー消費量の年齢・性別補正係数

年齢	男性	女性
20～30	1.00	0.94
31～40	0.96	0.87
41～50	0.94	0.85
51～60	0.92	0.85
61～70	0.90	0.83

求められた身体活動量(kcal)をさらに年齢・性別で補正する必要がある．このリストの係数を乗じれば完成となる．

され，この推定式で求めても前述のものと等しくなるとされる．

b エネルギー代謝率と身体活動量

　身体活動量の推定対象となる活動は，身体活動の実態を反映した，具体的な項目となっている．運動時代謝の強さを基礎代謝と運動時代謝の比率で表し，それらを利用して時間と体重の積で身体活動量を計算する方法が知られている．

　これには，運動時(身体活動時)代謝量と安静時代謝量の差を基礎代謝量で除したエネルギー代謝率として計算される**相対的エネルギー代謝率**(relative metabolic rate; RMR)と，運動時(身体活動時)の代謝量を安静時の代謝量で除した **METs**(metabolic equivalents)の 2 つがある．METs は

座った姿勢での安静時の値を 1 として，1 MET ＝ 3.5 mL/kg/分(1 kg の体重あたり，1 分間で 3.5 mL の酸素を消費する)という設定のもと，実際の身体活動時の酸素摂取量をこの 3.5 mL/kg/分で除して求める．また METs と RMR の関係は METs ＝ 1.2 × RMR ＋ 1 である．代表的な身体活動種目の RMR と METs を表 1 に示す．

　このほかに，運動障害をもって身体活動した場合に健常者の RMR が使えない場合，主観的運動強度によって，該当する身体活動のエネルギー係数(強さ)を決定し，係数と時間と体重の積で身体活動量を計算する方法があり，さらに，肢位と主観的運動強度の組み合わせによって，身体活動のエネルギー係数を計算する方法もある(▶表 2, 3)．

　運動と代謝機能の関係を，これらの身体活動量

で評価する場合には，その量の多少が及ぼす代謝機能への影響や廃用症候群との関係，厳密な意味でのすべての運動療法の質的効果の検討（身体活動量を同一にしたという条件設定が欠かせないことに注意）などへの適応が考えられる．

●参考文献

1) Murry, R.K., et al.(著), 清水孝雄(監訳)：イラストレイテッド ハーパー・生化学. 第 30 版, pp.101–207, 丸善, 2016.
2) 山田 茂ほか：運動生理生化学. pp.204–238, 培風館, 1990.
3) Astrand, P.O.(著), 朝比奈一男(監訳)：オストランド運動生理学. pp.325–336, 大修館書店, 1976.
4) 宮村実晴(編)：最新運動生理学. pp.135–155, 真興交易医書出版部, 1996.
5) Ganong, W.F.(著), 岡田泰伸ほか(訳)：ギャノング生理学. 第 26 版, pp.285–337, 丸善, 2022.

運動の種類

学習
目標

• 基本的な運動の種類を理解する.

• 筋収縮様式による分類を理解する.

• 運動形態による分類を理解する.

A 基本的な運動の分類

　理学療法士が運動療法に用いる運動の様式は，その運動が外力(他動)によるものか，自力(自動)によるものかで**他動運動**(passive movement)，**自動介助運動**(active assistive movement)，**自動運動**(active movement)，**レジスタンス運動**(resistive movement)に大別される[1].

　身体各部の関節を外力により運動させ，対象者が筋収縮を伴うことなく行うものが他動運動である．また，自力だけではなく，麻痺や筋力低下などを理由に運動の一部を介助する自動介助運動，介助も抵抗も与えずに自力で行う自動運動，筋力強化を目的として負荷を用いて行うレジスタンス運動があり，それぞれの目的に合わせて徒手，器械を用いて運動を行う.

1 他動運動

　他動運動には関節包外運動と関節包内運動がある．**関節包外運動**は，連結する骨どうしの角度が変化する運動であり，矢状面，前額面，水平面の基本面上での関節の角運動である．**関節包内運動**は，関節包内でおこる関節面の動きである．関節包内でおこる副運動(accessory movement)があり，関節の遊び(joint play)と構成運動

(component movement)の 2 つに分けられる.

　他動運動は，筋力が著しく低下している場合，麻痺で随意的に筋収縮が行われない場合，外傷後や術後，循環器系への負担やエネルギー消費を少なくする必要のある場合，関節可動域の維持，増大を必要とする場合に用いられる．他動運動は，対象者の筋収縮を伴わず外力によって関節を動かす運動である.

　そのほかにも以下の目的[2] があげられる.

• 関節や結合組織の可動性を維持する.

• 癒着，拘縮の発生を予防する.

• 筋肉の弾性を維持する.

• 血液循環の低下を軽減させる.

• 関節軟骨の栄養となる滑液の動きや物質拡散を亢進させる.

• 痛みを軽減または予防する.

• 術後急性期の治癒過程を補助する.

　また，他動運動の限界として，筋萎縮の予防，筋力や筋持久力の増大，筋収縮によっておこるまでの血液循環の補助などの効果[1] があげられ，これらについては効果を期待できない.

a 理学療法士が行う他動運動(▶図 1)

　他動 ROM(passive ROM)運動は主として理学療法士の徒手を用いた方法であり，対象者をリラックスさせた状態で全可動域をゆっくりとスムーズに動かす方法である．運動方向については

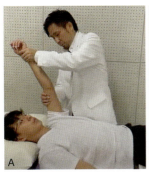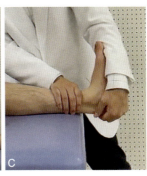

▶図1　理学療法士が行う他動運動
A：肩関節屈曲．理学療法士は上腕，前腕を把持して肩関節屈曲他動運動を行う．
B：股関節屈曲．理学療法士は大腿，下腿を把持して股関節屈曲他動運動を行う．
C：足関節背屈．理学療法士は下腿を固定し，足部を把持して足関節背屈他動運動を行う．

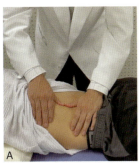

▶図2　マニュアルセラピー
A：軟部組織モビライゼーション．脊柱起立筋の走行に平行となるように母指を当て，筋を横断する方向に圧を加え脊柱起立筋の横断マッサージを行う．
B：ストレッチング．股関節，膝関節屈曲位から膝関節を伸展させ，ハムストリングスを伸張する．
C：ニューロダイナミクス．膝関節伸展位での股関節屈曲を行い，坐骨神経の滑走，伸張を促す．ハムストリングスも同時に伸張される．
D：関節モビライゼーション．理学療法士は下腿を固定し，距骨部を把持して距骨の後方滑りを行い，足関節背屈可動性を増大させる．

矢状面・前額面・水平面上を基本とする．目的とする関節の近位部を固定，安定させ遠位部を把持して動かすことで，安全に運動を行うことができる．また，他動運動時の最終域では制限因子を抵抗感（end feel）により評価することができる．

マニュアルセラピー（manual therapy）（▶図2）は，理学療法における運動システムの症状と機能障害について検査と治療を専門化したものである．それぞれ腱，靭帯，筋，筋膜，皮膚，脂肪組織などの軟部組織に対するアプローチ，神経系に対するアプローチ，関節に対するアプローチがある．軟部組織に対するアプローチには軟部組織モビライゼーションがあり，マッサージ，筋膜リリース，指圧などが含まれる．また，そのほかにもストレッチングがある[2]．

神経系に対するアプローチはニューロダイナミクスと呼ばれ，神経を滑走，伸張させる手技がある．関節に対するアプローチは関節モビライゼーションと呼ばれ，関節の機能不全がある場合に用いられる．関節の副運動である関節の遊びや構成運動に対して評価を行い，関節包内の動きを改善させる[3]．関節運動に制限がある場合は凹凸の法則に則って，関節可動性改善，疼痛軽減などを目的に，関節に対して滑りや転がり運動を促す．

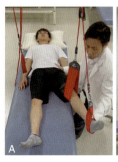

▶図3　器械を用いた他動運動
A：レッドコードを用いて下肢を免荷させた状態で理学療法士が股関節外転運動を行う.
B：プーリーを用いて対象者が自力で肩関節屈曲を行う. 左上肢の自力を用いて右肩関
　　節屈曲の他動運動を行う.
C：棒を用いて対象者が自力で肩関節屈曲を行う. 右上肢の筋力を用いて左肩関節屈曲
　　の他動運動を行う.

b 器械を用いた他動運動 (▶図3)

　各種の器械を用いて行う運動である. 持続的他
動運動 (continuous passive motion; CPM) 装置
は人工膝関節全置換術後早期に用いることで可動
域を獲得する. また肘関節, 肩関節, 足関節用な
ど, その他の関節にも用いられる. さらに理学療
法士の臨床場面ではレッドコードを用いて免荷し
た状況をつくり理学療法士が他動運動を行う方法
や, プーリー, 棒体操を用いて患側肢に筋収縮を
おこすことなく健側肢を用いて他動運動を行う方
法がある.

▶図4　対象者本人が行う他動運動
対象者の自力を用いて肩関節屈曲の他動運
動を行う. 対象者は左上肢の筋力を用いて
右肩関節の屈曲運動を行う.

c 対象者本人が行う他動運動 (▶図4)

　対象者に麻痺, 筋力低下がある場合に, 健常な
身体部位を用いて行う運動である. その他はたと
えば, 肩関節周囲炎など痛みが強い場合に, 反対
側を用いる他動運動を行う方法がある.

2 自動介助運動 (▶図5)

　対象者の自動運動に, 理学療法士もしくは対象
者本人の介助を加えて行う運動である. 徒手筋力
検査 (manual muscle testing; MMT) で筋力が2
以下の場合によく用いられる. 術後や外傷の急性
期など, 他動運動の時期が終了し, 少しずつ負荷

をかけて筋力を強化する場合に用いる.
　筋力が弱い場合は, その他の筋を用いる代償運
動を伴うことがあることに注意する.

3 自動運動 (▶図6)

　重力に抗した運動が可能である対象者が自分の
筋力のみで行う運動である. 理学療法士や器械な
どの力を必要としないために, 場所を問わずに実
施できる. MMT が3以上の場合は実施可能とな
る. また, 炎症など自動運動を行うにあたっての
禁忌事項がなければ実施できる.

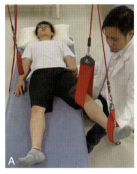

▶図5　股関節外転の自動介助運動
A：レッドコードを用いて下肢を免荷させた状態で，対象者は股関節外転を一部しか行えない場合に，理学療法士の力を用いて外転運動を介助している．
B：抗重力位で対象者は股関節外転を一部しか行えない場合に，理学療法士の徒手を用いて外転運動を介助している．

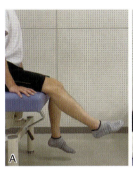

▶図6　自動運動
A：対象者は端座位をとり，膝関節伸展運動を行う．
B：対象者は側臥位をとり，股関節外転運動を行う．
A，Bともに抗重力位にて，全可動範囲の関節運動が可能である．

　自動運動の目的[2,4] として以下があげられる．
• 関節運動を円滑に行い，関節拘縮を予防する．
• 目的とする筋弾性と筋力を維持する．
• 筋収縮を再教育する．
• 関節運動感覚の刺激
• 血液循環を増加させ，血栓を予防する．

4 レジスタンス運動（▶図7）

　対象者が抵抗（レジスタンス）に抗して行う運動である．抵抗は理学療法士が徒手的に行う，もしくは器械，重錘，ゴムチューブなどを用いて行うものがある．MMTで筋力が4以上の場合は，この運動を用いて運動療法を行う．

　レジスタンス運動の目的は自動運動の目的に加え，筋力発揮に参加する運動単位の増加や筋線維の肥大による筋力増強があげられる．
　レジスタンス運動は，運動回数，運動方法，負荷量に注意をして，運動する関節やその周囲の組織へかかるストレスを考慮する必要がある．レジスタンス運動で考慮すべき要因を表1[5] に示す．

a レジスタンス運動の注意事項

　Valsalva（バルサルバ）法は息をこらえる，声門を閉じて息を吐き出そうとする現象であり，腹腔内圧，胸腔内圧を増加させ，血圧が一時的に上昇する．特に等尺性および動的な筋収縮に伴って生じるために注意が必要である．その他，努力量

▶図 7　レジスタンス運動
A：対象者は端座位をとり，ゴムバンドを用いて膝関節伸展に対するレジスタンス運動を行う.
B：対象者は側臥位をとり，股関節外転運動に対して理学療法士が徒手抵抗を加えてレジスタンス運動を行う.

▶表 1　レジスタンス運動の考慮すべき要因

要因	進行
強度	低負荷→高負荷
反復回数とセット	低運動量→高運動量
筋収縮のタイプ	静的→動的 求心性と遠心性：変更しながら進める
関節可動域	狭い範囲→全可動域 可動域の安定部分→可動域の不安定部分
運動速度	遅く→速く
神経筋制御	近位部の制御→遠位部の制御
機能的運動のパターン	単関節→多関節

〔Kisner, C.：筋パフォーマンス向上のための抵抗運動.
Kisner, C.（著），渡邊 昌ほか（監訳）：最新運動療法大全,
pp.167–175, ガイアブックス, 2012 より〕

の多い運動でも注意する．対象者の血圧上昇リスク，心疾患，脳血管障害，高血圧の既往がないか確認する．運動時は息を吐くようにすること，リスクが高い対象者には高強度のレジスタンス運動は実施しないことが重要である.

　筋力低下，疼痛，麻痺があり弱化している筋がある場合は，代償運動を伴うことがあるため適切な量の抵抗を加え，運動が正確に行われているかの確認が必要である．その他，骨粗鬆症などの病的骨折のリスクがないか，過負荷になっていないか，筋痛はないかの確認が必要である[2]．

B 筋収縮様式による分類

　身体運動時の筋収縮は，大脳皮質で運動の企画が行われ，大脳から信号が錐体路を下行し脊髄前角細胞を興奮させ，その興奮が運動神経を介して神経終末に達することで生じる．神経終末にはシナプス小胞に神経伝達物質であるアセチルコリンが存在し，その放出により筋細胞膜(筋鞘)のアセチルコリン受容体に結合し，活動電位が生じる．筋細胞の細胞膜が陥入してできた管状の膜構造である T 管に生じた電気的変化によって電位依存型カルシウムチャネルが開き，Ca^{2+} が筋小胞体から放出される．Ca^{2+} はトロポニンと結合し，その立体構造を変えてトロポミオシンをアクチンのミオシン結合部位から引き離す．その後，ミオシンクロスブリッジがアクチンに接触し，ATP 加水分解によりエネルギーが発生しアクチンとミオシンが滑走して筋収縮がおこる．その後 Ca^{2+} は筋小胞体へ能動輸送され，トロポミオシンの作用によりアクチンとミオシンの滑走は解除される.

　運動時におこる随意的筋収縮は，関節運動を伴わない静的収縮と関節運動を伴う動的収縮に分類される.

1 静的収縮

静的収縮には等尺性収縮（isometric contraction）と同時性収縮（co-contraction）（▶図8）がある.

a 等尺性収縮

等尺性収縮は筋の起始と停止が固定され，筋の全長に変化がない状態での収縮である.「尺」とは長さを表し，筋長が等しい収縮という意味である. この運動は最も安全とされており，関節に炎症があり痛みが強い時期，術後や骨折後のギプス固定

▶図8　静的収縮（等尺性収縮，同時性収縮）
A：鉄アレイを把持して，肘関節屈曲位を保持している. 上腕二頭筋の等尺性収縮がおこる.
B：スクワット動作で膝関節を屈曲した肢位で状態を保持する. このとき動筋である大腿四頭筋と拮抗筋であるハムストリングスはともに収縮し同時性収縮がおこる.

中に適した収縮様式である.

b 同時性収縮

同時性収縮では動筋と拮抗筋が同時に収縮する. 荷重下で関節角度を一定に保持する場合，たとえばスクワット動作で膝関節角度を一定にした姿勢保持する場面では，大腿四頭筋とハムストリングスが同時性収縮をおこしている.

2 動的収縮

動的収縮には等張性収縮（isotonic contraction）と等速性収縮（isokinetic contraction）がある.

a 等張性収縮

等張性収縮は，負荷が一定に保たれるときに，筋が短縮もしくは延長しながらおこる収縮である.「張」とは張力を表し，筋収縮時の張力が一定である収縮という意味である. 厳密にいえば，負荷を一定にしても関節運動を伴う場面では筋収縮時の張力を一定に保つことは難しいため，人体の運動においては真の等張性収縮はありえない.

等張性収縮では筋が短縮するものを求心性収縮（concentric contraction），延長するものを遠心性収縮（eccentric contraction）（▶図9）と呼ぶ.

求心性収縮は筋の起始と停止が近づきながらお

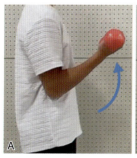

▶図9　等張性収縮（求心性収縮，遠心性収縮）
A：鉄アレイを把持して，肘関節伸展位から屈曲運動を行うときに上腕二頭筋の求心性収縮がおこる.
B：鉄アレイを把持して，肘関節屈曲位からゆっくり伸展運動を行うときに上腕二頭筋の遠心性収縮がおこる. 肘関節伸展運動をコントロールしている.
C：スクワット動作で膝関節をゆっくり屈曲していく. 動筋である大腿四頭筋の遠心性収縮がおこる.
D：スクワット動作で膝関節をゆっくり伸展していく. 動筋である大腿四頭筋の求心性収縮がおこる.

▶図10　OKC と CKC
A：OKC．重錘を用いた膝関節伸展運動である．足底は床面から離れ固定されていない．膝
　関節伸展時に作用する大腿四頭筋が活動する．
B：CKC．バランスディスクを用いたスクワット動作である．足底は接地しているため固定
　されている．体幹，股関節，膝関節，足関節を含めた多関節運動であり，運動部位の周囲
　にある筋群が活動する．
C：CKC．レッドコードを用いたブリッジ動作である．足部はレッドコードに固定されてい
　る．
D：CKC．トレッドミルを用いた歩行運動である．足底は床面に接地している．

こる収縮であり，**遠心性収縮**は筋の起始と停止が離れながらおこる収縮である．上腕二頭筋では肘関節屈曲時に求心性収縮がおこり，肘関節屈曲位から伸展するときに遠心性収縮がおこる．日常生活活動（ADL）において遠心性収縮は関節運動をコントロールする作用がある．たとえば，遊脚中期から遊脚終期にかけてのハムストリングスや，スクワット動作時に膝関節屈曲するときの大腿四頭筋の収縮である．遠心性収縮は発揮筋力が大きくなるため筋力増強効果が大きいが，筋の損傷リスクも高くなる．

b 等速性収縮

等速性収縮は等運動性収縮とも呼ばれ，運動時の筋収縮速度が一定の収縮である．アイソキネティックマシン（isokinetic machine）を用いて行う運動である．速度を一定とした回転運動のもとで出力した筋力に応じて抵抗を変化させることが可能となる．速度を低速から高速まで設定できるため，その速度に応じたトレーニングを行うことができる．サイベックスマシーン（Cybex Machine®）やバイオデックスシステム（Biodex System®）を用いる．

▶**表2 CKC運動のパラメータと順序**

パラメータ	順序
荷重の割合	部分荷重 → 全荷重 (例)平行棒内歩行→杖歩行→杖なし歩行
支持基底面	広い → 狭い (例)両脚でのスクワット→片脚でのスクワット
床面	安定 → 不安定 (例)床でのスクワット→バランスディスク上でのスクワット
運動範囲	狭い範囲 → 広い範囲
運動方向	一方向 → 多方向
運動速度	遅く → 速く

〔Kisner, C.：筋パフォーマンス向上のための抵抗運動. Kisner, C.(著), 渡邊 昌ほか(監訳)：最新運動療法大全, pp.167–175, ガイアブックス, 2012 より〕

C 運動形態による分類(▶図10)

開放性運動連鎖(open kinetic chain; OKC)と**閉鎖性運動連鎖**(closed kinetic chain; CKC)がある.

OKCでは身体の遠位部が固定されておらず, 単関節運動が可能である. 運動時に活動する筋, 強化する筋が特定しやすい. MMTの多くはOKCの肢位で評価されている. OKCは非荷重位で行うために, 荷重が禁止されている時期でも実施できる. たとえば, 下腿骨幹部骨折で荷重が許可されていない場合に, 股関節周囲の筋萎縮を防ぐために筋力強化を目的としたOKC運動で股関節周囲筋をトレーニングする.

CKCでは身体遠位部は固定されており, 多関節の運動が可能な方法である. 多関節を同時に運動させ, 複数の筋群を同時に収縮させることができる. 日常生活やスポーツ場面で用いる動作を想定した運動である. CKC運動も簡単な動作から複雑にすることが必要となる. CKC運動のパラメータと順序を**表2**[5]に示す.

●引用文献
1) 大井淑夫ほか(編)：リハビリテーション医学全書7, 運動療法. 第3版, pp.128–133, 医歯薬出版, 1999.
2) Kisner, C.：疾病予防・健康の増進と維持. Kisner, C.(著), 渡邊 昌ほか(監訳)：最新運動療法大全, pp.43–57, ガイアブックス, 2012.
3) 宮本重範：関節モビライゼーション—評価と診断を中心として. 理学療法学, 22(6):370–373, 1995.
4) 板場英行：運動の種類. 吉尾雅春ほか(編)：標準理学療法学 専門分野 運動療法学 総論, 第2版, p.161, 医学書院, 2006.
5) Kisner, C.：筋パフォーマンス向上のための抵抗運動. Kisner, C.(著), 渡邊 昌ほか(監訳)：最新運動療法大全, pp.167–175, ガイアブックス, 2012.

基本的運動療法

第1章

関節可動域運動

学習目標

- 関節可動域運動を知り，制限因子を学ぶ．
- 関節可動域運動の種類と目的について理解する．
- 関節可動域運動の基本的な方法を理解する．

A 関節可動域運動とは

　関節可動域運動（range of motion exercise）は，関節可動域制限を有する対象者を担当する際，理学療法士にとって基本的な理学療法技術の1つである．関節可動域制限の改善を目的とした治療場面では，現在障害されている関節可動域（range of motion; ROM）の維持，拡大が主目的となる．また今後障害が予測される可能性がある関節可動域の障害予防においても関節可動域運動が実施される．

　関節可動域運動は，単に関節可動域を維持，拡大することだけに着目するのではなく，関節可動域の維持，拡大により対象者自身がかかえる日常生活活動（activities of daily living; ADL）制限や移動動作制限をはじめとした動作制限の改善，向上，そしてスポーツ領域や介護領域，健康増進領域においても重要な役割を担っている．このため，関節可動域測定によって導き出される関節可動域制限の把握と，考えられる制限因子に基づき関節可動域運動を適切に実践していくことが大切となる．関節可動域運動の方法を大別すると**他動関節可動域運動**（他動運動），**自動関節可動域運動**（自動運動）に分類される．目的に応じた実施が，関節可動域の維持，拡大に対する治療手段そのものとなる．

B 関節可動域運動を実施する事前準備

　関節可動域運動を実施していく際には，関節可動域制限が「なぜ生じているのか」「どのような経過なのか」を考察する必要がある．またその結果，現在の身体運動に及ぼしている影響など，計測結果だけにとらわれるのではなく，問診やその他の評価結果をふまえ主要因を推察し，解釈することが重要である．疾患の病態や症状を事前に確認しておき，疾患に特徴的な構造破綻や機能破綻など関節可動域制限の要因を予測しておく．問診や関節可動域測定結果を参考に，対象者がかかえる疾患の病態や症状により直接的な関節可動域制限なのか，病態や症状をきっかけとした安静や固定経過による二次的な問題かを確認する．また，ある関節可動域制限が他の関節を代償することの繰り返しになっていないかも確認が必要である．さらに，姿勢や動作の習慣性，加齢に伴うアライメント変化の関連性も推察していく．関節可動域制限は一方向だけで制限されていることは少なく，多方向に制限が生じ，複数の関節どうしにも影響を及ぼしていることも多く，注意を要する．このように関節可動域制限の制限因子を多角的な視点から推察することが必要となる．よって関節可動域運動を実施する際には，制限要因（▶**表1**）[1] を把

146

▶表1 関節可動域の制限要因

原因・起因
1. 長時間不動：ギプス・スプリント固定, 意識障害, 運動麻痺
2. 運動制限：安静臥床, 患部固定, 全身状態低下
3. 結合組織変化：硬化, 瘢痕, 癒着, 短縮, 肥厚・線維化
4. 外傷後の病理的変化：炎症, 浮腫, 虚血, 出血, 疼痛
5. 神経・筋疾患：麻痺, 痙縮, 固縮, 筋力不均衡
6. 骨・関節系疾患：骨折, 脱臼, 骨・関節炎, 関節症, 感染

構造・組織的因子
1. 関節構造因子：骨, 関節軟骨の変化, 異常
2. 関節内軟部組織性因子：関節包, 靱帯, 関節円板などの伸張性, 柔軟性, 可塑性低下
3. 関節外軟部組織性因子：皮膚, 血管, 筋・筋膜, 腱, 神経の拘縮, 短縮, スパズム

〔板場英行：関節の構造と運動. 吉尾雅春（編）：標準理学療法学 専門分野 運動療法学 総論, 第2版, p.35, 医学書院, 2006より改変〕

握するために, 正常の関節運動を事前に整理しておくことが大切となる. また, 最終可動域付近での**最終域感**(end feel)(**▶表2**)[2] を感知することは特に重要となる. 最終可動域付近では, 正常な場合とは異なる end feel の違いを感知, 判別し, その違いにより関節可動域の制限因子を見極めていく. また, 理学療法士の感じる end feel と患者の感じる end feel の感覚を共有することが重要である. また, 他動運動だけではなく自動運動においてもスムーズ性や方向の変化を確認しながら関節可動域運動を実施する. 年齢, 体型, 職業やスポーツ歴などにより end feel には違いがあるため, 対象者ごとの end feel を判断し, 経験を積み重ねていく.

C 関節可動域運動の目的と方法

関節可動域運動の目的には, 可動域の維持・改善, 軟部組織, 結合組織の柔軟性の維持・改善, 筋の弾力性の維持・改善, 拘縮発生予防, 固有受容感覚に対する刺激, 末梢循環の改善などがあげられる.

関節可動域運動の方法は, 他動運動と自動運動に大きく分類され, 以下で述べる2つの運動様式を基本として実施される. 1つは骨運動学における生理学的運動であり, 三次元的空間で骨が機械的軸を中心に運動するものである. もう1つは関節運動学における副運動であり, 関節包内における構成運動と関節の遊び運動[3] である. この2つの運動様式を基本に, 対象者の状態に応じた関節可動域運動を組み合わせていくことが大切である.

他動運動を実施する際は, 原則として複数の関節を同時に治療せずに, 1つひとつの関節に実施する. 一方で自動運動では1つの関節の同一方向の関節可動域運動を繰り返すだけではなく, 単関節運動と多関節運動の特性を考慮し, 隣接する関節にどのような運動が生じるかを考慮し, 多関節運動として行う視点も必要である. ADL動作や歩行動作をはじめとする実際の動作場面での関節可動域運動は単純な運動軸だけではなく, 多関節運動での組み合わせであるため, 隣接関節との関連を考慮した視点が重要となる. このことより, 角度のみに着目した短絡的な関節可動域運動を繰り返し実施するだけではなく, 多様な運動パターンの維持・拡大や身体各部と相互に関連した動作のバリエーションを獲得する視点で実施する. 以下に関節可動域運動の基本的な方法を提示する.

1 骨運動を用いた方法

a 他動運動

他動運動は, 対象者自身の筋収縮は伴わずに理学療法士による徒手や機械器具を使用し, 関節を外力のみで動かす方法である. 関節可動域の維持・改善, 拘縮発生の予防, 関節運動感覚の刺激などを目的として実施されることが多い.

臨床例としては, 術後急性期における安静臥床, 患部の安静固定時期に, 医師の指示を確認し, 制限範囲内で筋の弾性力の維持・改善, 末梢循環の

▶表 2　最終域感（end feel）

最終域感	状態	特徴
soft：軟部組織の接近 soft tissue approximation	正常	しなやかな圧迫感. →膝関節屈曲（大腿と下腿後面組織間の接触）
	異常	過剰な筋肥大による関節可動域制限
soft：筋の伸張感 muscular end feel	正常	ゴムのような弾力感のある停止感 → SLR（ハムストリングスの他動的な弾性のある緊張）
	異常	筋緊張の亢進や短縮筋による弾性の増大（more elastic）
firm：関節包の伸張 capsular end feel	正常	関節包や靱帯による革のような硬い停止感 関節包の伸張 →手指 MP 関節伸展（関節包前部における緊張） 靱帯の伸張 →前腕回外（下橈尺関節の掌側橈尺靱帯などの緊張）
	異常	短縮した関節包や靱帯による正常な停止の前におこる感覚（未成熟：premature） 非関節包パターン：関節包の癒着や関節内障，関節外傷害によってある運動面に制限をきたす
hard：骨性 bony end feel（bone-to-bone）	正常	骨と骨との接触による弾力に欠けた硬い感じで無痛性 →肘関節伸展（尺骨肘頭と上腕骨肘頭窩との接触） →前腕回内（橈骨と尺骨との接触）
	異常	骨性の軋轢または骨性の制動：変形性関節症や骨折治癒後の骨肥大や関節内遊離体の影響
弾性の減少 less elastic	異常	瘢痕組織や短縮した結合組織による弾性の減少
筋スパズム muscle-spasm end feel	異常	運動によって突然惹起される硬い痙攣終末感：筋群が即時に運動停止するように反射的に硬くなる感じで疼痛を伴う．関節包の制限もある場合は，ある程度の滑膜の炎症も示唆される．急性期の損傷では早期に停止感があり，不安定性や痛みが原因の場合は遅れて停止感を感じる
沼地様 boggy end feel	異常	とても柔らかく弱々しい停止感：関節内腫脹による制限で，通常の可動域あるいはそれ以前に生じ，関節包パターン（関節症で生じるような関節包の炎症に比例した運動制限）による制限を伴うことが多い
弾力性遮断 springy block（internal derangement end feel）	異常	半月板損傷などで生じる跳ね返り：予想外の部位でおこり，組織伸張と似た感じで，半月板のある関節でおこりやすい
無抵抗感・空虚感虚性 empty end feel	異常	関節外の原因による疼痛によって物理的な停止を得る前に無抵抗に運動が妨げられる状態：真の end feel ではない．急性関節炎のほかに心理的要因も影響することがある．また，急性期の靱帯完全断裂時に明らかに解剖学的制限を超える場合もある
延長 extended	異常	動揺性によって正常な停止ののちにおこる延長

SLR：straight leg raising（下肢伸展挙上）
〔竹井 仁：関節可動域運動. 吉尾雅春, 横田一彦（編）：標準理学療法学 専門分野 運動療法学 総論, 第 4 版, p.185, 医学書院, 2017 より〕

改善として実施される．また安静臥床が解除される際に，自動運動の前段階としても実施される．意識障害や麻痺のある対象者に対しては，ベッドサイドにて関節の可動性を保ち，結合組織の短縮予防，関節周囲の軟部組織の線維変性，萎縮予防

などで実施され，関節の運動覚などの固有感覚を促通し，神経筋再教育としても実施される．
　関節可動域を維持，拡大する場合は，対象者の関節可動範囲内から他動運動を開始し，end feel により段階的に可動範囲を拡大する．同じ方向

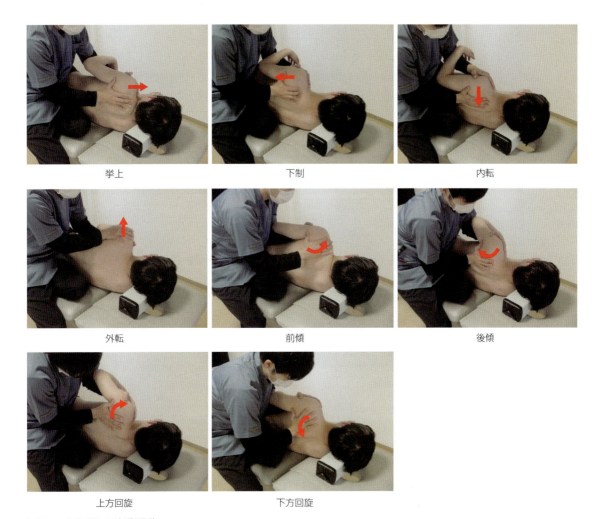

▶図1　肩甲骨の他動運動
ポイント：肩甲骨の他動運動では，対象者の胸郭の形状に合わせて滑らかに動かしていく.

の運動を繰り返すだけではなく，関節方向を組み合わせながら end feel を確認することが大切である. また，他動運動の開始から最終可動域までに感じられる微妙な変化，動きやすい方向と動きにくい方向での特徴や抵抗感，緊張感にも十分に注意する. そして代償運動の方向や程度も確認する.

　他動運動の利点は，リラクセーションのポジションを理学療法士自身が誘導しやすく，関節可動域運動の状態に応じて運動方向や加える力を微妙に調整でき，end feel を感じ取りやすいことである.

　注意点として，他動運動のみでは関節機能が働くために必要である関節可動域は獲得できても筋収縮，筋力の強化や持久力の改善には直結しにくいため，状況に応じて自動運動に移行していくことが大切である.

　また，脳血管障害などによる麻痺など，対象者自身で運動が可能である部位の機能を使用し対象者自身で関節を動かす方法として，自己他動運動がある.

■**他動運動の方法**（▶図1〜22）
　まず事前に対象者の可動範囲を評価し把握した

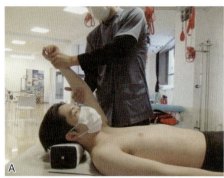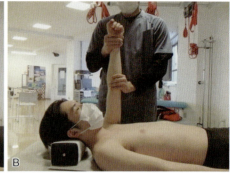
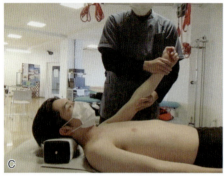

▶図 2　肩関節の屈曲他動運動
ポイント：肘関節を伸展位に保持し，前腕中間位から開始する．肩関節屈曲 120° 付近（**A**）より肩峰と上腕骨頭の衝突がおこらないように外旋を伴いながら実施していく．

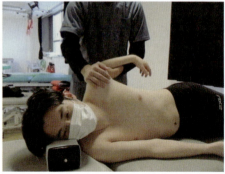

背臥位　　　　　　　　　　　　　　　　　側臥位

▶図 3　肩関節の伸展他動運動
ポイント：上腕骨頭が前方に突出しないように注意する．肘関節屈曲位で行うことにより，上腕二頭筋長頭が制限因子にとならないようにする．

うえで実施することが重要である．運動時に疼痛や過緊張，抵抗感が生じないようにすることが大切であり，対象者の関節可動域を確認しながらスムーズ性を確認し，段階的に数回ずつ運動を反復し拡大していく．運動スピードも配慮しながら最

終域に近づいていく．関節が有する運動軸を考慮し，複合的な運動からバリエーションを拡大させる．疼痛や過緊張，抵抗感が生じた場合には無理に動かさず，その直前の可動範囲に戻し運動を行う．また，運動中は他の部位にも注意し，代償運

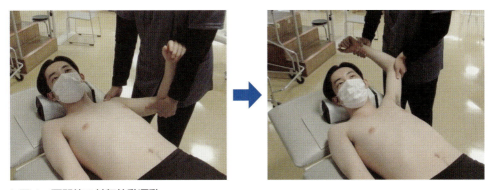

▶図4　肩関節の外転他動運動
ポイント：肩関節の外旋を伴いながら実施していく．

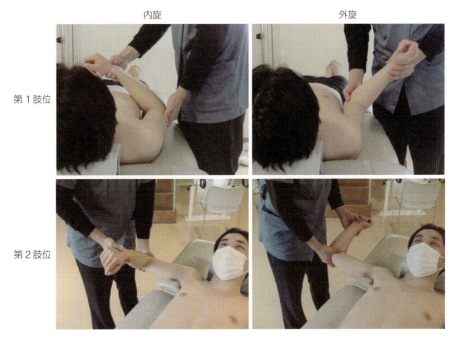

▶図5　肩関節の内旋・外旋他動運動
ポイント：肩関節の外旋では各肢位ともに，上腕骨頭が前方に突出しないように注意する．

動が生じないように観察する．

　他動運動を実施する回数は明確な基準がないため，対象者に対する目的に応じてプログラムを設定する．対象者によっては，肢位の変換が困難なことがあるため工夫して実施する．また，注意点として，麻痺肢，新鮮骨折部位，過可動性関節など，構造学的にリスクのある場合には十分な配慮が必要となる．

ⓑ 自動介助関節可動域運動（自動介助運動）

　抗重力位において関節運動遂行が困難な場合や対象者の筋力だけでは自動運動が不十分な場合に，徒手や器具などを用いて動かす方法である．自動運動が可能な場合においても，運動方向や負荷を介助する場合にも用いられる．

　自動介助運動の目的は，対象者の自動運動を介

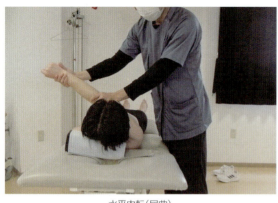

水平内転（屈曲）　　　　　　　　　　　　　　　　水平外転（伸展）

▶図 6　肩関節の水平内転・水平外転他動運動
ポイント：水平外転（伸展）では，ベッドから上肢を出し運動を阻害しないように実施する．

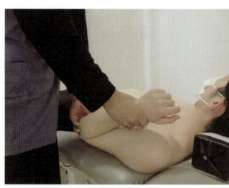
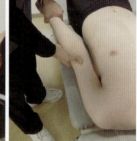

屈曲　　　　　　　　　　　　　　　　伸展

▶図 7　肘関節の屈曲・伸展他動運動

助しながら筋力の回復を促すこと，運動感覚の刺激，末梢循環障害の改善などである．

　自動介助運動の利点として，対象者自身の随意的運動を伴いながら介助する方法であることから，疼痛や筋の過緊張が生じる場合，段階的に介助量を調整できることである．

　徒手による誘導のスキルや器具の選定，セッティングの方法については工夫が必要となる．

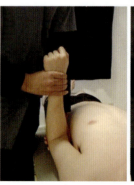

回内　　　　　　　　　　　　回外

▶図 8　前腕の回内・回外他動運動

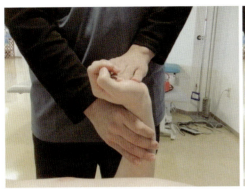

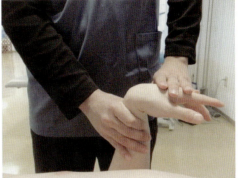

背屈

掌屈

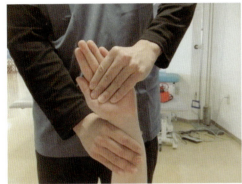

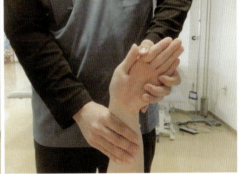

橈屈

尺屈

▶図 9　手関節の他動運動

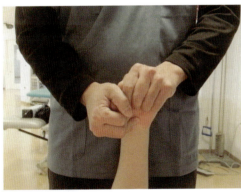

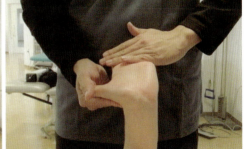

屈曲

伸展

▶図 10　手指の他動運動

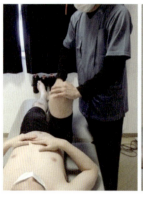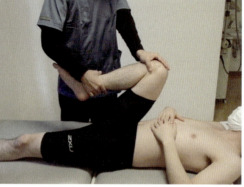

▶図 11　股関節の屈曲他動運動
ポイント：膝関節伸展筋を十分にリラクセーションさせて実施する．股関節屈曲では 90° 以上では骨盤の後傾が伴うことを考慮する．

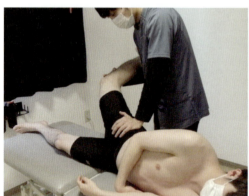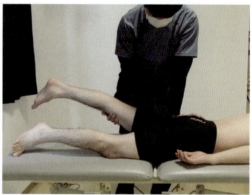

側臥位　　　　　　　　　　　　　　　　　　腹臥位

▶図 12　股関節の伸展他動運動
ポイント：股関節の伸展を実施する際には，体幹の伸展が伴うため，固定位置に注意して運動を実施する．

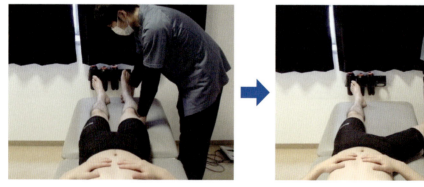

▶図 13　股関節の外転他動運動
ポイント：股関節の外転運動をする際には，内外旋中間位より運動を実施する．

内旋　外旋

背臥位

腹臥位

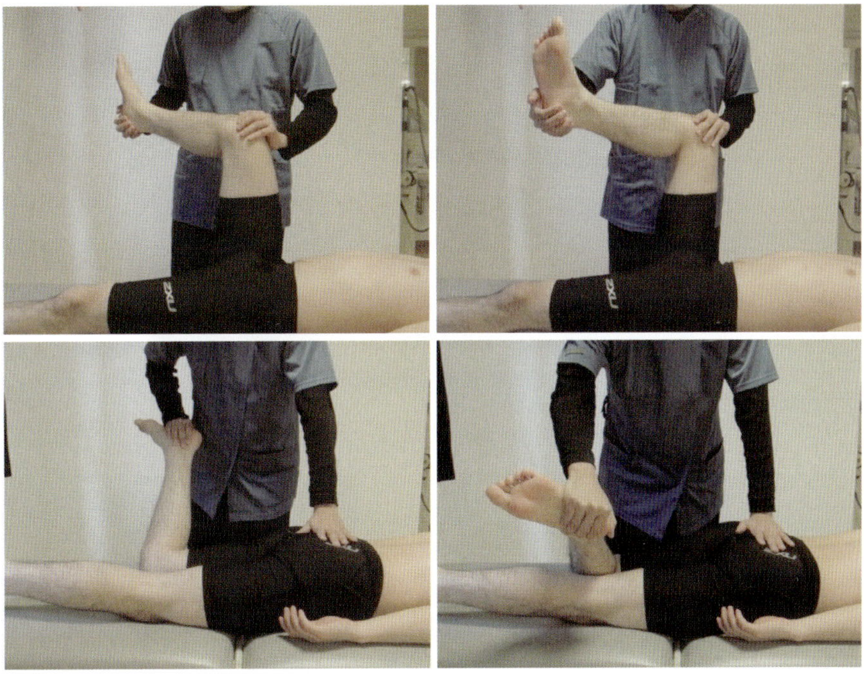

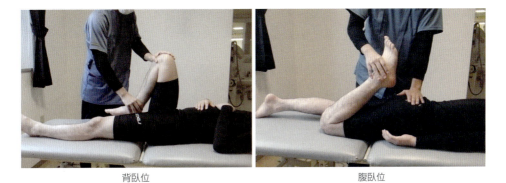

▶図 14　股関節の内旋・外旋他動運動

ポイント：背臥位と腹臥位では，軟部組織の影響により可動範囲に違いがみられる．腹臥位では，骨盤の代償運動が伴うため注意が必要である．

背臥位　腹臥位

▶図 15　膝関節の屈曲他動運動

ポイント：膝関節の屈曲運動を実施する際，背臥位では股関節屈曲位で行うことで，大腿直筋の影響を軽減して実施することができる．腹臥位では大腿直筋の伸張性を加えながら実施することができる．

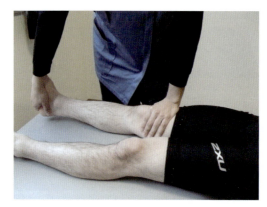

▶図 16　膝関節の伸展他動運動①

▶図 17　膝関節の伸展他動運動②
ポイント：終末強制回旋運動（screw-home movement）を意識した場合の膝関節伸展運動では，伸展の最終域に近づくにつれ脛骨の外旋を誘導していく.

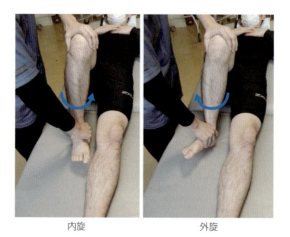

内旋　　　　　　　　　　　　　外旋

▶図 18　膝関節の脛骨内旋・外旋他動運動
ポイント：膝関節屈曲の角度を変えながら実施する.

膝関節伸展　　　　　　　　　　　　　　膝関節屈曲

背屈

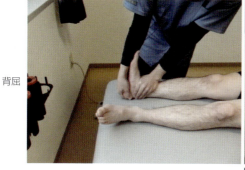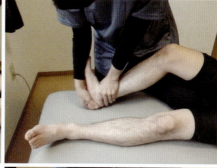

底屈

▶図 19　足関節の背屈・底屈他動運動
ポイント：足関節背屈は，腓腹筋の影響を軽減して実施する場合には，膝関節屈曲 30°以上で実施する．固定する手は遠位脛腓関節を圧迫しないように注意する．

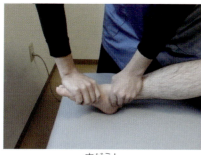

内がえし　　　　　　　　　　　　外がえし

▶図 20　足関節の内がえし・外がえし他動運動

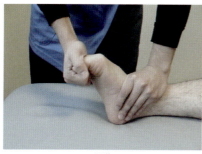

屈曲　　　　　　　　　　　　　　伸展

▶図 21　足趾の屈曲・伸展他動運動

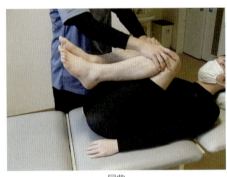 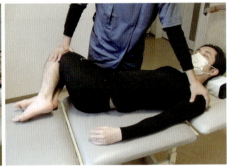

屈曲　　　　　　　　　　　　　　回旋

▶図 22　腰部の他動運動

■**自動介助運動の方法**（▶図 23〜30）

　自動介助運動は，他動運動と同様に事前に対象者の可動範囲を把握したうえで実施する．自動介助運動は運動の一部を介助して実施することから，他動運動よりも疼痛や過緊張，抵抗感に注意することが必要となる．対象者の関節可動域の範囲を確認しながら，最終域までの運動がスムーズに可能であれば段階的に数回ずつ運動を反復し拡大していく．運動するスピードは対象者がゆっくりと感じる程度より開始し，運動の獲得状況に応じて介助量やスピードを調整していく．器具を使用する場合には，誘導方向の設定が重要となり，単一方向の運動から多方向を組み合わせる工夫が必要となる．関節が有する運動軸を考慮し，段階的に複合的な運動へと運動パターンを拡大[4]する．注意点としては，疼痛や過緊張，抵抗感が生じた場合には，徒手での誘導方法や器具の設定方法を再確認し，実施することである．

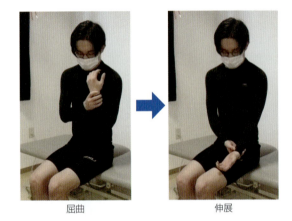

屈曲　　　　　　　　　　　　伸展

▶図 23　肘関節の屈曲・伸展自動介助運動

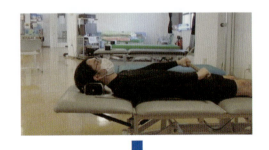

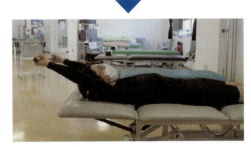

▶図 24　棒を使用した肩関節の屈曲自動介助
　　　　運動

▶図 25　プーリーを使用した肩関節の屈曲自動
　　　　介助運動

🇨 自動運動

　自動運動は対象者自身の筋力を使用し，関節可動域を随意的に動かす運動であり，関節可動域を維持，改善し，筋力を維持する目的で実施される．
　術後早期にベッド上安静臥床が余儀なくされる場合においては，足趾屈曲・伸展，足関節の底背屈運動などの自動運動により末梢循環の維持，改善による血栓形成の予防として実施される．また，患部以外の関節に対しての自主トレーニングとしても実施される．疼痛がある場合には，対象者自身で疼痛自制内での運動ができることから筋の収縮性と弾性を維持，改善することができ，心理的な安心感もある．脳血管障害後の運動麻痺がある場合には関節位置覚，運動覚など深部感覚の再学習としても実施される．
　自動運動は，対象者自身の筋力により関節可動域の維持，改善，筋力低下を改善するだけではなく，ADL 動作や歩行動作など動作に直結する運動でもある．自動運動を繰り返し実施するだけでは運動負荷が低いため，筋力低下改善には十分で

はない．しかし，自動運動が可能となる関節可動域の獲得は，レジスタンス運動に至る各種筋力増強運動，動作のバリエーションの獲得には重要となる．筋力増強運動の詳細な方法は，III−第 2 章「筋力増強運動」(➡ 163 ページ)を参照してほしい．
　他動運動と自動運動の運動範囲が異なる場合には，軟部組織や疼痛による影響が考えられるため，詳細な評価を行う．また，自動運動は収縮性組織の炎症が強い時期には防御性収縮により過緊張状態であることが多く，対象者自身での運動が困難な場合がある．

■自動運動の方法

　自動運動を実施する場合には，他動運動，自動介助運動と同様に事前に対象者の可動範囲を評価し把握したうえで実施する．自動運動は，身体各部位を対象者自身の筋力により実施する運動であり，ADL 動作や歩行動作をはじめさまざまな動作の基礎となる運動である．関節が有する運動軸を考慮し，複合的な運動を組み合わせ運動の拡大とともに運動パターンを拡大し，動作のバリエーション獲得につなげることがポイントとなる．自動運動では最終可動域付近までの運動方向の違いによるスムーズ性，微妙な運動の変化，代償運動や程度も確認しながら実施する．
　対象者の獲得状況に応じたプログラムを設定することにより，自主トレーニングやさらなる運動課題を追加することできる．

2 関節運動学を用いた方法

🇦 他動構成運動

　他動構成運動は，関節の凹凸の法則を基本とし，関節表面間の相互の動きを改善することによって正しい関節包内運動を獲得していく関節可動域運動である．

🇧 自動構成運動

　自動構成運動は，筋収縮により関節可動域範囲

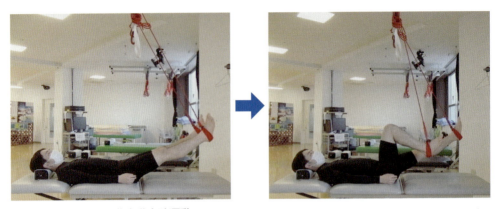

▶図 26　股関節の屈曲自動介助運動
ポイント：股関節の屈曲の際は自動介助運動となり，吊るす位置を変えることにより，股関節の屈曲の自動介助運動負荷を設定できる．

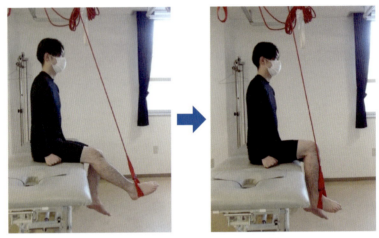

▶図 27　スリングを使用した膝関節の屈曲自動介助運動
ポイント：自重を除去しての自動介助運動が実施できる．設定方法によりさまざまな部位でも使用が可能である．

▶図 28　スケートボードを利用した膝関節の伸展自動介助運動
ポイント：骨盤・体幹正中位から膝関節の自動介助運動を開始する．膝関節運動がスムーズに実施できるようになれば，骨盤，体幹の前後傾運動を組み合わせて実施する．

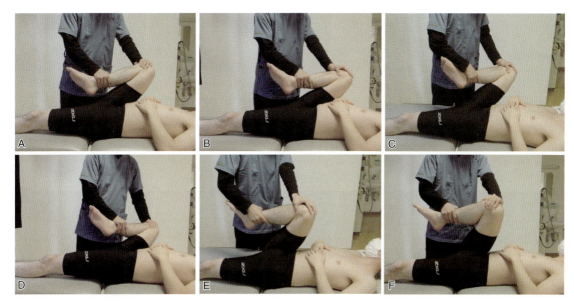

▶図 29　股関節屈曲運動パターンを拡大する自動介助運動
A：ROM 測定肢位での股関節屈曲，B：肩峰方向の股関節屈曲，C：外転方向での股関節屈曲，D：外転外旋方向での股関節屈曲，E：股関節屈曲内転，F：内転内旋方向での股関節屈曲
ポイント：股関節屈曲運動パターンを拡大する自動介助運動では，股関節屈曲に内転・外転運動を組み合わせながら自動介助運動を実施する．また，股関節内旋・外旋を組み合わせながら股関節屈曲運動の複合運動での自動介助運動を実施する．

内の正しい構成運動を学習する関節可動域運動である．

c 抵抗構成運動

抵抗構成運動は，関節可動域範囲内の軽い抵抗を加えることで正しい構成運動を学習する関節可動域運動である．

3 機能的関節可動域運動

ADL 動作は，1 つだけではなく複数の関節運動が組み合わさる機能的動作である．ADL 動作での機能的運動を用いて関節可動域運動を指導することは，対象者の関節可動域運動に対する目的と意欲の向上につながり，生活動作のなかで用いることができるより価値のある運動方法を実用的に発展させることとなる．

a 上肢の機能的関節可動域運動の例

（1）コップの把持

指の伸展と屈曲．手関節背屈・橈屈．肘関節伸展．肩関節屈曲．

（2）コップで水を飲む

肘関節の屈曲と前腕の回内．肩関節の屈曲・外転・外旋．

（3）テーブルを拭く

肩関節屈曲ならびに外転・内転と肘関節屈曲・伸展．前腕回内．

（4）髪をブラシでとく

肩関節の外転と外旋．肘関節の屈曲および頸部の回旋．

（5）棚の物を取る

肩関節の屈曲と肘関節の伸展．

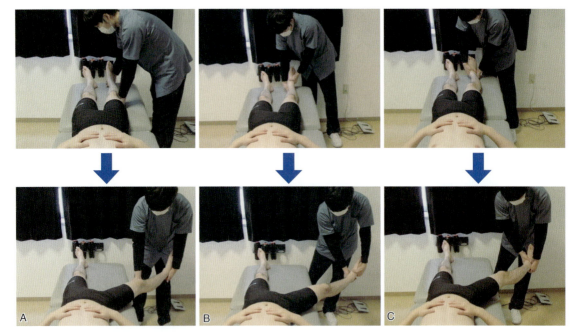

▶図 30　股関節外転運動パターンを拡大する自動介助運動
A：距骨下関節中間位での股関節外転，B：距骨下関節回外位での股関節外転，C：距骨下関節回内位での股関節外転運動
ポイント：股関節外転運動パターンを拡大する自動介助運動では，距骨下関節を中間位，回内外位でそれぞれ外転運動を行う．また，
股関節内旋・外旋を組み合わせながら股関節外転運動の複合運動での自動介助運動を実施する．

ｂ 下肢および体幹の機能的関節可動域運動の例

（1）背臥位から側臥位に寝返る

　股関節屈曲と膝関節の屈曲に続いて股関節の外転・外旋と内転・内旋．体幹の回旋．

（2）靴下の着用

　体幹屈曲と股関節の屈曲・外転・外旋ならびに膝関節屈曲，足関節の底屈・背屈．

（3）椅子からの立ち上がり

　体幹屈曲ならびに股関節屈曲，膝関節屈曲，足関節背屈に続いて，体幹伸展ならびに股関節伸展，膝関節伸展，足関節底屈．

（4）浴槽のまたぎ

　股関節屈曲と膝関節屈曲．股関節外転・外旋と膝関節伸展に続いて足関節背屈．

（5）床から物を拾う

　体幹屈曲ならびに股関節屈曲，膝関節屈曲，足関節背屈．

●引用文献
1) 板場英行：関節の構造と運動. 吉尾雅春（編）：標準理学療法学 専門分野 運動療法学 総論, 第 2 版, p.35, 医学書院, 2006.
2) 竹井 仁：関節可動域運動. 吉尾雅春, 横田一彦（編）：標準理学療法学 専門分野 運動療法学 総論, 第 4 版, p.185, 医学書院, 2017.
3) 板場英行：関節の構造と運動. 吉尾雅春（編）：標準理学療法学 専門分野 運動療法学 総論, 第 1 版, p.29, 医学書院, 2002.
4) 奥村晃司ほか：変形性股関節症の理学療法の工夫─治療方針と理学療法評価法・治療の一視点. PT ジャーナル, 48(7):615–623, 2014.

筋力増強運動

　筋は，身体運動をつかさどる根源の組織であり，その力，すなわち**筋力**は，ヒトの動作能力に多大な影響を与える．筋力低下の要因としては，加齢に加え，外傷や手術，ギプスなどによる関節の固定，長期臥床などによる不動といったものがあげられる．これらの要因によって，筋は細胞・組織レベルでの変化を生じ，求められる身体運動や動作に必要な力を発揮することが困難となる．そのため，理学療法において，筋力をテーマとした運動療法を実施する場面は非常に多い．

　本章では，筋力に関する基礎的な知識を整理するとともに，それらの知識のもと，臨床での実例を提示する．

変化を，臨床場面では関節モーメントに置き換えて評価をしている．その検査手法が**徒手筋力検査法**(manual muscle testing; MMT)である．臨床での筋力検査として一般的な方法である．MMTは，関節運動レベルでのモーメントを段階づけしていることになる．筋力には，この関節運動レベルに至るまでに，筋原線維レベルから始まり，筋線維レベル，筋束レベル，腱レベルという階層がある[1]（▶図 3）．

A 臨床で扱う筋力とは

　関節の回転の効果は筋張力とモーメントアームの積によって決定され，**関節モーメント**と呼ぶ．筋付着部が関節の回転中心から遠い関節ではモーメントアームは大きくなり，同じ筋張力でも大きな関節モーメントを発生することができる（▶図 1）．臨床では，この関節モーメントを筋力として取り扱うことが多い．筋力が発揮できるということは，与えられた抵抗に対して，必要な関節角度に応じて筋張力を変化させることができることを意味する（▶図 2）．この筋張力の

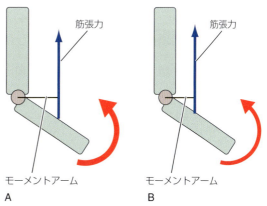

▶図 1　モーメントアームの違いによる関節モーメント
関節角度，筋張力が同じである場合，A のほうがモーメントアームが大きいため，関節モーメントも大きい.

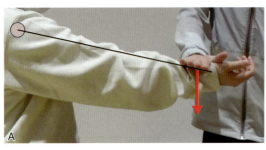

▶図 2　筋力の発揮

筋力が発揮できているということは，与えられた抵抗に対して，必要とされる関節角度に応じて筋張力を変化させることができることを意味する.

身体運動

関節レベル	モーメントアーム	関節トルク	関節角速度
腱レベル	直列弾性要素	腱張力	移動速度
筋(筋束)レベル	収縮要素 並列弾性要素 筋横断面積 筋長 筋束の配置	筋張力	収縮速度
筋線維レベル	筋線維数 筋線維タイプ 筋線維横断面積	筋線維張力	収縮速度
筋原線維レベル	力-長さの関係 力-速度の関係	サルコメア張力	収縮速度

▶図 3　筋収縮の階層性

〔山形県立保健医療大学大学院 加藤浩教授の許可を得て掲載〕

〔川上泰雄：骨格筋の構造と機能. 山田 茂, 福永哲夫(編)：骨格筋──運動による機能と形態の変化, pp.1–21, NAP, 1997 より〕

B　筋力に関係する要因

　筋力には，筋の構造，筋張力，収縮様式，関節角度，神経的な要因，年齢，活動生といったさまざまな要因が関係している. ここでは，それらの事項について説明していく.

1　筋の構造

　ヒトの筋は，非常に多くの筋線維から構成されている. 1 本の筋線維は，筋原線維が集合して構成される. 筋線維が束となって筋線維束(筋束)を構成する. 筋束は筋周膜で包まれ，筋の最外層は丈夫な結合組織である筋上膜(筋膜)で包まれている(▶図 4).

　筋原線維は，筋の機能である筋収縮を担う最も

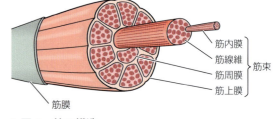

▶図 4　筋の構造

筋内膜
筋線維
筋周膜 ｝筋束
筋上膜

筋膜

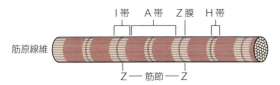

▶図5　筋原線維の構造

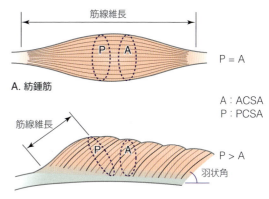

A. 紡錘筋

P = A

A：ACSA
P：PCSA

B. 羽状筋

P > A

羽状角

▶図6　紡錘筋と羽状筋の解剖学的断面積(ACSA)
　　　と生理学的断面積(PCSA)
紡錘筋はACSAとPCSAは同じであるが，羽状筋はACSA
よりPCSAが大きい.
〔市橋則明：筋の構造と機能. 市橋則明(編)：身体運動学—関
節の制御機構と筋機能, pp.22-29, メジカルビュー社, 2017
より〕

重要な構成体である．筋原線維は主に太いフィラ
メントを形成する**ミオシン**と，細いフィラメント
を形成する**アクチン**からなる．筋原線維を観察す
ると，暗く見える**A帯**と明るく見える**I帯**が規則
的に配列した縞模様が確認される．I帯の中央部
にはZ膜(Z帯)があり，Z膜からZ膜は**筋節**(サ
ルコメア)と呼び，筋収縮の最小単位である．A
帯はミオシンとアクチンが重なっている部分であ
るが，A帯の中央部にはアクチンが重ならない**H
帯**がある(▶**図5**)．筋収縮下ではI帯とH帯の長
さが短縮するが，A帯の長さは変わらない〔II-第2
章「筋と筋収縮」の図3(→ 33ページ)参照〕．これを滑
走説(sliding filament theory)と呼ぶ．

2 筋張力

　筋張力とは，筋が収縮した際に骨を引っ張る力
や，筋を受動的に伸張させた際にその力に対する
筋の引っ張る力をいう．筋収縮による筋張力に影
響する因子には，筋断面積や筋線維走行，筋線維
長，筋線維組成がある．筋断面積は筋線維の横断
面積であり，筋原線維数の増加によって，筋線維
の横断面積が増加する．筋断面積が大きいほど発
生する筋張力は大きくなる．筋断面積の増加は，
筋肥大を意味する．単位断面積あたりの最大筋力
は，約4〜6kg/cm²とされている[2].

　骨格筋は筋の作用方向，つまり長軸方向と筋
線維の配列方向から紡錘筋と羽状筋の2つに分
類される．**紡錘筋**は，筋線維が筋の長軸方向に
一致して配列している．一方，**羽状筋**は，筋線維
が長軸方向に対して一定の角度をもって配列す
る．紡錘筋は解剖学的断面積(anatomical cross-

sectional area; ACSA)と生理学的断面積(phys-
iological cross-sectional area; PCSA)が等しい
が，羽状筋はACSAよりPCSAのほうが大きい．
PCSAは筋力と比例するため，羽状筋のほうが筋
張力は大きくなる[3] (▶**図6**)．羽状筋における腱
膜と筋線維が成す角度である羽状角が大きいほど
PCSAが大きくなるため，羽状角も筋張力に関与
する．

　筋張力にかかわる筋線維の特徴は不動や加齢
の影響を大きく受ける．不動は下肢筋力の低下や
筋断面積の減少を引き起こすことが報告されて
いる[4]．加齢の影響に関する研究として，若年女
性と高齢女性との比較では，高齢女性では大腿筋
厚や外側広筋の筋厚，羽状角，大腿周経，筋横断
面積，固有筋力指数の減少・低下が報告されてい
る[5]．

　筋張力は，筋に生じる長さ(筋長)変化の影響
を受ける[6]．筋収縮によって生じる筋張力(活動
張力)は，自然長で最大となる．自然長より長さ
が減じると活動張力は徐々に減少し，自然長の
60%以下では活動張力を発揮できなくなる．逆に
自然長より伸張されても活動張力は減少するが，

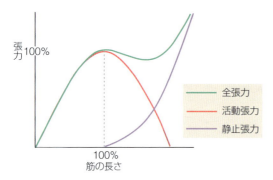

張力100%

100%
筋の長さ

凡例：
全張力
活動張力
静止張力

▶図 7　長さ-張力曲線

筋を構成する結合組織に発生する筋張力（静止張力）が加わるため，筋全体としての筋張力は増大する（▶図 7）．活動張力については，筋長が長いと，単位時間あたりの収縮距離が長くなるため，筋の収縮速度が速くなる．たとえば，大腿直筋などの二関節筋は，瞬発的な力を発揮するのに有利である．

③ 筋収縮様式

　筋の収縮様式には，筋の長さに変化が生じない**静的収縮**と，変化が生じる**動的収縮**がある．前者は，筋長が一定に保たれるため関節運動を伴わず，**等尺性収縮**と呼ばれる．一方，後者には，筋が短縮しながら収縮する**求心性（短縮性）収縮**と，筋が伸張しながら収縮する**遠心性（伸張性）収縮**がある．また，動的収縮には一定の張力で収縮する**等張性収縮**と，一定の速度で筋が収縮する**等速性収縮**がある．実際には，厳密な筋の等張性収縮や等速性収縮を再現することは難しく，前者は一定の重量物を持ち上げる運動，後者は一定の角速度での関節運動の際に生じる収縮を指すことが多い．

④ 関節角度

　筋収縮によって発生する力は，関節モーメントとして発揮される．関節モーメントは，その角度におけるモーメントアームの長さや筋の長さに

よって変化する．同じ筋張力で同じ作用方向であるとすると，モーメントアームが長いほど，関節モーメントの発揮は有利である（▶図 1）．

⑤ 神経的要因[7]

　筋力は，動員される運動単位の増加〔リクルートメント（recruitment）〕，発射されるインパルスの増加（rate coding），動員される運動単位の活動の同期化（synchronization）によって増大する．筋に単一の短い刺激が加わると，**単収縮**と呼ばれる一過性の筋収縮が生じる．1 つの筋線維は「**全か無かの法則**」に従い，閾値以下の刺激には反応せず，閾値以上の刺激には最大収縮を起こす．刺激の強度を上げると収縮する筋線維が増加するため筋張力は増大する．また，リクルートメントとは，生体内では興奮する前角細胞の数が増えることにより動員される運動単位の総数が増加することを意味する．さらに，刺激の頻度を増加させると，単収縮が弛緩する前に次の収縮が生じ，**強縮**と呼ばれる状態が生じる．生体内でも運動ニューロンの発火頻度が増加することにより大きな筋張力が発生することを rate coding という．加えて，運動単位の動員が同期化される，つまり活動時相が一致することにより大きな筋張力を得ることができることが synchronization である．運動単位の動員は，発揮される筋力が大きくなるにつれて，筋線維のタイプ別に，type Ⅰ, type Ⅱa, type Ⅱb の順におこる．

⑥ 年齢

　筋力は 20～30 歳ころにピークを迎え，その後は次第に減少していく．福永[8] は，膝関節伸展筋力は，20 歳代に比べて 60 歳代では約 67％ に減少し，70 歳代では約 55％ にまで減少する傾向があったことを報告している．その要因は，筋線維の萎縮や減少による筋断面積の減少や運動単位の減少によるものである．さらに福永は，年齢別に

筋厚を調査し，加齢変化を検討したところ，20歳時に比べ，50歳では83%，70歳では70%に減少するとした．若年者から高齢者まで各年代の外側広筋を調査した研究[9]では，筋萎縮が25歳前後から始まること，そしてtypeⅡ線維のサイズの減少が報告されている．若年女性と高齢女性の膝関節伸展筋力を比較した研究[5]では，高齢者は若年者の約1/3に減少すると報告されている．

7 活動性

　加齢により筋萎縮が生じることは間違いないが，活動性によっても違いが生じる．たとえば，若年者に対する高齢者の下肢の筋厚の低下率を調査した研究[10]では，大腿四頭筋の筋厚の低下率は顕著である．大腿直筋においては，高速歩行群は26.9%，低速歩行群は32.8%の低下率であったのに対し，歩行不可群では82.2%の低下率を示した（▶表1）[10]．体幹筋については，高齢自立群は20.9%の低下率であったのに対し，高齢介助群では40.8%の低下率であったと述べている（▶表2）[10]．

C 筋力増強運動の基本的理論

　適切に筋力増強運動を行うためには，トレーニングの原理・原則に従うことが重要である．3つの原理として，過負荷の原理，可逆性の原理，特異性の原理があり，また5つの原則として，漸進性の原則，反復性の原則，個別性の原則，意識性の原則，全面性の原則がある．

1 3つの原理
a 過負荷の原理

　運動の負荷が，通常より高くないと効果が期待できないことを意味する．これには，運動の強度，運動の頻度，運動の持続時間，運動の期間という

▶表1　高齢者の歩行能力別の下肢筋厚率の低下
大腿四頭筋の顕著な低下が認められる．

(%)	高速歩行群	低速歩行群	歩行不可群
大殿筋	40.3 ± 14.8	41.0 ± 17.9	65.5 ± 10.2**††
中殿筋	34.7 ± 18.9	36.1 ± 17.3	57.7 ± 10.2**††
小殿筋	33.9 ± 21.9	36.4 ± 22.6	50.6 ± 9.51
大腰筋	54.8 ± 20.1	45.9 ± 10.2	62.3 ± 14.8
大腿直筋	26.9 ± 15.9	32.8 ± 23.7	82.2 ± 6.19**††
外側広筋	36.0 ± 17.7	44.3 ± 14.0	83.0 ± 6.00**††
中間広筋	21.3 ± 14.5	40.3 ± 21.8	78.2 ± 11.6**††
大腿二頭筋	51.0 ± 14.3	53.1 ± 10.5	69.4 ± 12.6*†
腓腹筋	34.0 ± 16.7	35.4 ± 24.6	56.8 ± 10.7**†
ヒラメ筋	13.5 ± 24.8	21.6 ± 14.3	49.1 ± 18.9**†

$** : p < 0.01$，$* : p < 0.05$　高速歩行群との有意差を示す．
$†† : p < 0.01$，$† : p < 0.05$　低速歩行群との有意差を示す．
〔市橋則明ほか：運動器障害に対する理学療法のエビデンス．理学療法学，40(4):264–268, 2013より〕

▶表2　高齢者における日常生活のレベル別の体幹の筋厚率の低下

(%)	高齢自立群	高齢介助群
腹直筋	35.5 ± 21.3	50.9 ± 13.3
外腹斜筋	40.2 ± 21.9	65.5 ± 12.9
内腹斜筋	47.6 ± 14.6	56.6 ± 15.4
腹横筋	11.8 ± 26.6	51.5 ± 11.8
脊柱起立筋	24.9 ± 19.1	63.0 ± 21.1
多裂筋	10.2 ± 18.4	29.5 ± 14.6
Muscle total	20.9 ± 24.6	40.8 ± 26.5

〔市橋則明ほか：運動器障害に対する理学療法のエビデンス．理学療法学，40(4):264–268, 2013より〕

4つの基本条件が必要である．一般的に運動強度は，日常生活レベルで発揮する力以上の負荷が必要であるとされている．

(1) 運動の強度

　筋力増強を目的とした場合，最大筋力の60%以上の強度が必要とされている．一方，最大筋力の20%以下では廃用性の筋力低下をきたすとされており，筋力維持を目的とする場合は，最大筋力の20〜30%の強度が必要とされている．

　等尺性収縮による筋力増強運動の強度と収縮時間については，最大筋力の60〜70%の強度の場合は，6〜10秒間の収縮時間が必要とされてい

▶表 3　等尺性収縮運動の強度と時間

最大筋力に対する運動強度の割合（%）	必要な筋収縮時間（秒）
40〜50	15〜20
60〜70	6〜10
80〜90	4〜6
100	2〜3

〔ヘティンガー, Th.(著), 猪飼道夫ほか(訳)：アイソメトリックトレーニング—筋力トレーニングの理論と実際. 大修館書店, 1970 より改変〕

▶表 4　%1 RM と反復回数との関係

最大筋力（1 RM）に対する運動強度の割合（%）	回数
100	1
90	3〜6
80	8〜10
70	12〜15
60	15〜20
50	20〜30
30	50〜60

〔金久博昭：筋力トレーニング—筋出力とトレーニング. 体育の科学, 39(4):274–285, 1989 より改変〕

る[11]（▶表 3）.

　等張性収縮による筋力増強運動の強度は，1 回しか実施できない場合の強度である 1 RM（repetition maximum）に対する反復可能な回数で表すことができる．1 RM が最大筋力となり，最大筋力の 60% の場合は，15〜20 回繰り返すことができる強度に設定する[12]（▶表 4）.

（2）運動の頻度

　運動の頻度については，1 日に何回また何セット行うかということと，週あたり何回行うかといった条件があげられる.

　筋力増強および筋肥大を目的とする場合，1 日に行う回数とセット数は 8〜12 回を 1〜3 セット，1 週間あたりの頻度としては 2〜3 日の実施が推奨されている[13]（▶表 5）.

（3）運動の持続時間

　筋力増強運動の効果を得るためには，条件に見合う運動強度をある一定時間行わなければならない．強度が低い場合は，収縮時間や回数を増やす必要がある．等尺性収縮ではその収縮時間，等張性収縮ではその反復回数を変化させる.

（4）運動の期間

　筋力増強運動開始後の数週間の筋力増強は，神経性因子によるものであり，筋肥大は 3〜6 週以降[14]とされている．また，高齢者の筋力増強は，若年者と比べ運動期間を通して神経性因子が大きく関与している[15]とされ（▶図 8），筋の肥大をおこすには長期間の運動が必要である.

b　可逆性の原理

　筋力増強運動を継続している間は，その効果は持続するが，やめてしまうとその効果が消失することを指す．効果消失までにかかる時間や程度は，それまでに実施してきた内容や時間によって異なる.

c　特異性の原理

　筋力増強運動で効果が顕著に表れるのは，その運動で主たる働きをする筋群の筋力や持久力，収縮形態および速度，関節角度などの条件下においてである．たとえば，マシーンにより膝関節伸展筋群を強化する運動を行えば，大腿四頭筋に効果が表れ，上肢の筋群は筋力増強の効果は得られない．また，膝関節を 90° 屈曲位で等尺性収縮による筋力増強運動を行うと，屈曲 90° 付近での大腿四頭筋の筋力の向上は得られるが，膝関節 0° 付近での筋力としての効果は小さい．特異性には，筋力増強運動中の筋収縮，負荷，関節角度，動作様式がある.

（1）筋収縮様式の特異性

　等尺性収縮による筋力増強運動を行った場合は，等尺性収縮での筋力が増強し，等張性収縮による筋力増強を行った場合は，等張性収縮での筋力が増強する．すなわち，ある筋収縮様式を主体とした運動を行った場合，その収縮様式における筋力の増加が他の収縮様式の筋力よりも大きくなる.

▶表5 筋力増強のガイドライン

筋収縮様式	運動様式	順番	負荷	回数・セット数	休息時間	運動速度	頻度
筋力 遠心性・求心性 遠心性・求心性 遠心性・求心性	単関節・ 多関節運動 単関節・ 多関節運動- 多関節重視	大筋群<小筋群 多関節<単関節 高負荷<低負荷	1 RM の 60〜70% 1 RM の 70〜80% 1 RM ピリオダイ ゼーション	1〜3 セット, 8〜12 回 多セット, 6〜12 回 多セット, 1〜12 回 6〜12 回はピリオダイ ゼーション	2〜3 分：体幹 1〜2 分：その他	低・中 中 高	2〜3 日/週 2〜4 日/週 4〜6 日/週
筋肥大 遠心性・求心性 遠心性・求心性 遠心性・求心性	単関節・ 多関節運動	大筋群<小筋群 多関節<単関節 高負荷<低負荷	1 RM の 60〜70% 1 RM の 70〜80% 1 RM の 70〜100%	1〜3 セット, 8〜12 回 多セット, 6〜12 回 多セット, 1〜12 回 6〜12 回はピリオダイ ゼーション	1〜2 分 1〜2 分 2〜3 分：高負荷, 1〜2 分：低・中 負荷	低・中 低・中 低・中・高	2〜3 日/週 2〜4 日/週 4〜6 日/週
パワー 遠心性・求心性 遠心性・求心性 遠心性・求心性	主に多関節運 動	大筋群<小筋群 複雑性<単純性 高負荷<低負荷	重負荷(80% 以上)： 　力重視 軽負荷(30〜60%)： 　速度重視	1〜3 セット, 3〜6 回 3〜6 セット, 1〜6 回は ピリオダイゼーション	2〜3 分：体幹, 1〜2 分：その他	中 高 高	2〜3 日/週 2〜4 日/週 4〜6 日/週
筋持久力 遠心性・求心性 遠心性・求心性 遠心性・求心性	単関節・ 多関節運動	多様な組み合わ せ	1 RM の 50〜70% 1 RM の 50〜70% 1 RM の 30〜80%	1〜3 セット, 10〜15 回 多セット, 10〜15 回以 上 多セット, 10〜25 回以 上はピリオダイゼーシ ョン	1〜2 分：15 回以 上 1 分：10〜15 回	低〜中 中〜高 	2〜3 日/週 2〜4 日/週 4〜6 日/週

〔Kraemer, W.J., et al.: American College of Sports Medicine position stand. Progression models in resistance training for healthy adults. *Med. Sci. Sports Exerc.*, 34(2):364–380, 2002 より〕

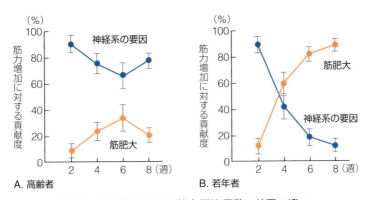

▶図 8　高齢者と若年者における筋力増強運動の効果の違い
〔Moritani, T., et al.: Potential for gross muscle hypertrophy in older men. *J. Gerontol.*, 35(5):672–682, 1980 より一部改変〕

(2) 負荷様式の特異性

　DeLorme[16, 17] は，高負荷・低頻度の運動は最大筋力を増加させ，低負荷・高頻度の運動は筋持久力を増加させるとした．このように，運動中の負荷や運動速度によって効果が異なる．

(3) 関節角度の特異性

　筋力増強運動を行った関節角度やその角度に近い角度で筋力増強の効果が得られやすいことをいう．特に等尺性収縮運動でその特徴がみられる．

（4）動作様式の特異性

　筋力増強運動で実際に行った動作様式における筋力の増強効果が大きいことを指す．たとえば，スクワット動作で大腿四頭筋の筋力増強をはかった場合，スクワット動作自体での大腿四頭筋の筋力は，他の動作や運動における大腿四頭筋の筋力よりも大きい．

2 5 つの原則

a 漸進性の原則

　筋力増強運動により，筋力や筋持久力の増強に伴い，負荷を段階的に増加させていくこと．

b 反復性の原則

　筋力増強運動の効果はすぐに表れることは難しく，一定期間，適切な負荷を繰り返して行うことが必要である．

c 個別性の原則

　年齢や性差，体力，健康状態，精神状態，運動経験やレベルなどを考慮して，その個人の能力やレベルに応じた運動内容を選択することをいう．

d 意識性の原則

　単に筋力増強運動を行うだけでは効果が小さく，運動の目的や内容を理解して取り組むことがより効果を生む．

e 全面性の原則

　全身的にバランスよく筋力増強を行うことをいう．特定の筋のみに筋力増強を行うと，当該筋や運動を行う関節に疼痛や損傷をきたすリスクがある．

D 収縮様式別による筋力増強運動

1 等張性収縮運動による筋力増強

　等張性収縮運動による筋力増強は，筋張力によって関節角度を変化させながら行う運動で筋力を増強させるものである．DeLorme ら[17] が報告した漸増抵抗運動（progressive resistive exercise; PRE）が，現在でも代表的な理論となっている．その方法は，まず 10 RM を決定する．10 RM とは，全可動域を 10 回反復運動できる運動強度である．10 RM の 50% の強度で 10 回運動を行う．これを 1 セット目とする．続いて 2 セット目では，10 RM の 75% の強度で 10 回運動を行い，さらに 3 セット目は 10 RM の 100% の強度で 10 回，合計 30 回を行うというものである．1 週ごとに 10 RM を測定し，運動強度を増加させていく方法である．

　また，PRE が改良されて生まれた漸減抵抗運動（regressive resistive exercise; RRE）による筋力増強運動がある．これは，10 RM の 100% の強度で 10 回運動を行い，1 セットごとに 10% ずつ強度を減らしていき，10 回の運動を 10 セット行うものである．

2 等尺性収縮運動による筋力増強

　等尺性収縮運動は，関節運動を伴わず筋の長さを一定に保った収縮様式のことである．Hettinger, Müller の方法[18] は，最大筋力の 2/3 以上で 6 秒間の等尺性収縮を 1 日 1 回行うというものであった．その後，最大筋力を 4〜6 秒間，1 日に 5〜10 回の頻度が効果的であるとされている．

　特異性の原理でも述べたように，等尺性収縮運動による筋力増強運動では，運動を行った関節角

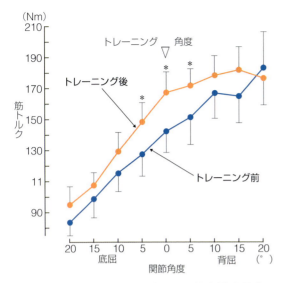

▶図9　足関節の等尺性収縮による筋力増強運動の影響
足関節底背屈 0°（▽）での底屈の最大等尺性筋力運動を行った結果，0°の前後（＊）では有意な筋力向上がみられた．
〔Kitai, T.A., et al.: Specificity of joint angle in isometric training. *Eur. J. Appl. Physiol. Occup. Physiol.*, 58(7): 744–748, 1989 より一部改変〕

度やその角度に近い角度で筋力増強の効果が得られやすい．Kitai ら[19] は，足関節底背屈 0°で足関節底屈の最大等尺性筋力運動を 6 週間行った結果，最大等尺性筋力は運動角度を中心とした前後 5°で有意な向上がみられたが，その他の角度では有意な筋力向上はみられなかったと報告している（▶図 9）．そのため，臨床で求められる動作レベルで筋力向上を考えると，等尺性収縮運動による筋力増強は，さまざまな関節角度で実施することが望ましい（▶図 10）．

3 等速性収縮運動による筋力増強

関節運動の速度を一定に規定した筋力増強運動である．規定の速度に達したら，それ以上の速度を超えようと発揮した筋力と同等の力が運動強度となる．全可動域を通して一定の角速度の運動となるため，すべての角度で最大筋力を負荷することができる．等速性収縮運動を行うにはそれ専用の機器が必要となる．等速性収縮運動による筋力増大の効果としては，開始から 8 週時に等尺性収縮の約 3.6 倍，等張性収縮運動の約 1.7 倍であったとの報告がある[20]．

4 収縮様式別の筋力増強運動における適応と注意

等尺性収縮運動による筋力増強運動は，外傷や手術後などで装具・ギプスによる関節の固定・保護が必要な場合や，疼痛などにより関節運動が困難な場合において適応となる．

等張性収縮や等速性収縮による筋力増強運動の適応は，基本的には等尺性収縮運動の適応以外が該当する．ただし，病態や術式によっては，関節運動の範囲に制限が設けられることもあるため，医師への確認が必要である．

高齢者や心疾患を有する患者に対しては，運動強度に注意が必要である．等尺性収縮運動では，一般的に等張性収縮運動に比べ血流量の減少や血圧上昇が生じるとされているが，いずれの収縮様式でも血圧上昇は生じる．また，呼吸を止めて運動を行うと，血圧上昇のリスクがあるため，呼吸を止めない程度の運動強度が望ましい．心不全のある高齢の患者は，筋力低下やサルコペニアが高率にみられ，筋量増加，筋肥大が必要であり，これらの改善には 60％ 以上の運動強度が望ましいが，リスク管理上，上肢には最大運動強度の 30～40％，下肢では 40～50％ で行うことが推奨されている[21]．循環系への過度な負荷を加えることなく，筋肥大や筋量増加のために，近年では低負荷でゆっくりとした運動速度で行うスロートレーニングの効果も示されている[22, 23]．

E 臨床での実際

前述のように，臨床場面での筋力検査は MMT を用いることが多く，これは単関節運動における

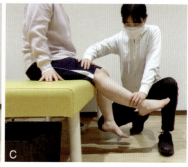

▶図 10　臨床場面における等尺性収縮による筋力増強運動の例
さまざまな関節角度で行うことが望ましい.

▶図 11　固定の有無による筋力の違い
Ａ：体幹を固定した状態での膝関節伸展筋力の検査.
Ｂ：体幹の固定がない状態での膝関節伸展筋力の検査.
Ａと比較して Ｂ で筋力の発揮が明らかに低下する場合，体幹固定力の差が問題と解釈できる.
赤矢印：抵抗，青矢印：筋力

関節モーメントを段階づけして筋力として評価している. しかし，実際には単関節運動レベルで筋力が発揮されているわけではない. また，ある筋（群）の MMT を行った場合の結果が 5 でなかったときに，これを「筋力低下」と簡単に決定することはできず，「筋力を発揮できない理由」がある. この原因探究は非常に重要となる. ここでは，臨床場面において筋力に関する検査や運動療法を行ううえで影響を与える要因について述べていく.

1 固定の有無

たとえば，膝関節伸展の MMT を行う場合を考えてみよう. 体幹を上肢でしっかり固定して行うことが一般的な方法であるが（▶図 11 Ａ），仮に体幹の固定をなくして膝関節伸展 MMT を行うと（▶図 11 Ｂ），体幹を固定したほうが MMT の結果がよくなることは容易に想像できる. このことから，膝関節伸展の MMT の結果には，体幹の固定性が影響する. 2 つの筋力差が明らかに大きい場合は，体幹固定性を高めることが膝関節伸展筋力の発揮に重要となり，体幹機能の向上が求められる.

他の部位も同様で，臨床場面で行う筋力評価や筋力増強運動は，当該関節の運動をつかさどる主動作筋のみで力を発揮しているわけではないことを念頭におく必要がある.

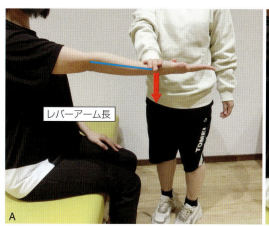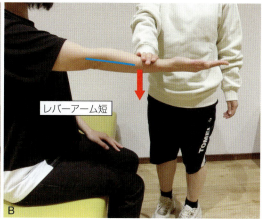

▶図 12　筋力検査時の抵抗位置の違いによる影響

抵抗位置(矢印)がレバーアーム(青線)を決定し，レバーアームが長いとより大きな筋力が求められる．また，隣接関節の固定力も影響を与える．A は B よりもレバーアームが長く，肩関節の固定力がより必要となる.

2 抵抗位置

　抵抗位置はレバーアームを決定するため，筋力検査を行う場合は，抵抗位置の違いは結果に影響を与える．そのため，必ず一定の位置にする．筋力増強運動においては，抵抗位置も運動強度となる．また，レバーアームの長い位置に抵抗をかけると，隣接関節の固定性がより求められる(▶図 12)．さらに，主動作筋の筋力が不十分な状態では，隣接関節の代償運動が生じやすくなる.

3 支持基底面

　端座位で股関節屈曲筋の筋力増強運動を行う場合を例にあげる．反対側の足底が接地している座位では，運動側の股関節屈曲の筋力発揮が強くなりやすいが(▶図 13 A)，接地していない座位になると，運動側の筋力発揮が困難あるいは低下する場合がある(▶図 13 B)．このように，支持基底面の有無や広さによって主動作筋の発揮される筋力が異なるため，限局した負荷を与えるためには，支持基底面は極力小さいほうがよい.

4 関節肢位

　関節角度が変化すると，モーメントアームの変化や筋の作用方向に変化が生じる．そのため，筋の長さにも変化が生じる．筋張力の項で述べたように，筋長によって筋張力は影響を受ける．小柏ら[24] は，股関節周囲筋の発揮トルクに関する研究を行い，大腿直筋と腸腰筋においては，股関節屈曲 10〜30° では同等のトルクを発生するが，伸展 20°〜股関節屈曲 10° および屈曲 30° 以上では腸腰筋のトルクが大きいとした(▶図 14).

　臨床場面でもこれらを利用して，筋力の評価および運動療法を行う場合もある．たとえば，股関節外転筋筋力評価において，股関節内外転中間位では抵抗に抗して外転筋力が発揮できるが，股関節外転位では抵抗がなくてもその肢位の保持すら困難な場合が少なくない．股関節内外転中間位付近での抵抗(レジスタンス)運動による外転筋力強化を行うと(▶図 15)，その直後の片脚立位では Trendelenburg(トレンデレンブルグ)現象が生じることが多い(▶図 16)．筋力増強運動の方法によっては動作に悪影響を及ぼすこともあり，目的に沿って条件設定を行うことが求められる.

 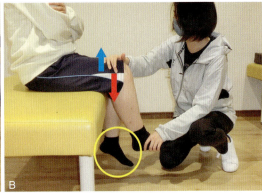

▶図 13　筋力発揮における支持基底面の影響
A：検査側と対側の足底が接地した状態.
B：検査側と対側の足底が接地していない状態.
A のほうが B より筋力発揮が容易になる.
赤矢印：抵抗，青矢印：筋力

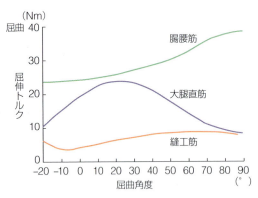

▶図 14　股関節屈曲筋のトルクの変化
〔小栢進也ほか：関節角度の違いによる股関節周囲筋の発揮筋力の変化―数学的モデルを用いた解析. 理学療法学, 38(2): 97–104, 2011 より〕

▶図 15　股関節内外転中間位付近での外転抵抗運動

▶図 16　図 15 後の片脚立位では遊脚側の上前腸骨棘が下制する Trendelenburg 現象が出現

　Trendelenburg 現象について述べると，股関節を伸展位にし，さらに外転位での外転筋の等尺性収縮運動（▶図 17）によって即時的な改善が得られやすい（▶図 18）．これを行うためには，股関節伸展や外転可動域獲得が必要である．このように，効果的な筋力増強運動を行うためには，可動域との関係も考慮する必要がある.

5 拮抗筋の伸張性・関節可動域

関節可動域制限があると，その関節の主動作筋

の筋力増強は限られた範囲でしかできない．結果として，動作能力の改善につながらないことになる．たとえば，端座位で大腿四頭筋の筋力増強運動を行う場合，ハムストリングスの柔軟性が不十分なために膝関節の伸展制限があると，制限のある可動域において筋力増強は得られない．この場合，膝関節伸展角度が増加するにつれて骨盤の後傾を伴わないと筋力が発揮できない（▶図 19）．そのため，まずはハムストリングスのストレッチ

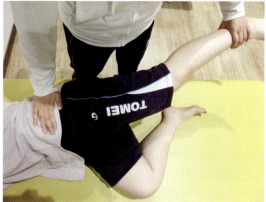

▶図 17　股関節伸展・外転位での等尺性収縮運動

▶図 18　図 17 後の片脚立位では Trendelenburg 現象が改善

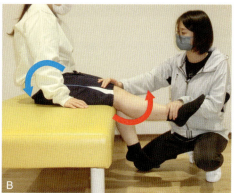

▶図 19　ハムストリングスの伸張性低下の場合の膝関節伸展筋力増強運動
ハムストリングスの伸張性が低下している場合，膝関節伸展筋力を発揮するには（赤矢印），膝関節の伸展角度が増加するにつれて骨盤後傾が伴う（青矢印）．

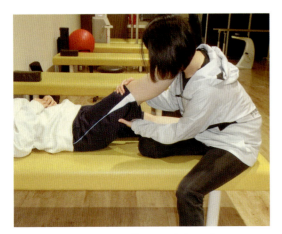

▶図 20　ハムストリングスのストレッチ

▶図 22　スクワット
A：大腿四頭筋への負荷が大きいスクワット
B：ハムストリングスへの負荷が大きいスクワット

▶図 21　腹筋運動
下肢の肢位を変化させることで腹筋群への運動強度を変化させることができる.

など(▶図 20)により伸張性を改善し, 膝関節伸展制限の解消をはかったうえで行う. このように, 主動作筋に対する拮抗筋の筋緊張や伸張性を考慮し, 運動療法の順序を検討することも必要である.

6 自重トレーニング

　体幹筋筋力増強においては, 外力負荷を与えることが難しい. このような場合は, 四肢の肢位を変化させることで, 運動強度に強弱をつけることができる. たとえば, 腹筋運動では, 図 21 A のように下肢を伸展位で行うと容易に体幹を起こすことが可能となるが, 図 21 B のように股関節・膝関節を屈曲位にすると, 腹筋群への運動強度が増加する.

　また, 荷重位での筋力増強運動においても外力が与えられない場合は, 体重負荷だけとなるため, 負荷量に限界が生じるが, 多関節の連鎖的な協調運動やパフォーマンス向上については効果が期待できる. スクワットでは, 体幹肢位を変化させることで, 強化したい筋群へ負荷を加えることができる(▶図 22).

●引用文献

1) 川上泰雄：骨格筋の構造と機能. 山田 茂, 福永哲夫（編）：骨格筋—運動による機能と形態の変化, pp.1–21, NAP, 1997.

2) 小竹伴照：筋力増強訓練. 総合リハ, 19(5):505–509, 1991.

3) 市橋則明：筋の構造と機能. 市橋則明（編）：身体運動学—関節の制御機構と筋機能, pp.22–29, メジカルビュー社, 2017.

4) Kawakami, Y., et al.: Muscle-fiber pennation angles are greater in hypertrophied than in normal muscles. *J. Appl. Physiol. (1985)*, 74(6):2740–2744, 1993.

5) 池添冬芽ほか：加齢による大腿四頭筋の形態的特徴および筋力の変化について—高齢女性と若年女性との比較. 理学療法学, 34(5):232–238, 2007.

6) 真島英信：筋肉の構造と収縮機構. 医用電子と生体工学, 4(1):2–11, 1996.

7) 津田英一：筋力増強の理論. *Jpn. J. Rehabil. Med.*, 54(10):740–745, 2017.

8) 福永哲夫：骨格筋の機能と加齢変化. *Prog. Med.*, 30(12):3011–3016, 2010.

9) Lexell, J., et al.: What is the cause of the ageing atrophy? Total number, size and proportion of different fiber types studied in whole vastus lateralis muscle from 15-to-83-year-old men. *J. Neurol. Sci.*, 84(2-3):275–294, 1998.

10) 市橋則明ほか：運動器障害に対する理学療法のエビデンス. 理学療法学, 40(4):264–268, 2013.

11) ヘティンガー, Th.(著), 猪飼道夫ほか(訳)：アイソメトリックトレーニング—筋力トレーニングの理論と実際. 大修館書店, 1970.

12) 金久博昭：筋出力とトレーニング. 体育の科学, 39(4):274–285, 1989.

13) Kraemer, W.J., et al.: American College of Sports Medicine position stand. Progression models in resistance training for healthy adults. *Med. Sci. Sports Exerc.*, 34(2):364–380, 2002.

14) Moritani, T., et al.: Neural factors versus hypertrophy in the time course of muscle strength gain. *Am. J. Phys. Med.*, 58(3):115–130, 1979.

15) Moritani, T., et al.: Potential for gross muscle hypertrophy in older men. *J. Gerontol.*, 35(5):672–682, 1980.

16) DeLorme, T.L.: Restoration of muscle power by heavy-resistance exercises. *J. Bone Joint Surg.*, 27:645–667, 1945.

17) DeLorme, T.L., et al.: Technics of progressive resistance exercise. *Arch. Phys. Med. Rehabil.*, 29(5):263–273, 1948.

18) Hettinger, Th., Müller, E.A.: Muskelleistung und Muskeltraining. *Arbeitsphysiologie*, 15(2):111–126, 1953.

19) Kitai, T.A., et al.: Specificity of joint angle in isometric training. *Eur. J. Appl. Physiol. Occup. Physiol.*, 58(7):744–748, 1989.

20) Thistle, H.G., et al.: Isokinetic contraction: a new concept of resistive exercise. *Arch. Phys. Med. Rehabil.*, 48(6):279–282, 1967.

21) 中島敏明：心疾患患者に最適な運動様式：運動強度・運動時間・運動様式. 心臓, 44(3):279–285, 2012.

22) Tanimoto, M., et al.: Effects of low-intensity resistance exercise with slow movement and tonic force generation on muscular function in young men. *J. Appl. Physiol. (1985)*, 100(4):1150–1157, 2006.

23) 吉原 楓ほか：スロートレーニングと収縮形態を組み合わせた筋力増強運動時の心血管応答. 理学療法科学, 34(5):641–644, 2019.

24) 小栢進也ほか：関節角度の違いによる股関節周囲筋の発揮筋力の変化—数学的モデルを用いた解析. 理学療法学, 38(2):97–104, 2011.

持久力増強運動

学習目標
- 筋持久力と全身持久力の定義・評価方法を理解する.
- 筋持久力と全身持久力を向上させるための運動プログラムとその運動効果を知る.

A 持久力の概念

1 体力の分類からみた持久力

体力とは広い概念であり、身体的要素と精神的要素の 2 つに大別される[1]. 各要素はそれぞれ、行動体力と防衛体力からなる. 行動体力は、形態と機能に分類され、機能は筋力、敏捷性・スピード、平衡性・協応性、持久性、柔軟性の能力からなる(▶図 1). また、近年では生活習慣病の予防や健康増進の指標として、①心肺持久力、②筋力・筋持久力、③身体組成、④柔軟性の要素からなる**健康関連体力**(health-related fitness)という概念[2] もよく使われている.

このように、**持久力**は体力を評価する重要な指標の 1 つであり、身体行動(運動)を持続する能力、または身体行動の継続は疲労の発現によって規定されることから、疲労に抗して行動を持続する能力と定義される[3].

2 持久力の分類

持久力は筋機能、呼吸・循環機能などによって調節・維持され、その特性から筋骨格系に関連した**局所持久力**(筋持久力)と、全身の筋を使う場合の呼吸・循環・代謝系に関連した**全身持久力**に分類される. また、エネルギー出力特性からみれば、**無酸素的持久力**と**有酸素的持久力**に分類される[3].

一般的に持久力が高いということは、有酸素性エネルギー供給系の能力が高いことを示す. 実際には筋持久力と全身持久力は互いに関連し合っているため完全に分離して議論することはできないが、本章ではこの分類に沿って解説する.

3 筋持久力

筋持久力とは、ある一定の限られた時間内において、速度の最大の効率で筋力や筋パワーを調子よく持続的に保持しうる能力のことである. よって、筋持久力の評価では、筋作業の遂行が継続しうる時間の量、あるいは一定動作の反復回数などが主な指標となる[4]. 一方、猪飼[1] は、筋力、スピード、持久性の関係を三次元的にとらえ、エネルギーからみた体力には「力の持久性」と「スピードの持久性」と「パワーの持久性」の 3 つの要素が存在するとしている(▶図 2)[5]. 筋持久力を決定する主な因子としては、①筋の貯蔵エネルギー源、②筋への酸素運搬能力、③筋の酸素利用能力、④神経系の機能がある[6].

a 筋の貯蔵エネルギー源

筋の貯蔵エネルギー源とは、筋の張力発揮に必

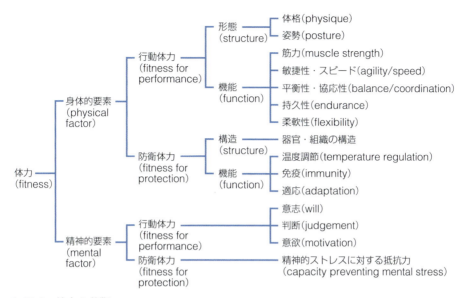

▶図1 体力の分類
〔猪飼道夫：運動生理学入門. pp.143-178, 杏林書院, 1979 より〕

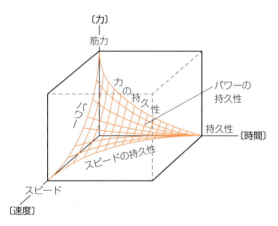

▶図2 筋力，スピード，持久性の関係
〔猪飼道夫ほか：教育生理学. 第一法規, 1968 より〕

要なエネルギー物質であるアデノシン三リン酸（adenosine triphosphate; ATP）や，そのエネルギー源となるグリコーゲン量などである．つまり，筋グリコーゲン量が多いほど筋持久性は高くなる．

b 筋への酸素運搬能力

筋への酸素運搬能力とは，ATP を長時間にわたり再合成するために筋組織内へ酸素を送り込み，ミトコンドリア内の TCA 回路へ酸素を供給する能力のことである．この筋への酸素運搬は筋血流量により決まる．筋血流量は30%MVC（maximum voluntary contraction；最大随意収縮）までは運動強度に比例し増大するが，それ以上の強い収縮になると，逆に筋張力によって血管が圧迫されて血流量は低下する．60～70%MVC以上では血流が完全に遮断される．

c 筋の酸素利用能力

筋の酸素利用能力とは，運動中に血流から運ばれてきた酸素を筋組織内に取り込める能力のことである．

d 神経系の機能

神経系の機能とは，大脳皮質での興奮水準のことである．たとえば，筋疲労が発生したときに「かけ声」を発することにより，一時的に筋力が高まることなどがあげられる．

4 全身持久力

全身持久力とは，全身の骨格筋を使った運動を持続することのできる呼吸・循環能力のことである．全身持久力を Wasserman（ワッサーマン）の**歯車**[7]で説明すると，呼吸によって肺に取り込まれた酸素を心臓へ，そして血液を介して全身の筋に運搬し，活用して運動中にエネルギーを産生させる能力のことである〔II−第 6 章「運動と呼吸」の図 18（→ 108 ページ）参照〕．よって，全身持久力の評価では，最大酸素摂取量や心拍数（heart rate; HR）などが主な指標となる．

全身持久力の決定には，最大酸素摂取量，酸素輸送系（①換気，②肺拡散とヘモグロビンの酸素結合力，③循環）の因子がある[8]．

a 最大酸素摂取量

呼吸によって体内に取り込むことのできる酸素量のことを**酸素摂取量**という．酸素摂取量は運動強度に比例して直線的に増加していくが，ある強度以上になると呼吸・循環機能が限界となり増加しなくなる．このときの酸素摂取量を**最大酸素摂取量**（maximal oxygen uptake; $\dot{V}O_2max$）といい，全身持久力の代表的指標とされている．酸素摂取量は，Fick（フィック）の原理[*1]から算出することができる〔式 1〕．

〔**式 1**〕**酸素摂取量算出の計算式**

酸素摂取量（mL/分）＝心拍数（回/分）× 1 回拍出量（mL）×動静脈酸素含量較差（mL/L）

心拍数（回/分）× 1 回拍出量（mL）は心臓から 1 分間に送り出される血液量であり，心拍出量（mL/分）と呼び，心機能を反映する．動静脈酸素含量較差とは動脈血と静脈血の酸素含量の差であり，筋組織などで取り込まれた酸素量のことを表

し，運動中の筋の酸素利用効率を反映している．つまり，動静脈酸素含量較差の値が大きいほど利用効率は高いといえる．この関係性は $\dot{V}O_2max$ でも成立し，$\dot{V}O_2max$ は最大心拍出量と最大動静脈酸素含量較差の積で表すことができる．一般的に $\dot{V}O_2max$ は体重に比例するため，体重あたりに換算した値（mL/kg/分）が用いられる．

b 酸素輸送系

酸素輸送系とは，外気（大気）の酸素を生体内の運動している筋組織まで輸送する作用であり，以下の過程から成り立っている．

■換気

換気とは，呼吸器によって行われる肺への外気の吸入と呼出運動をいう．成人の安静時換気量は 6〜9 L/分であるのに対し，運動時は酸素摂取量に比例して最大換気量は 80〜120 L/分となり，安静時の 10 倍以上に増加する．しかし，実際の呼出運動による換気量は肺胞内に流入する肺胞換気量とは一致しないため，必ずしも $\dot{V}O_2max$ の制限因子とはならないとされている．

■肺拡散とヘモグロビンの酸素結合力

肺拡散とは，肺胞内の酸素が肺の毛細血管内に移動する過程をいう．そして，移動した酸素は血液中の赤血球のヘモグロビンと結合する．

■循環

ヘモグロビンと結合した酸素は，血液の流れによって運動している筋組織まで輸送され，筋組織内に取り込まれる．そして，筋細胞内で産生された二酸化炭素は血液中に移動し，静脈を通り心臓，そして肺へ輸送され，呼気によって体外へ排出される．

---

*1：心拍出量は，酸素摂取量を動脈と静脈の酸素含量の差で除すことで算出されるとした血流量測定法の原理．

B 持久力の評価

1 筋持久力の評価

　筋持久力の評価としては，①収縮様式別（静的筋持久力，動的筋持久力）評価，②等速性機器を用いた評価，③表面筋電図を用いた評価などがある．

a 収縮様式別（静的筋持久力，動的筋持久力）評価

　静的筋持久力評価の場合は，等尺性収縮で行う．その際の負荷方法は，個人の発揮できる最大随意収縮（MVC）を基準にした場合（相対的負荷）と，負荷を一定にした場合（絶対的負荷）の2通りがあり，その負荷量をどれだけ長い時間保持できるかを評価する．たとえば，前者であれば，50%MVCを基準にした場合，各個人の発揮できる筋力の半分の重量を負荷として，その持続時間を評価する．後者であれば，個人のMVCに関係なく，一律の重錘を負荷として，その持続時間を評価する．異なる対象者間で筋持久力を評価する場合は相対的負荷，同一対象者で筋持久力の改善を評価する場合は絶対的負荷が用いられることが多い．

　動的筋持久力評価の場合は，求心性収縮で行う．その際の負荷方法は静的筋持久力評価の場合と同じであるが，運動の規定の方法は3種類（リズム，時間，回数）ある．メトロノームなどを使って運動リズムを一定にして運動を反復させ，そのときの最大反復回数を評価する方法，運動の時間を規定して，その時間内に実施できる最大反復回数を評価する方法，運動の回数を規定して，その所要時間を評価する方法の3つである．

b 等速性機器を用いた評価

　等速性機器を用いた評価では，角速度，運動回数，休息時間などを設定する．角速度の設定は低速：60 deg/秒以下，中速：60〜180 deg/秒，高速：180 deg/秒の3速度から選択するのが一般的である[9]．筋持久力の評価指標としては，全仕事量（J）（1セッション内で行われた運動の仕事量の総和），平均パワー（W）（単位時間あたりの仕事量），仕事量疲労（%）（全実施時間の最初の1/3と最後の1/3の時間に発揮した仕事量の比率），減衰回数（回）（MVC値が規定の筋力値まで減衰するまでの回数）などがある．

c 表面筋電図を用いた評価

　表面筋電図（electromyogram; EMG）とは，ある運動により表在筋を中心とした骨格筋筋線維に発生する活動電位を電気的信号として抽出・記録したものであり，その信号のなかには，①時間，②振幅（電位），③周波数の情報が含まれている[10]．EMG解析は大きく分けて積分筋電図（integrated EMG; IEMG）解析と周波数解析がある．

■積分筋電図解析（IEMG解析）

　IEMG解析は，時間軸における筋の電気的活動量の総計，すなわち総仕事量を定量化したものである．MVC以下で運動を持続した場合は，等尺性や等張性といった運動様式にかかわらず，IEMGは時間の経過とともに増加する．このIEMG増加の要因は，筋疲労により筋張力の低下が生じることで，筋力を維持するため代償的に新たな運動単位が動員されることや，すでに動員されている運動単位の発火頻度が高まるためと考えられている[11]．

　図3は，ヒラメ筋を対象に等尺性で25%MVCの運動を4分程度維持したときのIEMGの変化を示している．**図3A**では，時間の経過とともにIEMGが増加しているのがわかる．一方，**図3B**は4分間の持続運動後の様子を示している．運動後は9%MVCから45%MVCまで筋力を発揮した際のIEMGの変化，すなわち運動前と比べ直線の傾きが大きくなっており，筋疲労が生じていることを示している．

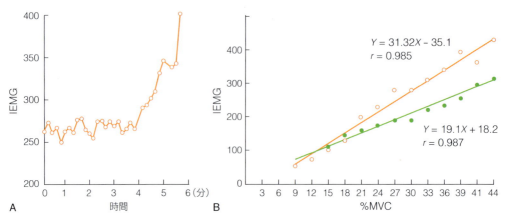

▶図3　MVC 以下で運動を持続したときの IEMG の特徴
A：横軸は時間（分），縦軸は IEMG を示す.
B：横軸は %MVC，縦軸は IEMG を示す. グリーンは運動前，オレンジは運動後を示す.
〔Edwards, R.G., et al.: The relation between force and integrated electrical activity in fatigued muscle. *J. Physiol.*, 132(3):677–681, 1956 より改変〕

このように，回帰直線の傾きを測定することで筋疲労評価が可能となる. たとえば，治療介入前に比べ，治療介入後の回帰直線の傾きが小さくなれば，疲労しにくくなったということを示しており，筋の持久性が向上したと判断できる.

■周波数解析

周波数解析は，EMG 波形をさまざまな周波数の波に分解し，横軸に周波数，縦軸にパワースペクトル密度をとって，周波数の低いものから順に並べたものである. これを **EMG パワースペクトル**と呼ぶ.

筋疲労が生じると EMG 波形の徐波化がおこり，平均周波数（mean power frequency; MPF）や中間周波数（median power frequency; MdPF）は低下することが知られている. これは主に運動単位の疲労特性（発火頻度の低下や加重）を反映したものと考えられている. 徐波化の原因としては，乳酸などの筋代謝物質の蓄積による筋線維伝導速度の低下や，運動単位の同期化，活動電位の持続時間の減少などが考えられている[12].

図4[13, 14] は 20，50，80%MVC の一定負荷の筋収縮を持続させたときの MdPF の変化を示して

おり，時間の経過に伴い MdPF の低下が認められる. IEMG 解析と同様に回帰直線の傾き（回帰係数）や疲労前後の MPF の相対的変化量などで評価される.

2 全身持久力の評価

全身持久力の評価方法としては，①$\dot{V}O_2max$ による評価，②心拍数による評価などがある.

a 運動様式の種類

運動負荷試験では，運動負荷をかける際の運動様式にさまざまな方法がある（▶**表1**）. 臨床場面では，対象者の身体機能に応じて運動様式を選択する必要があるが，自転車エルゴメータはトレッドミルと比較して $\dot{V}O_2max$ が 5〜25% 低値を示すという報告や，上肢エルゴメータはトレッドミルと比較して 20〜30% 低値を示すという報告などがあり，運動様式の違いにより $\dot{V}O_2max$ は異なり，絶対的なものではない.

b 運動負荷の設定

運動負荷の設定方法としては，単一段階負荷で

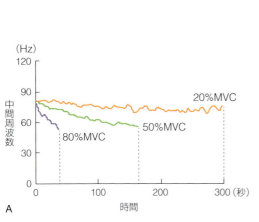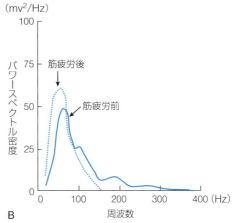

▶図4　筋疲労と EMG パワースペクトル

A：第一背側骨間筋を対象に 20，50，80%MVC 時の中間周波数（MdPF）の経時的変化を示している．収縮強度が高いと MdPF の低下率（回帰直線の傾き）も大きいことがわかる.
〔Basmajian, J., et al.: Muscles Alive. 5th ed., p.217, Williams & Wilkins, 1985 より改変〕

B：外側広筋を対象に筋疲労前（実線）と筋疲労後（破線）の EMG パワースペクトルを示している．筋疲労により EMG パワースペクトルの高周波帯成分が減少し，逆に低周波帯成分が増大している.
〔Komi, P.V., et al.: EMG frequency spectrum, muscle structure, and fatigue during dynamic contractions in man. *Eur. J. Appl. Physiol. Occup. Physiol.*, 42(1):41–50, 1979 より改変〕

▶表1　障害別にみた運動様式の種類

歩行障害なし	歩行障害あり
● 平地歩行・走行	● 車椅子トレッドミル
● トレッドミル歩行・走行	● 自転車エルゴメータ
● 自転車エルゴメータ	● 起立着座
● 踏み台昇降	● 上肢エルゴメータ
● 階段昇降	
● 上肢エルゴメータ	

行う方法，多段階負荷で行う方法，ランプ負荷による方法などがある（▶図5）.

C 運動負荷試験実施の禁忌事項と中止基準

運動負荷試験を実施する場合，禁忌事項（▶表2）[15] や中止基準（▶表3）[15] を十分理解しておくことが必要である.

d 最大酸素摂取量（$\dot{V}O_2max$）による評価

$\dot{V}O_2max$ の測定は，呼気ガス分析装置を用いて，①最大運動負荷で直接測定する方法（直接法），

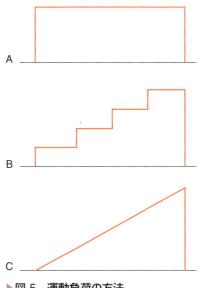

▶図5　運動負荷の方法
A：単一段階負荷
B：多段階負荷
C：ランプ負荷

②最大運動負荷をかけない最大下負荷で測定し，その値から最大値を推定する方法（間接法）がある．また，③分析装置を使わず**無酸素性作業閾**

▶表 2　運動負荷試験の禁忌事項

絶対的禁忌

① 2 日以内の急性心筋梗塞
② 持続している不安定狭心症
③ 血行動態の異常を伴うコントロール不良の不整脈
④ 活動期の心内膜炎
⑤ 症候性の重度大動脈弁狭窄症
⑥ 非代償性心不全
⑦ 急性肺塞栓症，肺梗塞，または深部静脈血栓症
⑧ 急性心筋炎，または心膜炎
⑨ 急性大動脈解離
⑩ 安全かつ適切な試験が行えない身体障害

相対的禁忌

① 既知の左冠動脈主幹部の狭窄
② 中等度〜重度の大動脈弁狭窄症
③ コントロール不良の頻性不整脈
④ 高度，または完全な房室ブロック
⑤ 重度の安静を伴う肥大型閉塞性心筋症
⑥ 最近の脳卒中，または一過性脳虚血発作
⑦ 意思疎通が困難な精神障害
⑧ 収縮期/拡張期血圧が 200/110 mmHg 以上の安静時高血圧
⑨ 重度な貧血，電解質異常，甲状腺機能亢進症

〔Fletcher, G.F., et al.: Exercise standards for testing and training: A scientific statement from the American Heart Association. *Circulation*, 128(8):873–934, 2013 より作成〕

▶表 3　運動負荷試験の中止基準

絶対的適応

① 異常 Q 波を伴わない ST 上昇（1.0 mm 以上）(aVR, aVL, V1 を除く)
② 他の虚血の証拠を伴い，運動量の増大に反して収縮期血圧が 10 mmHg 以上低下
③ 中等度〜重度の狭心症
④ 中枢神経症状（運動失調，めまい，失神寸前）
⑤ 灌流不良の所見（チアノーゼ，または蒼白）
⑥ 持続性心室頻拍，またはその他の不整脈（II 度または III 度房室ブロックを含む）
⑦ 心電図，または収縮期血圧のモニタリングが技術的に困難
⑧ 被験者が中止を要請

相対的適応

① 虚血が疑われる対象者の明確な ST 変化（QRS 波の終わりの J 点から 60〜80 msec 後に測定された 2 mm 以上の水平または下降変化）
② 他の虚血の証拠がなく，運動量の増大に反して収縮期血圧が持続的にベースライン 10 mmHg 以上低下
③ 胸痛の増悪
④ 疲労，息切れ，喘鳴，下肢痙攣，跛行
⑤ 多源性異所性，3 連発，上室性頻拍，徐脈などを含む血行動態の安定性に影響する持続性心室頻拍以外の不整脈
⑥ 過度の血圧上昇（収縮期血圧 250 mmHg 以上，または拡張期血圧 115 mmHg 以上）
⑦ すぐに心室頻拍と判断できない脚ブロック

〔Fletcher, G.F., et al.: Exercise standards for testing and training: A scientific statement from the American Heart Association. *Circulation*, 128(8):873–934, 2013 より作成〕

値（anaerobic threshold; AT）や**換気性作業閾値**（ventilatory threshold; VT）などの指標から推定する方法もある．

■直接法

直接法は，トレッドミルやエルゴメータを用いて，対象者が疲労困憊となり運動できなくなる状態（オールアウト）まで運動を実施したときの $\dot{V}O_2max$ を呼気ガス分析装置などにより測定する方法である（▶図 6）．$\dot{V}O_2max$（▶表 4）[16] は，①レベリングオフの観察（運動負荷量を増加しても酸素摂取量がそれ以上増加しない状態），②年齢から算出される予測最大心拍数への到達〔**式 2**〕[17]，③呼吸交換比（酸素消費量と二酸化炭素排出量の比）が 1.0 以上，④血中乳酸濃度が 10 mmol/L 以上，⑤自覚的運動強度（ratings of perceived exertion; RPE）（▶表 5）[18] が 19 以上といった条件を複数満たすことで定義される[19]．

▶図 6　呼気ガス分析装置を用いた最大酸素摂取量の測定

この方法は最も高い信頼性と妥当性がある．しかし，高額機器と熟練した技術が必要とされる．

〔式 2〕年齢から算出する予測最大心拍数の計算式

予測最大心拍数（回/分）= 220 − 年齢　〔Blackburn〕

予測最大心拍数（回/分）= 207 − (0.7 × 年齢)
〔Gellish[17]〕

■間接法

実際の臨床場面では，呼吸・循環器障害，脳血管障害，運動器障害などがあり，$\dot{V}O_2max$ が得られるまでの最大負荷がかけられない場合がある．そのような場合は，最大下で 3 段階以上の運動負荷を実施し，そのときの心拍数と酸素摂取量を測定し，年齢から算出される予測最大心拍数を用いて，外挿法により $\dot{V}O_2max$ を推定する（▶図 7）.

■無酸素性作業閾値（AT）から推定する方法

筋は収縮するためのエネルギー源として ATP を利用する．しかし，筋内に貯蔵されている ATP は微量であるため数秒の運動で枯渇する．運動を持続するためには ATP を再合成，または産生し供給する機構が必要となる．その供給機構には酸素を利用しない① ATP–CP 系，②解糖系，そして酸素を利用する③有酸素系がある．運動の持続時間としては，ATP–CP 系で約 8〜10 秒，解糖系で約 33 秒，有酸素系で無制限とされている（▶図 8）[20].

前述したように運動強度が軽度で持続される場合，代謝の過程で酸素を利用する好気性代謝で ATP が産生されるが，運動強度を漸増させていくと酸素を利用しない嫌気性代謝による ATP 産生も動員されるようになる．この好気性代謝に嫌気性代謝が加わり始める段階の運動強度の値を AT

▶表 4　性・年代別の最大酸素摂取量
(mL/kg/分)

	年齢		
	18〜39 歳	40〜59 歳	60〜69 歳
男性	39	35	32
女性	33	30	26

〔厚生労働省：「健康づくりのための身体活動基準 2013」及び「健康づくりのための身体活動指針（アクティブガイド）」についてより〕

▶表 5　自覚的運動強度〔Borg（ボルグ）スケール〕

Borg スケールには 6〜20 の 15 段階の原型スケールと 0〜10 で表現する修正スケールがある．原型スケールは主に運動中の心拍数や酸素摂取量と相関が高いとされる（スケールの 10 倍の値が心拍数に近いといわれている）．修正スケールは息切れや胸痛，全身や下肢の疲労などに広く応用できるようになっている．また，原型スケールの 13 は AT に相当するといわれている.

原型スケール（6〜20）			修正スケール（0〜10）		
6			0	何も感じない	nothing at all
7	非常に楽である	very, very light	0.5	非常に弱い	very, very weak
8			1	やや弱い	very weak
9	かなり楽である	very light	2	弱い	weak
10			3	ちょうどよい	moderate
11	楽である	fairly light	4	ややきつい	somewhat strong
12			5	きつい	strong
13	ややきつい	somewhat hard	6		
14			7	かなりきつい	very strong
15	きつい	hard	8		
16			9		
17	かなりきつい	very hard	10	非常にきつい	very, very strong
18			10<	最大	maximal
19	非常にきつい	very, very hard			
20					

〔Borg, G.A.: Psychophysical bases of perceived exertion. *Med. Sci. Sports Exerc.*, 14(5):377–381, 1982 より改変〕

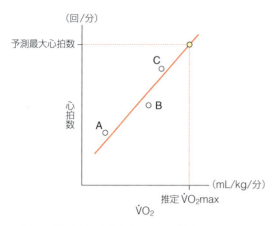

▶図 7　外挿法による $\dot{V}O_2max$ の推定

A：1 段階目負荷時の値
B：2 段階目負荷時の値
C：3 段階目負荷時の値
上記 3 か所の値から回帰直線を求め，対象者の予測最大心拍数から $\dot{V}O_2max$（黄色の丸）を推定する．

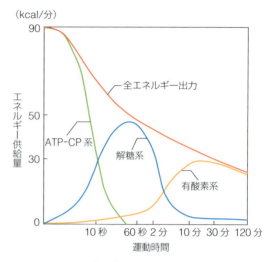

▶図 8　エネルギー供給系の時間的関与
〔田口貞善：エネルギー代謝とトレーニング．宮村実晴ほか（編）：体力トレーニング―運動生理学的基礎と応用．p.129，真興交易医書出版部，1986 より改変〕

という．AT の測定は，呼気ガス分析装置を用いて酸素摂取に対する二酸化炭素排出量や換気量の変化から求める VT と，血液中の乳酸濃度の変化から求める**乳酸性作業閾値**（lactate threshold；LT）がある．健常成人では VT と LT はほぼ等しく $\dot{V}O_2max$ の 50～60% に相当し，このときの血中乳酸濃度は 1.5～2 mmol/L[*2]になるといわれている（▶図 9）[22]．

❸心拍数（HR）による評価

　心拍数による評価としては，①physical working capacity（PWC），②フィールドテストなどがある．特にフィールドテストは，高価な運動負荷装置を使用しないため屋外での実施も可能である．

■ PWC[23]

　PWC170，PWC75%HRmax などがある．

*2：LT を超えて血中乳酸濃度が 4 mmol/L に達する点を onset of blood lactate accumulation（OBLA）といい，トレーニングを積んだ心肺機能が高いスポーツ選手などの運動強度の指標として利用されている[21]．

PWC170 は心拍数が 170 拍/分のときに発揮できる仕事率（W）を測定し，全身持久力の程度を評価する．しかし，最大心拍数は加齢とともに低下するため，高齢者で実施する場合，最大負荷となり危険を伴う．そこで，年齢の影響を考慮した方法が PWC75%HRmax である．これは，対象者の予測最大心拍数の 75% の運動強度を用いるものである．この運動強度は，おおよそ AT に相当するので，この運動強度を超えなければ長時間の運動が可能であり，高齢者や疾病を有する者でも測定可能である．

　測定には自転車エルゴメータを用いる．3 段階の漸増負荷とし，1 段階 3 分間の計 9 分間のテストとする．各段階の運動負荷量は年齢から算出される予測最大心拍数の 75% 以下で設定し，各段階の最後 30 秒間の心拍数を測定する．次に各 3 段階の運動負荷量と心拍数の値から回帰直線を求め，予測最大心拍数の 75% 時の運動負荷量を推定し，全身持久力評価表で判断する（▶図 10，表 6）[24]．

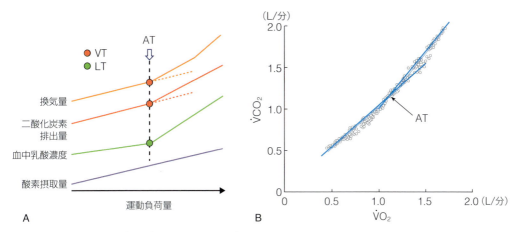

▶図9 漸増運動負荷時の呼吸代謝指標の概念図とV-slope法

A：換気量，二酸化炭素排出量，血中乳酸濃度の急激な変化点（AT）は，ほぼ同程度の運動負荷で生じる．
B：呼気ガス分析装置を用いて，横軸に酸素摂取量，縦軸に二酸化炭素排出量をとり，漸増負荷中の変化をプロットし，その直線の変曲点を求める（V-slope法）．
〔吉川貴仁ほか：心肺運動負荷検査（CPET）．日内会誌, 101(6):1555–1561, 2012 より改変〕

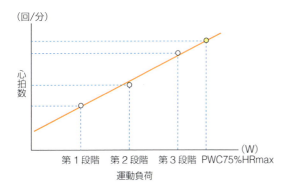

▶図10 3段階負荷と心拍数を用いたPWC
75%HRmaxの求め方

〔式3〕12分間走から最大酸素摂取量を推定する計算式

$$\dot{V}O_2 max(mL/kg/分)$$
$$= \frac{12 分間走の距離(m) - 504.9}{44.73}$$

〔Cooper, K.H.: A means of assessing maximal oxygen intake. Correlation between field and treadmill testing. *JAMA*, 203(3):201–204, 1968 より作成〕

歩行テストとしては，3分間歩行や6分間歩行などがある．3分間歩行は，20mシャトルランと同じ設定，もしくは歩行距離がわかる歩行路を，RPEが13程度（ややきつい）と対象者が感じる速さで3分間歩行し，そのときの距離を測定する．歩行距離と$\dot{V}O_2 max$の間には，ある程度の相関関係があることが知られている．

■フィールドテスト
（パフォーマンステスト）[19]

走行テストとしては，20mシャトルランや12分間走などがある．20mシャトルランは，20m間隔で平行に引かれた2本線の間を電子音に合わせて往復する．漸増負荷法により電子音の間隔は1分ごとに短くなり，音についていけなくなり2回連続で設定した線に到達できなくなった時点で終了となる．折り返した回数から$\dot{V}O_2 max$を推定できる〔式3〕[25]（▶表7）[26]．

C 持久力増強運動プログラムの立案で考慮すべき事項 [27]

持久力増強運動プログラムの立案ではFITTの原則に従い，運動の頻度（F：frequency），強度（I：intensity），持続時間（T：time or duration），運

▶表 6　PWC75%HRmax による全身持久力評価表（W）

男性	年齢								
	20〜24	25〜29	30〜34	35〜39	40〜44	45〜49	50〜54	55〜59	60〜56
非常に優れている	215〜	209〜	203〜	197〜	191〜	185〜	179〜	173〜	167〜
かなり優れている	187〜214	181〜208	176〜202	170〜196	164〜190	158〜184	152〜178	146〜172	140〜166
優れている	159〜186	153〜180	147〜175	142〜169	136〜163	130〜157	124〜151	118〜145	112〜139
普通	130〜158	125〜152	119〜146	113〜141	107〜135	101〜129	95〜123	90〜117	84〜111
劣る	102〜129	96〜124	91〜118	85〜112	79〜106	73〜100	67〜94	61〜89	55〜83
かなり劣る	〜101	〜95	〜90	〜84	〜78	〜72	〜66	〜60	〜54
女性									
非常に優れている	141〜	137〜	134〜	130〜	127〜	123〜	119〜	116〜	112〜
かなり優れている	121〜140	117〜136	114〜133	110〜129	106〜126	103〜122	99〜118	96〜115	92〜111
優れている	100〜120	97〜116	93〜113	90〜109	86〜105	82〜102	79〜98	75〜95	72〜91
普通	80〜99	76〜96	73〜92	69〜89	65〜85	62〜81	58〜78	55〜74	51〜71
劣る	59〜79	56〜75	52〜72	48〜68	45〜64	41〜61	38〜57	34〜54	31〜50
かなり劣る	〜58	〜55	〜51	〜47	〜44	〜40	〜37	〜33	〜30

〔武藤芳照ほか：全身持久力の評価尺度としての PWC$_{75\%HRmax}$. 宮下充正（編）：体力を考える─その定義・測定と応用, p.90, 杏林書院, 1997 より改変〕

動の種類（T：type of exercise）を設定する．実際は，対象者の特性（年齢，性別，体力，健康状態，これまでのトレーニング経験，疾患の有無など）に応じたプログラムを立案することが必要である．以下に，健康成人を対象とした場合の標準的プログラムを示す．

1 運動の頻度

　レジスタンス運動に関しては，初心者の場合，大きな筋群を週 2 日以上行うことが推奨されている．また，経験者の場合，週あたりの運動の量が同等であれば，低頻度（週 1 日），中頻度（週 2 日），高頻度（週 3 日以上）のいずれの運動でも同程度の効果が得られるため，頻度は個人に合わせて自由にプログラムしてよい．全身持久力増強運動に関しては，週 3 日以上で効果があるとされている．また，中等強度（%HRR[*3]の 40〜59%）と高強度（%HRR の 60〜89%）の運動を組み合わせて，週 3〜5 日実施することが推奨されている〔式 4〕．

〔式 4〕心拍数と酸素摂取量から運動強度を算出する計算式

$$\%HRR = \frac{心拍数 - 安静時心拍数}{最大心拍数 - 安静時心拍数} \times 100$$

$$\%\dot{V}O_2R = \frac{酸素摂取量 - 安静時酸素摂取量}{最大酸素摂取量 - 安静時酸素摂取量} \times 100$$

2 運動強度

　レジスタンス運動に関しては，目的に応じてさまざまな強度で繰り返し運動することが推奨されている．特に筋持久力の改善が主目的となる

*3：最大心拍数と安静時心拍数の差を予備心拍数（heart rate reserve; HRR）という．同様に $\dot{V}O_{2}max$ と安静時酸素摂取量の差を酸素摂取予備（$\dot{V}O_{2} reserve$; $\dot{V}O_{2}R$）という．

　%HRR と %$\dot{V}O_{2}R$ は運動強度の指標とされ，他の運動強度定量法と比較して身体活動時のエネルギー消費量をより正確に反映するとされている．また，%HRR と %$\dot{V}O_{2}R$ は高い相関関係を示す[28]．近年では運動強度の指標として %HRR がよく使用されている．

▶表7　20 m シャトルランでの最大酸素摂取量推定

折り返し数	推定最大酸素摂取量（mL/kg/分）	折り返し数	推定最大酸素摂取量（mL/kg/分）	折り返し数	推定最大酸素摂取量（mL/kg/分）	折り返し数	推定最大酸素摂取量（mL/kg/分）
8	27.8	46	36.4	84	44.9	122	53.5
9	28.0	47	36.6	85	45.1	123	53.7
10	28.3	48	36.8	86	45.4	124	53.9
11	28.5	49	37.0	87	45.6	125	54.1
12	28.7	50	37.3	88	45.8	126	54.4
13	28.9	51	37.5	89	46.0	127	54.6
14	29.2	52	37.7	90	46.3	128	54.8
15	29.4	53	37.9	91	46.5	129	55.0
16	29.6	54	38.2	92	46.7	130	55.3
17	29.8	55	38.4	93	46.9	131	55.5
18	30.1	56	38.6	94	47.2	132	55.7
19	30.3	57	38.8	95	47.4	133	55.9
20	30.5	58	39.1	96	47.6	134	56.2
21	30.7	59	39.3	97	47.8	135	56.4
22	31.0	60	39.5	98	48.1	136	56.6
23	31.2	61	39.7	99	48.3	137	56.8
24	31.4	62	40.0	100	48.5	138	57.1
25	31.6	63	40.2	101	48.7	139	57.3
26	31.9	64	40.4	102	49.0	140	57.5
27	32.1	65	40.6	103	49.2	141	57.7
28	32.3	66	40.9	104	49.4	142	58.0
29	32.5	67	41.1	105	49.6	143	58.2
30	32.8	68	41.3	106	49.9	144	58.4
31	33.0	69	41.5	107	50.1	145	58.6
32	33.2	70	41.8	108	50.3	146	58.9
33	33.4	71	42.0	109	50.5	147	59.1
34	33.7	72	42.2	110	50.8	148	59.3
35	33.9	73	42.4	111	51.0	149	59.5
36	34.1	74	42.7	112	51.2	150	59.8
37	34.3	75	42.9	113	51.4	151	60.0
38	34.6	76	43.1	114	51.7	152	60.2
39	34.8	77	43.3	115	51.9	153	60.4
40	35.0	78	43.6	116	52.1	154	60.7
41	35.2	79	43.8	117	52.3	155	60.9
42	35.5	80	44.0	118	52.6	156	61.1
43	35.7	81	44.2	119	52.8	157	61.3
44	35.9	82	44.5	120	53.0		
45	36.1	83	44.7	121	53.2		

〔文部科学省：新体力テスト実施要項（20〜64 歳対象），平成 12 年 3 月改訂より〕

場合，軽強度，中等強度，高強度のすべてが効果的であり，反復回数の多さが優れているというエビデンスはない．そこで，軽強度で 15〜25 回以上の繰り返し運動か，中等強度〜高強度でのサーキットトレーニングや高強度を基準にしたインターバルトレーニングを組み合わせて実施することなどが推奨されている．全身持久力に関しては，中等強度（3〜5.9 METs[*4]，または %HRR の 40〜59%）と高強度（6 METs 以上，%HRR の

*4：代謝当量（metabolic equivalents; METs）は，安静座位時の酸素消費量を 1 MET（おおよそ 3.5 mL/kg/分）として，身体活動時の酸素消費量が安静座位時と比較し何倍に相当するかを示す運動強度の指標である〔式 5〕．通常は METs や METS のように複数形を用いる．

〔式 5〕代謝当量の計算式

$$代謝当量（METs）＝ \frac{活動時酸素摂取量（mL/分）}{安静座位時酸素摂取量（mL/分）}$$

60〜89％）の組み合わせで実施することが推奨されている．全身持久力の運動強度の設定（処方）に使用される指標としては，① $\dot{V}O_2max$，② HR，③ METs，④ RPE などがある．各指標を用いた目標運動強度設定に関する計算式は以下に示す通りである〔式 6〕．

〔式 6〕各指標を用いた目標運動強度設定に関する計算式

酸素摂取予備量を用いた方法
目標酸素摂取量
　＝目標運動強度×（$\dot{V}O_2max - \dot{V}O_2rest$）＋$\dot{V}O_2rest$
$\dot{V}O_2rest$：安静時酸素摂取量

予備心拍数を用いた方法〔Karvonen（カルボーネン）法〕
目標心拍数
　＝目標運動強度×（HRmax − HRrest）＋HRrest
HRmax：最大心拍数，HRrest：安静時心拍数

METs を用いた方法
目標 METs ＝目標運動強度×（$\dot{V}O_2max/3.5$）

計算例として，目標運動強度：50％，$\dot{V}O_2max$：30 mL/kg/分，$\dot{V}O_2rest$：3.5 mL/kg/分の場合，目標酸素摂取量＝0.5×（30−3.5）＋3.5＝16.75 mL/kg/分となる．

---

3 運動持続時間

　筋持久力に関しては，現在のところ，エビデンスに基づいた運動持続時間の推奨に関する十分な研究はない．トレーニングセッション間の休憩時間に関しては 2 分間以上がよいとされているが，人によっては 2 分以下でも時間効率がよい場合もある．

　全身持久力に関しては，中等強度の運動であれば 1 日 30〜60 分（週合計 150 分以上），高強度の運動であれば 1 日 20〜60 分（週合計 75 分以上），または両者を組み合わせた運動を毎日行うことが推奨されている．

4 運動の種類

　レジスタンス運動に関しては，さまざまな運動器具や体重を使用して，特定の筋群を対象に多関節運動を実施し，その後，単関節運動および体幹運動をプログラムに加えることが推奨されている．全身持久力に関しては，ウォーキング，サイクリング，アクアビクス（水中運動），ゆっくりしたダンスなど，中等強度以上の有酸素運動で，大きな筋群をリズミカルに使う運動が推奨されている．

D 高齢者および疾患別の持久力増強運動プログラム

　本項では，主に ACSM ガイドライン（American College of Sports Medicine's Guidelines）に沿った疾患別のプログラムを中心に記載するが，実際は運動に対する疾患ごとの適応や禁忌などを詳細に確認し，かつ同一疾患であっても生理学的能力には個体差が大きいことをふまえて，対象者の適性に合わせたプログラムの立案が求められる．

1 高齢者のプログラム

　高齢者の運動に対する適応性や体力要素の改善する割合は若年者と同等とされており，高齢者の運動プログラムは，前項で述べた健康成人の一般的原則が適用される．高齢者の運動強度に関しては，RPE（0〜10 スケール）を用いて座位時を 0，中等強度を 5〜6，高強度を 7 以上として運動することが推奨されている．心拍数や呼吸数は中等強度の運動で目立つ程度に上昇するが，高強度では顕著に増加するので注意する（▶表 8）[27]．

▶表8 高齢者の持久力増強運動プログラム

FITT	高齢者	
	レジスタンス運動	有酸素運動
頻度(F)	1週間に2日以上	中等強度の身体活動の場合は週5日以上, 高強度の場合は週3日以上, 中等強度と高強度の組み合わせの場合は週3〜5日
強度(I)	最初は低強度(1RM*5の40〜50%)から開始し, 徐々に中等強度から高強度(1RMの60〜80%)へ負荷を上げる. またはRPE(0〜10スケール)の中等強度(5〜6)から高強度(7〜8)の間とする	RPE(0〜10スケール)の5〜6の中等強度と7〜8の高強度とする
時間(T)	最初は大筋群を使った8〜10種類の運動を各10〜15回を1セットで開始し, 徐々にそれぞれの運動を各8〜12回を1〜3セット行う	中等強度の運動の場合は1日30〜60分行う. 高強度の場合は1日20〜30分行う. または中等強度と高強度を組み合わせて行う
運動の種類(T)	漸増負荷トレーニング, または自身の体重を利用した自重トレーニング, 階段昇降, 大筋群を使ったその他の筋力増強運動	歩行のような過度に整形外科的ストレスがかからない運動がよい. 体重負荷に制限のある者は, 水中運動や自転車エルゴメータが適している

〔American College of Sports Medicine: ACSM's Guidelines for Exercise Testing and Prescription. 11th ed., p.184, Wolters Kluwer, 2021より改変〕

▶表9 外来心血管疾患患者の運動プログラム

FITT	外来心血管疾患患者	
	レジスタンス運動	有酸素運動
頻度(F)	1週間に連続しないで2〜3日	最低1週間に3日行う. できれば5日行う
強度(I)	明かな疲労を感じることなく, 各運動を10〜15回行う	運動負荷試験を実施する場合は, HRR, $\dot{V}O_2R$, または最高酸素摂取量($\dot{V}O_2$peak)の40〜80%とする. 運動負荷試験を実施しない場合は, 座位または立位の安静時心拍(HRR)＋20〜30の心拍数(回/分)か, RPE(6〜20スケール)の12〜16とする
時間(T)	大筋群を使った8〜10種類の異なる運動を1〜3セット行う	20〜60分
運動の種類(T)	個人が安全かつ快適に使用できる器具を選択する	腕エルゴメータ, 上肢および下肢併用型エルゴメータ, 立位および臥位エルゴメータ, 臥位ステッパー, ローイング, エリプティカル, 踏み台昇降マシン, トレッドミル

〔American College of Sports Medicine: ACSM's Guidelines for Exercise Testing and Prescription. 11th ed., p.235, Wolters Kluwer, 2021より改変〕

2 心血管疾患患者の運動プログラム

ACSMガイドライン[27]では, 入院患者と外来患者(▶表9)に分けて示されており, 入院患者の場合, レジスタンス運動は推奨されていない. 心血管疾患におけるリハビリテーションに関するガイドライン[29]では, 中強度の持久性運動の例として, 5〜10分間のウォームアップから開始し, 処方された時間の主運動, そして5〜10分間のクールダウンによるプログラムが推奨されている(▶図11). また, 近年では高強度と中強度の運動を交互に繰り返す高強度インターバルトレーニング(high-intensity interval training; HIIT)

*5：最大反復回数(repetition maximum; RM)は, 一定の負荷強度で繰り返し実施可能な運動回数を意味する. たとえば, 5RMであれば5回その運動を繰り返し実施できる最大の負荷量である. 1RMは最大筋力の強度に相当する.

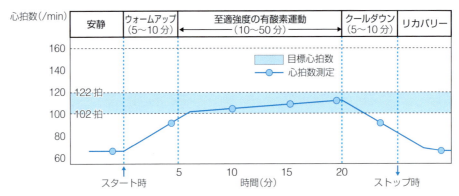

▶図 11　有酸素運動と心拍数の関係（中強度の持久性運動の例）
運動強度の至適範囲（目標心拍数）は青いゾーンの中．この図では，最大心拍数（160/min）の 64～76%，102～122/min を至適範囲（目標心拍数）としている．
〔日本循環器学会/日本心臓リハビリテーション学会：2021 年改訂版 心血管疾患におけるリハビリテーションに関するガイドライン. https://www.j-circ.or.jp/cms/wp-content/uploads/2021/03/JCS2021_Makita.pdf(2023 年 10 月閲覧)より〕

▶表 10　高強度インターバルトレーニング(HIIT)の一般的なプロトコルの例

トレーニングの頻度	週 3 回
ウォームアップ	強度：最高心拍数の 60%，または最大負荷(仕事率)の 20～30% 時間：5～10 分
運動の強度	高強度：最高心拍数の 85～95% 中強度：最高心拍数の 60～70%
インターバル	3～4 分の高強度運動×4 回 3～4 分の中強度運動×3 回
クールダウン	強度：最高心拍数の 50%，または最大負荷(仕事率)の 20% 時間：5 分
持続時間	40～50 分
運動の種類	自転車エルゴメータ，トレッドミル

〔日本循環器学会/日本心臓リハビリテーション学会：2021 年改訂版 心血管疾患におけるリハビリテーションに関するガイドライン. https://www.j-circ.or.jp/cms/wp-content/uploads/2021/03/JCS2021_Makita.pdf(2023 年 10 月閲覧)より〕

で，HIIT を処方することが推奨されている．レジスタンス運動の絶対禁忌としては，①不安定狭心症，②代償されていない心不全，③コントロールされていない不整脈，④重篤な肺高血圧症(平均肺動脈圧＞55 mmHg)，⑤重症で症状のある大動脈弁狭窄症，⑥急性心筋炎・心内膜炎・心外膜炎，⑦コントロールされていない高血圧症(＞180/110 mmHg)，⑧急性大動脈解離などがあり，相対禁忌には，①冠動脈疾患の主要な危険因子，②糖尿病，③コントロールされていない高血圧症(＞160/100 mmHg)などがある．実際の運動はこれらの禁忌をふまえて，主に回復期の心臓リハビリテーションで行うことが推奨されている．

❸ 脳血管障害(脳卒中)患者の運動プログラム

ACSM ガイドラインでは標準的なプログラムが示されているが，脳卒中患者の場合，発症からの時期や麻痺のレベル，歩行能力，認知能力など，ある程度の機能回復がなされていることが必要になる(▶表 11)[27]．一方，「脳卒中治療ガイドライン 2009」[30] では，有酸素運動，麻痺側下肢の筋力増強運動，もしくは有酸素運動と下肢筋力増強運

の有効性についての報告も増えてきている．当該ガイドラインでは，一般的なプログラムが示されている(▶表 10)．症状が安定しており，従来型の有酸素運動によるトレーニングを問題なくできる患者では，患者の希望，運動耐容能，基礎疾患の重症度，合併疾患などを考慮したうえ

▶表 11　脳血管障害(脳卒中)患者の運動プログラム

FITT	脳血管障害患者	
	レジスタンス運動	有酸素運動
頻度(F)	少なくとも 1 週間に連続しないで 2 日行う	最低 1 週間に 3 日行う．できれば 5 日行う
強度(I)	1RM の 50〜70%	最近の運動負荷試験の心拍数データが利用可能であれば，HRR の 40〜70% とする．運動負荷試験を実施していない，または心房細動がある場合は，RPE(6〜20 スケール)の 11〜14 とする
時間(T)	8〜15 回の運動を 1〜3 セット行う	1 日に 20 分から 60 分まで徐々に増やす．10 分間の運動を複数回行うことも考慮する
運動の種類(T)	たとえば，体力，持久力，運動，バランスなどの障害をもつ人には，安全性を向上させる器具や運動を用いる．器具かフリーウエイトか，バーウエイトかハンドウエイトか，座位か立位かなど	自転車エルゴメータとセミリカンベント(半座位)ステッパーを用いる場合は，機能障害および認知障害に基づいて修正が必要な場合がある．もし，患者が最小の補助，もしくは補助なしで十分なバランスを保ち歩行できれば，トレッドミル歩行も考慮する

〔American College of Sports Medicine: ACSM's Guidelines for Exercise Testing and Prescription. 11th ed., p.251, Wolters Kluwer, 2021 より改変〕

動を組み合わせたトレーニングの有効性に関するいくつかの研究報告が示されている．しかし，具体的な運動プログラムまでは示されていない．

E　持久力増強運動の方法と効果

1　筋持久力増強運動の方法[6]

運動負荷としては，MVC の 1/4〜1/3 の筋力で動的運動を疲労困憊まで実施することで効率的に筋持久力を高めることができる．また，頻度に関しては，1 週間に 2〜3 日程度以上で効果は認められるが，毎日の実施がより効果的であるとされている．実際は全身持久力増強運動によっても筋持久力の向上が認められるため，両者を組み合わせた方法でもよい．

2　全身持久力増強運動の方法[31]

持続法とインターバル法に大別することができる．

持続法は，持続走，水泳，縄跳び，自転車などの運動種目により，一定の負荷強度でトレーニングを実施する方法である．$\dot{V}O_2max$ が 50〜60% 程度の負荷であれば，有酸素運動の範囲で長時間の運動が可能となる．心拍数ではおよそ 110〜130 回/分に相当し，血中乳酸濃度は 2 mmol/L の範囲であり，1〜2 時間のトレーニングが可能であるとされている．

インターバル法は，運動と休息を交互に繰り返し行う方法で，運動種目は持続法と同じである．インターバルトレーニングとレペティショントレーニングが代表的である．インターバルトレーニングは，持続法よりも高い強度で一定時間運動を行い，休息期には低強度負荷で軽い運動を実施して，再び前回と同じ強度の運動を反復する．レペティショントレーニングは，ほぼ最大強度で運動を行い，休息期には完全休息し疲労が回復するまで十分な時間をとり，再び前回と同じ強度の運動を反復する．このようにインターバルトレーニングは主に有酸素的能力の向上，レペティショントレーニングは主に無酸素的能力の向上に有効とされる．特にインターバルトレーニングでは，休息時間の設定が重要であるとされている．

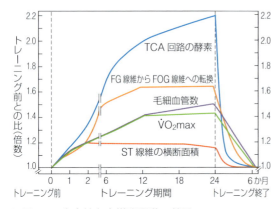

▶図 12　全身持久力増強運動の効果

〔Saltin, B., et al.: Fiber types and metabolic potentials of skeletal muscles in sedentary man and endurance runners. *Ann. N. Y. Acad. Sci.*, 301:3–29, 1977 より改変〕

③ 持久力増強運動の効果[32]

　全身持久力増強運動は，循環器系，呼吸器系，筋系など，ほぼ全身の器官と機能に影響する．特に①$\dot{V}O_2max$，②心拍出量，③動静脈酸素含量較差，④ TCA 回路の酵素，⑤毛細血管網の増加，さらには，⑥ FG 線維（fast-twitch glycolytic fiber）から FOG 線維（fast-twitch oxidative glycolytic fiber）への転換が期待される（▶図 12）[33]．

●引用文献

1) 猪飼道夫：運動生理学入門. pp.143–178, 杏林書院, 1979.

2) Pate, R.R., et al.: Physical fitness programming for health promotion at the worksite. *Prev. Med.*, 12(5):632–643, 1983.

3) 内山 靖（編）：理学療法学辞典. p.352, 医学書院, 2006.

4) 伊藤 元：筋力と運動学. 理学療法, 7(4):249–256, 1990.

5) 猪飼道夫ほか：教育生理学. 第一法規, 1968.

6) 福永哲夫：筋と持久力. 石河利寛ほか（編）：持久力の科学, pp.120–141, 杏林書院, 1994.

7) Wasserman, K., et al.: Exercise testing and interpretation: An overview. In: Wasserman, K., et al. (eds.): Principles of Exercise Testing and Interpretation, 4th ed., pp.1–9, Lippincott Williams & Wilkins, 2005.

8) 石河利寛：持久力とは. 石河利寛ほか（編）：持久力の科学, pp.1–13, 杏林書院, 1994.

9) 小林 武：筋力の評価. 奈良 勲ほか（編）：筋力, pp.100–104, 医歯薬出版, 2004.

10) 加藤 浩：表面筋電図に必要な基礎知識. 加藤 浩ほか（編）：臨床にいかす表面筋電図, pp.1–11, 医学書院, 2020.

11) Edwards, R.G., et al.: The relation between force and integrated electrical activity in fatigued muscle. *J. Physiol.*, 132(3):677–681, 1956.

12) 佐渡山亜兵：筋疲労と筋電図学評価. 理学療法, 22(2):421–427, 2005.

13) Basmajian, J., et al.: Muscles Alive. 5th ed., p.217, Williams & Wilkins, 1985.

14) Komi, P.V., et al.: EMG frequency spectrum, muscle structure, and fatigue during dynamic contractions in man. *Eur. J. Appl. Physiol. Occup. Physiol.*, 42(1):41–50, 1979.

15) Fletcher, G.F., et al.: Exercise standards for testing and training: A scientific statement from the American Heart Association. *Circulation*, 128(8):873–934, 2013.

16) 厚生労働省：「健康づくりのための身体活動基準 2013」及び「健康づくりのための身体活動指針（アクティブガイド）」について. https://www.mhlw.go.jp/stf/houdou/2r9852000002xple.html

17) Gellish, R.L., et al.: Longitudinal modeling of the relationship between age and maximal heart rate. *Med. Sci. Sports Exerc.*, 39(5):822–829, 2007.

18) Borg, G.A.: Psychophysical bases of perceived exertion. *Med. Sci. Sports Exerc.*, 14(5):377–381, 1982.

19) 宮地元彦：体力・運動能力/身体組成の測定・評価. 佐藤祐造（編）：運動療法と運動処方, 第 2 版, pp.101–109, 文光堂, 2008.

20) 田口貞善：エネルギー代謝とトレーニング. 宮村実晴ほか（編）：体力トレーニング―運動生理学的基礎と応用, p.129, 真興交易医書出版部, 1986.

21) 吉田敬義：運動の指標としての AT, LT, OBLA の持つ意味. 体力科学, 42(4):406–414, 1993.

22) 吉川貴仁ほか：心肺運動負荷検査（CPET）. 日内会誌, 101(6):1555–1561, 2012.

23) 宮下充正ほか：体力診断システムの例. 宮下充正（編）：体力を考える―その定義・測定と応用, pp.178–185, 杏林書院, 1997.

24) 武藤芳照ほか：全身持久力の評価尺度としての $PWC_{75\%HRmax}$. 宮下充正（編）：体力を考える―その定義・測定と応用, p.90, 杏林書院, 1997.

25) Cooper, K.H.: A means of assessing maximal oxygen intake. Correlation between field and treadmill testing. *JAMA*, 203(3):201–204, 1968.

26) 文部科学省：新体力テスト実施要項（20〜64 歳対象）, 平成 12 年 3 月改訂. https://www.mext.go.jp/a_menu/sports/stamina/03040901.htm

27) American College of Sports Medicine: ACSM's Guidelines for Exercise Testing and Prescription. 11th ed., pp.142–166, 184, 235, 251, Wolters Kluwer, 2021.

28) Dalleck, L.C., et al.: Relationship Between %Heart Rate Reserve And %$\dot{V}O_2$ Reserve During Elliptical Crosstrainer Exercise. *J. Sports Sci. Med.*, 5(4): 662–671, 2006.

29) 日本循環器学会/日本心臓リハビリテーション学会: 2021年改訂版 心血管疾患におけるリハビリテーションに関するガイドライン. https://www.j-circ.or.jp/cms/wp-content/uploads/2021/03/JCS2021_Makita.pdf(2023 年 10 月閲覧)

30) 日本神経治療学会:脳卒中治療ガイドライン 2009. https://www.jsnt.gr.jp/guideline/nou.html

31) 江橋 博:エンデュランストレーニング. トレーニング科学研究会(編):トレーニング科学ハンドブック, 新装版, pp.62–69, 朝倉書店, 2007.

32) 青木純一郎ほか:持久力トレーニング. 臨スポーツ医, 19(7):813–820, 2002.

33) Saltin, B., et al.: Fiber types and metabolic potentials of skeletal muscles in sedentary man and endurance runners. *Ann. N. Y. Acad. Sci.*, 301:3–29, 1977.

協調性運動

A 協調性運動とは

協調性(coordination)とは,運動に関与する多くの筋の調和のある共同作用により,目的とする運動が円滑にかつ効率よく遂行する機能である[1]. すなわち,協調性のある運動とは,円滑に効率よく運動ができる状態を指す.

協調性を説明するための運動の要素には,時間的要素(timing),空間的要素(spacing),強度的要素(grading)の3つがあげられる.**時間的要素**は時間配列ともいわれ,筋活動のタイミングや動作の開始と動作中の調整を指す.**空間的要素**は空間配列ともいわれ,筋の選択と組み合わせや意図する正確な方向,距離の調整を指す.**強度的要素**は強さ配列ともいわれ,筋出力の程度を調整することを意味する.動作の時間,空間的な位置関係,そして筋出力指示の強弱である.これらが適切に組み合わされ処理されることにより,ヒトの運動は円滑な動きが実現している.そして,この協調性運動は小脳が大きく関係している.

B 小脳

小脳は大脳の後下方,脳幹の後方に位置する(▶図1).成人では120〜140 g程度,平均的な文庫本1冊くらいの重さである.これは脳全体の重さの10%程度に相当する.しかし,脳全体の神経細胞の約半分が小脳に存在する.このことからも,小脳が緻密な機能を有していることが理解できる.

表面的に水平方向に走る小脳溝で仕切られており,前葉,後葉,片葉小節葉の3つの葉に分けられている.また,頭尾部方向に垂直方向で区切り,正中部に位置する部分を**小脳虫部**と呼び,その左右に**小脳半球**を配置している(▶図2A).小脳虫部と小脳半球の内側が中間部であり,これらを**脊髄小脳**という.それ以外の小脳半球は**大脳小脳**という.虫部は,その外側を中間部として分けてい

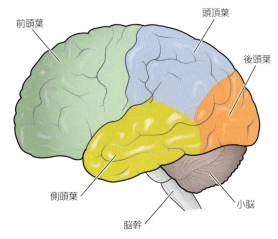

▶図1　小脳の位置関係(矢状方向)

る．その外側が大脳小脳，そして内側に**前庭小脳**（**片葉小節葉**）がある．そして，**上小脳脚**，**中小脳脚**，**下小脳脚**という3対の小脳脚を通じて中脳，橋，延髄に結ばれて情報を出し入れする神経線維が通っている（▶図2B）．

C 協調運動と小脳の関係

　神経系による運動命令の調整システムは，命令系である大脳と参照・統合系である小脳や脳幹網様体，筋感覚からの脊髄小脳路，関節覚からの脊髄後索路，内耳平衡覚からの前庭神経路，そして視神経路からそれぞれフィードバックされる情報を受けて調整されている．つまり，脳のなかでも小脳を中心に調整されることが協調性である．これに認知・精神機能もかかわり，運動の命令は調整される．

　小脳の主な働きは知覚と運動機能を統合し平衡機能や筋緊張，随意運動の調節を行うことである．運動が円滑に行えるように修正する役割をもち，フィードバック（入力）とフィードフォワード（出力）を通して複数の筋活動の大きさやタイミングをコントロールして，円滑で協調した運動になるように制御している．小脳は入出力関係と機能から前庭小脳，脊髄小脳，大脳小脳という3つの領域に区別される．

1 前庭小脳

　前庭小脳（vestibulo-cerebellum）は，小脳虫部に隣接する小脳片葉と小節葉から構成される．系統発生学的に一番古い小脳片葉−小脳葉は古小脳ともいわれ，前庭系と強い関係をもち，身体の平衡調整を行う．最も重要な入力は三半規管・耳石器から脳幹の前庭神経核を介して行われ，頭部の動きと重力に対する位置を関知して平衡を保つシステムを形成している．また，眼球運動の調整をしたり，視覚入力を中脳や視覚野から受ける役割をもっている．

　前庭小脳の出力は，橋下部にある前庭神経核から下小脳脚を経由し，片葉や片葉小節に送ることで，眼球運動や頭部の動きの協調性を制御する．さらに，小脳核である室頂核に下小脳脚あるいは

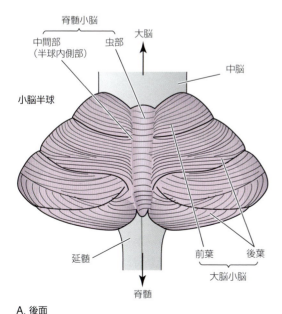

A. 後面

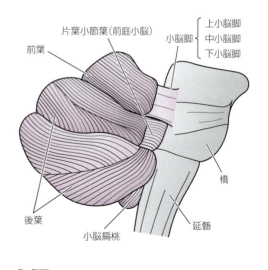

B. 側面

▶図2　小脳の構造

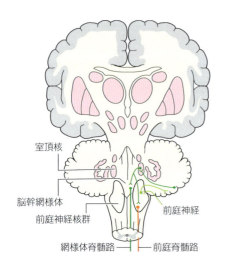

▶図 3　前庭小脳の神経回路
〔Crossman, A.R., et al.（著）, 野村 嶬ほか（訳）：神経
解剖カラーテキスト. 第 2 版, 医学書院, 2008 より〕

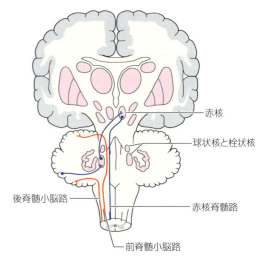

▶図 4　脊髄小脳の神経回路
〔Crossman, A.R., et al.（著）, 野村 嶬ほか（訳）：神経解剖カ
ラーテキスト. 第 2 版, 医学書院, 2008 より〕

鉤状束を経由して前庭神経核と網様体に伝え，前庭脊髄路および網様体脊髄路に出力している．これは体幹筋や四肢伸筋を制御することにより，動作および歩行時の平衡機能を調整する働きがある（▶図 3）[2]．

2 脊髄小脳

脊髄小脳（spino-cerebellum）は小脳虫部と小脳半球からなり，旧小脳といわれる．主に四肢と体幹の運動を制御する役割を担う．三叉神経や視神経，聴覚神経，脊髄後索からの固有感覚受容器からの信号を受ける．入力情報は，体性感覚受容器に由来する感覚情報と，運動神経細胞などからの運動指令に関する情報の 2 種類がある．脊髄小脳には感覚地図が存在し，運動における身体の位置関係をとらえ，綿密な調整が行われている（▶図 4）[2]．

3 大脳小脳

大脳小脳（cerebro-cerebellum）は新小脳といわれ，系統発生学的に新しい．解剖学的位置は小脳半球の側面部分にある．主に大脳皮質からの情報のやりとりを行い，運動の計画や感覚情報を評価する働きがある．反対側の運動野，運動前野を含む広い大脳皮質領域からの運動情報を受け，運動の開始や企画，タイミングなどを制御する神経回路を形成している．脊髄小脳や前庭小脳と違い，末梢からの感覚入力はほとんど受けない．近年では連合野との連関（大脳−小脳連関）を通し，注意や思考，記憶，認知，情動，言語などの高次脳機能，ワーキングメモリとの関係についても注目されている（▶図 5）[2]．

4 小脳と運動学習

大脳は，身体運動の結果を体性感覚，前庭感覚，視覚といった姿勢調節系を通じてフィードバックされる．大脳では命令した情報と行われた運動との誤差を補正され，これが繰り返し行われる．小脳はこの大脳のフィードバック回路と並列的な位置づけにあり，運動学習に強く関与している．感覚入力が小脳において統合され，運動出力は大脳前頭葉にある一次運動野から運動前野，補足運動野を経由し，錐体路を通って筋へと伝達される．

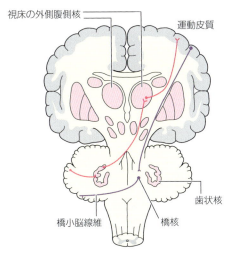

視床の外側腹側核

運動皮質

歯状核

橋小脳線維　　橋核

▶図5　大脳小脳の神経回路
〔Crossman, A.R., et al.(著), 野村 嶬ほか(訳)：神経解剖カラーテキスト. 第2版, 医学書院, 2008 より〕

D 運動失調

　運動失調(ataxia)とは，「随意運動における空間的・時間的な秩序や配列が失われた状態．運動そのものは行うことが可能であるが，運動の協調性や正確性が障害され，上肢では巧緻性が，下肢や体幹では平衡障害が見られる」と定義されている[3]．

　中枢でも末梢でも，協調性運動に関与する器官になんらかの障害が生じると協調性は損なわれ，失調症状を呈する(▶表1)．これらを総じて運動失調という．また，小脳性，脊髄性，前庭迷路性の運動失調の3つがあげられている[3]．これに，脳腫瘍などでみられる反対側の半身共同運動障害を呈する大脳性の運動失調，末梢神経性の運動失調を加えて説明されることが多い．判別はRomberg(ロンベルグ)徴候により行う(▶図6)．Romberg徴候は，両脚を閉じて起立し，安定後に閉眼させると，体がふらつき立っていられなくなる現象とされている[3]．医師および理学療法士が実際に行う検査・確認の流れは，Romberg徴候の確認→深部感覚検査→表在感覚検査が一般的である．各運動失調の主な徴候を表2に示す．

▶表1　協調性の障害の原因となる器官と症状

原因となる器官	症状
中枢神経障害 末梢神経障害	運動麻痺 筋力低下 筋緊張異常 感覚障害
小脳障害	運動失調 不随意運動
その他	骨関節の機能低下(靱帯損傷などの関節構造異常など)

開眼　　　　閉眼

▶図6　Romberg 徴候

1 小脳性運動失調

　小脳性運動失調は，筋力低下や深部感覚異常がないにもかかわらず，随意運動が円滑かつ正確に行えない．理学療法を行ううえで，筋力低下や運動麻痺の評価を併せて行うことが重要である．また，同側半身の共同運動障害を示すのが特徴である．失調の要素には，企図振戦，測定障害，変換運動障害，運動分解，協働(共同)運動不能(障害)，時間測定障害などが観察される．

a 企図振戦(intention tremor)

　企図とは"くわだてる"ことである．そして振戦とは，意図的に目的物に手先などを近づけたり，なんらかの操作をしようと手を伸ばすときに，目標物付近で四肢や頭部，顔面などに不随意に生じる規則性をもつ律動的な反復運動のことである．つまり，何かをしようとしたときに生じる手足の揺れである．振戦は静止(安静)時振戦(resting tremor)，動作時振戦(action tremor)に区別され

▶表2　運動失調の主な徴候

	小脳性	脊髄後索性	前庭迷路性	大脳性
Romberg 徴候	－	＋	＋～±	－
深部感覚障害	－	＋	－	－
測定異常	＋	＋	－	＋
振戦	＋	＋	－	＋
眼振	＋	－	＋	＋
深部腱反射	軽度低下	低下	正常	一側が亢進
歩行障害	酩酊歩行	足を高く上げ，強く床に叩きつける	歩隔が広くゆっくり	動揺性歩行
構音障害	＋	－	－	病変部位による

＋：陽性，－：陰性，±：偽陽性

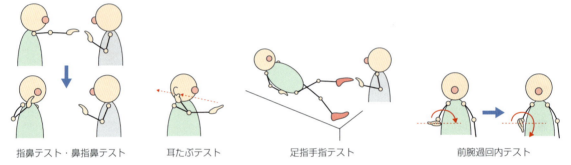

指鼻テスト・鼻指鼻テスト　　耳たぶテスト　　足指手指テスト　　前腕過回内テスト

▶図7　測定障害の検査

るが，動作時振戦と企図振戦は同じ意味で使われる．小脳性運動失調では動作時にみられる企図振戦が特徴である．一方で，もう1つの振戦である静止時振戦を特徴とする疾患は Parkinson（パーキンソン）病である．

d 測定障害(dysmetria)

　目的物への距離がつかめず，随意的な運動を行った際に目的とする所に手などを止めることができない現象を示す．目的の所に達しないものを**測定過小**(hypometria)，目的の所を行き過ぎてしまうものを**測定過大**(hypermetria)として区別することもある．代表的な試験が指鼻テスト(finger-nose test)や鼻指鼻テスト(nose-finger-nose test)，耳たぶテスト(arm stopping test)，足指手指テスト(toe-finger test)，前腕過回内テ

スト(hyperpronation test)などである（▶図7）.

C 変換運動障害(dysdiadochokinesis)

　相互運動，交代運動が困難になる状態である．反復拮抗運動不能としても表現される．手を握ったり開いたりしたり，手首を回内外するのを繰り返すような動きで動作が止まってしまったり動かなくなったりする状態で，目的とする動きのための筋収縮から拮抗筋の筋収縮に即座に切り替えることが難しい．本来リズミカルにできる運動がぎこちなくなる様子が観察されるかどうかで判定される．前腕回内外テスト，足踏みテスト(foot pat test，floor tapping test)が代表的な試験である（▶図8）.

前腕回内外テスト　　　　　足踏みテスト

▶図 8　変換運動障害の検査

▶図 10　協働運動不能の様子

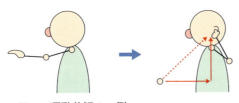

▶図 9　運動分解の一例

d 運動分解（decomposition of movement）

運動分解とは，手指や四肢を 2 点間で移動させた際に，最短距離を動かすことができずに運動が分解される状態を指す．測定障害であげた arm stopping test で，2 点をまっすぐ動かせず，三角形を描くように運動を分解する様子が観察される（▶図 9）．

e 協働運動不能（asynergia），協働運動障害（dyssynergia）

運動，動作を行う際には一定の順序，調和が保たれていることが必要である．さまざまな筋が活動するなか，タイミングの調整ができない状態を協働運動不能もしくは協働運動障害という．「共同」という表現もあり，研究者や書籍によっても異なるが，同じ意味ととらえてよい．前述した測定障害や運動分解も関与している．背臥位で両手を組み，起き上がりを指示した際に，下肢の協働運動ができず起き上がれない状態は，体幹の協働運動不能である（▶図 10）．

f 時間測定障害（dyschronometria）

動作の始まりや終わりが時間的に遅れる状態を時間測定障害という．"歪んだ時間空間" などともいわれる．運動興奮の遅れにより生じる．合図とともに手を握ってもらうと動作開始に遅れがみられる．歩行開始，動作開始などで観察できる．

2 脊髄性（脊髄後索性）運動失調

脊髄癆や脊髄腫瘍など，脊髄に原因をもつ疾患で，視覚情報に依存し深部感覚障害によって生じる失調である．深部感覚性とも称される．位置覚や関節覚といった深部感覚や識別性触覚を伝える脊髄後索からの感覚上行回路が鈍麻もしくは脱失し，感覚入力が障害される．小脳性運動失調と同様で，測定障害や歩行時の不安定性などがみられる．Romberg 徴候は陽性となる．視覚による代償が可能であるため，運動を遂行するうえでの手がかりとして，理学療法に用いることが多い．

3 前庭迷路性運動失調

前庭器官とは，内耳にあり重力や加速度を感知する感覚器官で，頭位の安定，視点の安定をはかり，身体を重力に対して常に安定させるために調整する働きがある．前庭迷路系の障害では，めまいや眼振などとともに平衡機能障害をきたし，姿勢保持や動作の不安定性が生じる．これを前庭迷路性運動失調という．閉眼すると視覚代償が行えないため，さらに症状は増悪する．Romberg 徴

候は陽性であるが四肢の随意運動に問題はなく，深部感覚障害は認められない．

4 末梢神経性運動失調

多発神経炎や糖尿病性，薬物性ニューロパチーによっても運動失調は生じる．Fisher（フィッシャー）症候群は，外眼筋麻痺・運動失調・腱反射低下もしくは消失を三症状（Fisher症候群の三徴）として定義づけている．末梢性にて，視覚の代償による運動学習は理学療法のポイントとなる．検査としては，Romberg徴候が陽性と判定される．測定障害や動作時振戦，動揺性歩行なども生じる．

5 大脳性運動失調

反対側の半身共同運動障害を呈する大脳性の運動失調である．大脳皮質の障害でも運動失調が生じるとされており，前頭葉の損傷によって生じる．脳血管疾患や脳腫瘍が代表的である．

E 協調性運動障害に対する運動療法

協調性障害は，本来協力すべきいくつかの要因の調和がとれていない状態である．そのため，運動単位ごとの機能評価と，動作や活動ごとの円滑さ，効率さを評価し，運動療法を立案する必要がある．運動療法にはいくつかの概念が存在し，重錘負荷，圧迫と固定，筋力増強運動，バランス運動，そして体操などがある．対象者のパフォーマンスを適宜判断し，よりよい運動学習につながるよう，経過を確認しながら内容を再考する意識が必要である．

1 重錘負荷による動作・歩行練習

変換運動障害や測定障害，振戦などの運動失調

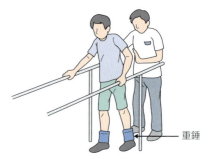

▶図11　重錘負荷による歩行練習の様子

を制御する最もポピュラーな治療法である．下腿遠位端にベルト式の重錘を巻き，これにより筋紡錘からのIa発射を高め小脳への求心性刺激が増加し，筋紡錘から小脳への情報入力が多くなることで小脳による制御を高めると考えられている．重錘を使用しての立ち上がり動作や歩行は歩きやすさ，安定性などが向上する．重錘は足首や杖先など，遠位に装着する．しかし，重錘を外したあとの後効果は期待できない点が問題である．上下肢ともに200g，250g程度から始め，適宜対象者の主観を確認しながら調整する．下肢では500g，1kgから開始する（▶図11）．

2 弾性包帯や弾性ストッキングによる圧迫・固定を用いた動作・歩行練習

重錘負荷と並んでポピュラーな方法として知られるのが弾性包帯や弾性ストッキングの利用である．こちらは体幹や膝関節など中枢の固定を高めることが目的である．包帯やストッキングによる関節の固定と筋腹への圧迫は，動揺を減少させる効果が期待できる．重錘負荷と同様，小脳への固有感覚の情報入力が増すことにより，変換運動障害や測定異常を改善させ，動作の安定性が得られる．固定作用により動揺が減少する場合，鏡を用いてフィードバックすることで視覚による代償作用による動作の円滑化をはかることができる．近位の固定が力学的安定性を高め，小脳による運動

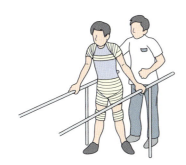

▶図 12　弾性包帯を用いた歩行練習の様子

制御をサポートすることが期待できる（▶図 12）.

③ 筋力増強運動

　急性期医療において，**入院関連機能障害**（hospitalization-associated disability；HAD），なかでも不活動による筋力低下は避けては通れない課題である．また，長期入院加療後に在宅復帰した対象者では，入院前と比較して全身筋力低下を認める症例は少なくない．そのため，各関節の出力を向上する筋力増強運動は重要である．器具は重錘バンドが最も使いやすいが，過剰負荷にならないような設定を心がける．筋力強化は 1 日のなかで定期的に行うことが理想であり，理学療法以外でも行いやすいため，自主トレーニングとしての指導も重要になる．一定リズムで反復運動可能な歩行トレッドミル，自転車エルゴメータ，リカンベントバイクでは，リズミカルな歩行や下肢の交互運動が行うことができ，運動失調の程度によっては協調性の改善にも効果的な場合がある．固有受容性神経筋促通法（proprioceptive neuromuscular facilitation；PNF）を用いた筋力増強運動も広く利用されている．

④ バランス運動

　バランス運動は静的，動的両面の観点から設定する必要がある．まず静止立位が基本であるため，全身鏡を前に置き，肩幅よりやや広めの安定した立位から始める.

　静的バランスの改善は身体重心が外側へ逸脱する状況を理学療法士がつくり，中心に戻す練習を行う．座位でも立位でも支持基底面を意識的に操作し，鏡や体重計を用いた視覚的フィードバックを加えながら，適宜対象者の姿勢保持整が制御可能かどうか確認しながら行う．まず床面で行い，適宜不安定な環境をつくれるバランスマットや DYJOC（dynamic joint control）ボードを用いる.

　動的バランスの改善は，安定した重心位置から任意の方向に身体重心を動かすことで得られる．また，足部による支持基底面を変化させる重心移動も効果的である．立位姿勢における立ち直り反応を促し，体幹・骨盤の固定性を高める作用もある．対象者の能力に応じて，座位からの立ち上がりでは身体重心の上下運動，立位での物品移動，立位での左右の重心移動（片脚立位）などを行う課題を設定する（▶図 13）．安定性を高める課題では，身体の矢状面，前額面，水平面それぞれの方向から選択する.

　上肢の操作を加えるリーチ動作は，座位でも行われる日常生活活動（ADL）に直接つながりがあるため，目的も設定しやすい．脊髄小脳変性症や多系統萎縮症に対する理学療法では，協調性運動障害の程度を加味して，プラットフォーム上で，四つ這いや背臥位で膝立て位からのブリッジなどもバランス運動として取り入れられる[4].

⑤ 重力を除去した歩行練習

　BWST（body weight support treadmill）トレーニングは，ボディキャストなどを対象者の体に巻き，吊し上げることで免荷をはかり，トレッドミル上を歩行するトレーニングである．協調性障害を示す対象者が重力に逆らい体を動かす際にみられる過剰な代償動作を軽減することが可能である．姿勢保持だけでなく，膝折れや転倒リスクがなくなり，安心して思い切った動きができ

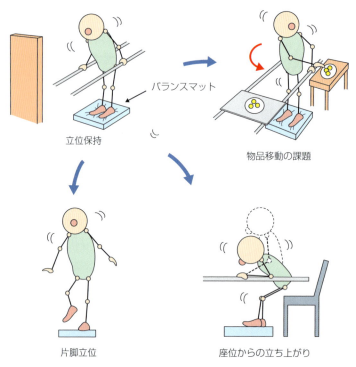

バランスマット

立位保持

物品移動の課題

片脚立位

座位からの立ち上がり

▶図 13　バランスマットを用いたトレーニング

る．純粋な歩行練習時間を長く設定できるため，正しい運動学習サイクルが提供できる．トレッドミル以外にホイストなどを使って歩く環境を設定する機器もある．

6 Frenkel 体操

　Frenkel（フレンケル）体操（▶図 14）は，脊髄後索性運動失調対象者に対して，視覚代償を利用して固有感覚入力を強化し，協調性のある運動を再獲得させることを目的とした運動療法である．対象者には正確性を意識して行うように指導し，反復させる．臥位，座位，立位，歩行の順に行い，最初は難易度を下げ，開眼して行い，次第に難易度を上げ，閉眼での実施へと移行する．適切な動きを反復して行うことで学習させることを目的としており，適切な休憩も必要である．目的とした運動以外への応用は難しい[5]．

F 協調性運動障害に対する運動療法の留意点

1 運動療法の原則

　協調性障害に対する運動療法は，対象者の運動・動作をできるかぎり適切に評価することが重要である．ヒトは背臥位よりも座位，座位よりも立位で重力の影響を受ける．動作や歩行はさらに負荷が高い．理学療法場面のみでなく，病室や自宅における活動についても把握する必要がある．

　運動課題の選択は「反復」と「難易度」に配慮して設定する．反復は運動学習の原則である．難易度とは，単純なものから複雑なものへ進める課題設定である．運動スピードはゆっくりとしたものから徐々に速くする．運動パターンは単純から複雑なものにする．広い支持基底面から徐々に狭くす

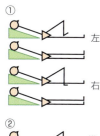

① 背臥位でクッションを使って下肢の運動が見えるところまで体幹を起こす．踵を床の上でずらし，対側の膝関節のところまでもってきてもとに戻す．左右交互に10回行う．足関節は背屈ぎみにする．

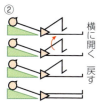

② 踵を床の上でずらし他側の膝関節のところまでもってきて，そのまま床につくまで横に倒しもとに戻す．左右交互に10回行う．

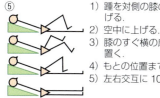

③ ①と同様の動作を足と膝の中間の位置で行う．
④ ②と同様の動作を足と膝の中間の位置で行う．

⑤
1) 踵を対側の膝の上に上げる．
2) 空中に上げる．
3) 膝のすぐ横の床の上に置く．
4) もとの位置まで伸ばす
5) 左右交互に10回行う．

⑥ ⑤と同様の動作を足と膝の中間位で行う．
⑦ ⑤の動作を途中で止め，次いで⑥の動作を続ける．

⑧ 脛骨の上で踵を滑らせる．

⑨ 床の上で左右の踵を接触しないようにそろえて屈伸する（床から浮かせて同様の動作を行ってもよい）．

⑩（⑤の反対の運動）まず踵を床上で膝のわきに置き，次いで膝の上に乗せる．

⑪ ⑩と同様の動作を中間位で行う．
⑫ ⑩と同様の動作を踵を床につけないで行う
⑬ 治療者が一側の下腿の任意の箇所を指差し，そこに対側の踵をもってこさせる．
⑭ 治療者が空間の任意の点を指差し，母指をそこにもっていかせる．

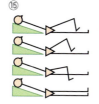

⑮ 一側の踵を他側の膝関節上に乗せ，その膝を曲げてもとに戻す．乗せたほうの膝関節は外旋させる．

⑯ ⑮と同じ動作を中間位で行う．

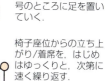

⑰ 座位にて一側の下肢を対側の大腿部の上に乗せ，もとに戻す．また一側の足部を対側の足の横に置き，もとに戻す．

⑱ 座位にて碁盤の目の区切りに番号を記入したボードを用意し，はじめは順番に，次に治療者が指示した任意の番号のところに足を置いていく．

⑲ 椅子座位からの立ち上がり／着席を，はじめはゆっくりと，次第に速く繰り返す．

⑳ ⑱のボードを用いた運動を立位で行う．

㉑ フットプリントを等間隔に置いた歩行路を用意し，その上を歩行する．

▶**図14　Frenkel体操**
〔横田一彦：協調性運動．吉尾雅春ほか（編）：標準理学療法学 専門分野 運動療法学 総論，第4版，医学書院，2017 より〕

る．運動方向は単一方向から多方向へ変化させ，活動範囲は小さいものから徐々に大きく，重心位置は低いものから高いものへ調整を行う必要がある．正確で円滑な運動が行えるように反復して行うことが重要である．また，視覚情報の入力は運動学習で重要な要素である．最大限視覚情報を活用できるように鏡の位置を調整し，対象者がしっかり写り込んでいるか確認することが大切である．Frenkel体操はこれらの原則を配慮してつくられている．

② 運動失調の原因を考慮した対応

運動失調の原因が脊髄後索性や前庭迷路性の場合は，深部感覚の入力，前庭系経由のフィードバック制御が困難となる．また，小脳性運動失調の場合は企図振戦，測定障害，変換運動障害，運動分離，協働運動不能（障害），時間測定障害の有無の評価が重要である．フィードバックやフィードフォワードによる制御調整が難しいため運動学習が困難になる．いずれも視覚情報を最大限有効活用できるように環境調整をする．四肢の運動は体幹の固定性が大きく関係するため，姿勢やポジショニングを適切に評価する．時に座位保持装置や手すりなどの利用で動作が円滑になることも少なくない．対象者が自立している動作と支援や介助が必要な動作を見極め，課題を明確にすることが重要である．

上記のように，前庭小脳のシステム障害は平衡機能障害が出現する．姿勢保持と滑らかな姿勢変換を意識し，静的バランスと動的バランスにかかわる練習を反復して行うことが効果的である．眼

球運動の障害がある場合は視覚情報の入力にも
配慮が必要である．脊髄小脳の障害ではフィード
バック制御に関する障害が出現するため，固有感
覚情報の入力を強化する運動療法による効果が期
待される．大脳小脳では，運動の計画や末梢の巧
緻運動に関連が高く，基本動作や歩行に支障がな
い場合でも就労などの課題が懸念される．社会復
帰や就労支援などでは，作業療法士や言語聴覚士
との連携をとることも大切になるだろう．

●引用文献
1) 米田稔彦：協調運動機能．内山 靖（編）：標準理学療法
学 専門分野 理学療法評価学，第 2 版，pp.138–148, 医
学書院，2004.
2) Crossman, A.R., et al.（著），野村 嶬ほか（訳）：神経解
剖カラーテキスト．第 2 版，医学書院，2008.
3) 内山 靖（編），奈良 勲（監）：理学療法学辞典．p.73, 医学
書院，2006.
4) 五十嵐祐介：脊髄小脳変性症・多系統萎縮症の理学療
法．中山恭秀ほか（編）：Crosslink 理学療法学テキスト，
神経障害理学療法学 II—神経筋障害，pp.42–61, メジカ
ルビュー社，2019.
5) 横田一彦：協調性運動．吉尾雅春ほか（編）：標準理学
療法学 専門分野 運動療法学 総論，第 4 版，医学書院，
2017.

バランス運動

A バランスの概念的な整理と定義

バランスの概念は,神経生理学的な観点,生体力学的な観点,特定の検査(各種バランススケール)を用いて反応や動きの結果を数字尺度化したものに大きく分類されている.神経生理学的観点からバランスを論じる場合は,発達や中枢神経系障害における姿勢保持や変化および外乱への反応に対して用いることが多く,生体力学的観点から論じる場合は,筋骨格系障害および中枢神経系障害の両者に用いられており,特定の検査をもとにした場合は,高齢者,筋骨格系障害および中枢神経系障害などすべての対象者に用いることができる.

1 バランスの概念的整理

バランスを概念的に整理してみると,以下の3つに分けることができる.

①神経生理学的な観点から,平衡反応や立ち直り反応といった姿勢の変化や外乱に対する姿勢反応としてのバランス(▶図1)

②重力下における各種の力学的な検査と分析において,身体重心線と支持基底面の関係としてのバランス(▶図2)

③特定な検査方法(各種バランススケールなど)を用いることで数値的な結果としてとらえるバランス

- Berg(ベルグ) Balance Scale
- Functional Balance Scale(FBS)
- Mini-Balance Evaluation System Test など

2 バランスに関する定義

a 支持基底面と安定性限界

Shumway-Cook[1] は,姿勢制御を**安定性**(stability)と**定位**(orientation)に分けている.そして安定性は "バランス" や "平衡" と同義であり,身体の位置,特に身体質量中心(centre of mass; COM)の位置を**安定性限界**と呼ばれる特定の範囲に保持する能力であると述べている.また安定性限界は,身体がその支持基底面を変化させることなく自身の位置を保持できる限界のことであると解説している(▶図3).

b バランスを形成する要素について

また Shumway-Cook は,バランスに対する制御は,筋骨格系要素,神経筋共同収縮系要素,個々の感覚系要素,感覚戦略,予測機構,適応機構,内部表象といった複数システム(▶図4A)で構成されるとしている[2].さらに Horak ら[3] は,バランスとは,生体力学的制約,安定性限界と姿勢の

207

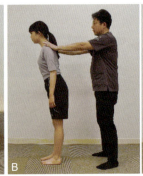

▶図1　姿勢の変化や外乱に対する姿勢反応としてのバランス
A：傾斜反応. 頭部や体幹を傾斜側とは反対側に側屈させ, 上下肢とも倒れないように反対側に伸展
　するような反応.
B：ホッピング反応. 立位で前後左右に倒れそうになった際, 倒れないように足を踏み出す反応.

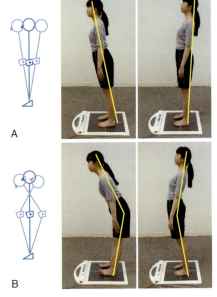

▶図2　身体重心線と支持基底面の関係
　としてのバランス
A：足圧中心を制御して姿勢を安定させようとす
　る反応または足関節戦略.
B：身体重心を制御して姿勢を安定させようとす
　る反応または股関節戦略.

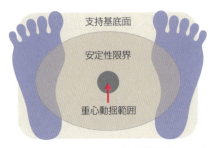

▶図3　支持基底面と安定性限界および
　身体重心の関係

る生体の情報処理機能の現象と表現しており, 支持基底面に身体重心を投影するために必要な平衡機能に加えて, "骨アライメント"や"関節機能", "筋力"などの要素が含まれると解説している(▶図4B)[4].

　以上のように, 諸家の報告をまとめてみると, バランスとは, 筋骨格系, 関節機能, 固有受容感覚機能, 神経–筋機能, そして運動課題や環境からの要因といった多数の要素が関係する総合的な能力(▶図4C)と考えられる.

C 運動学および生体力学的な視点からのバランスの理解

　あらゆる身体の障害に共通して分析するためにも, 運動学および生体力学的な視点で整理するのが理解しやすい. 日常生活のあらゆる場面で「転

鉛直性, 予測的姿勢制御, 姿勢反応, 感覚適応, 歩行時の安定性の 6 つの姿勢制御機能システムの統合ととらえることを提唱している. 内山は, "バランス"とは, 環境のなかでどのように動作を上手に行うか, 重力をはじめとする環境に対す

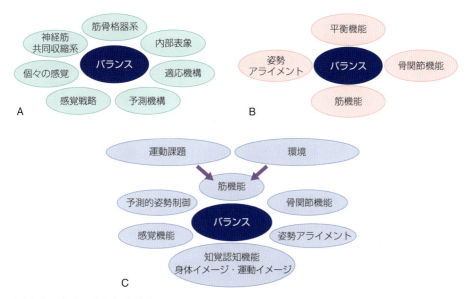

▶図4　バランスのとらえ方
A：Shumway によるバランスのとらえ方
B：内山によるバランスのとらえ方
C：諸家の考えに基づいたバランスのとらえ方

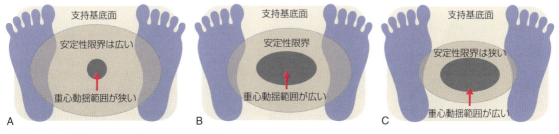

▶図5　安定性限界に対する重心動揺の関係とバランス
A：安定性限界に対して重心動揺の小さいバランスのよい状態.
B：重心動揺が大きくバランスの低下した状態.
C：安定性限界が小さく重心動揺の大きいバランスの低下した状態.

倒せずに各種動作が遂行できる」ということは最も重要であり，「転ばない」ということは，「支持基底面を変化させず，もしくは移動した新たな支持基底面でも安定性限界に身体重心を収めることができる能力」[1] であると表現ができる．さらに支持基底面内で姿勢を崩さず有効使用できる範囲である安定性限界が大きく，姿勢調整の不安定程度を表す重心動揺が小さいほど姿勢の安定性（バランス）が高いということになる（▶図5）[5].

3 バランスの機能的な評価分類

　身体重心と支持基底面の関係におけるバランスは，①静的姿勢保持，②外乱負荷応答，③随意運動中のバランス（支持基底面固定），④随意運動中のバランス（支持基底面移動）の4因子（▶図6）として，機能的なバランス分類とする．生活上のさまざまな場面を想定した場合，これら4つの基本検査パターンを考慮した総合的なバランスの機能的な評価が適当と考えられる[6].

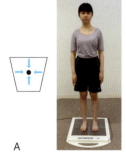
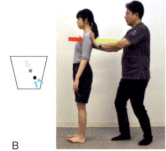

▶図 6　バランスの 4 因子
A：静的姿勢保持（検査項目：重心動揺検査）
B：外乱負荷応答（検査項目：Manual Perturbation Test）
C：随意運動中のバランス：支持基底面固定（検査項目：Functional Reach Test）
D：随意運動中のバランス：支持基底面移動（検査項目：Functional Balance Scale, Performance-Oriented Mobility Assessment）

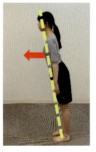

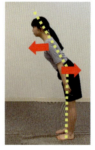

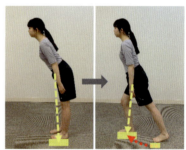

▶図 7　バランスを保つための 3 つの戦略
A：足関節戦略，B：股関節戦略，C：ステッピング戦略

B　バランスを保つための 3 つの戦略

　ヒトは転倒せずにバランスを保つため，**足関節戦略，股関節戦略**および**ステッピング戦略**（▶図 7）を用いる[7]．「安全に転倒せず，最も遠くに手を伸ばすことができる」ためには，足関節戦略を利用しながら，脊柱を屈曲または過度に伸展させないよう鉛直方向に伸展した状態で，体を前方に傾ける必要があり，腹腔内圧を増加して体幹の剛性を高めることが重要である．また安定性限界を超えないようにするためには，早急に股関節戦略を用いて身体重心を戻す必要があり，主に股関節運動によって身体重心を一定に保てることが重要となる．そして足関節戦略，股関節戦略のどちらを用いても対応できず，支持基底面から身体重心が外に出てしまう場合は，早急に足を一歩踏み出すことで，新たな支持基底面をつくる必要があり，ステッピング反応を高めることが重要となる．

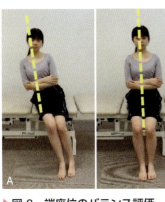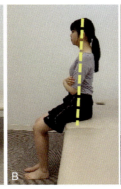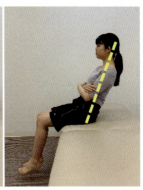

▶図8　端座位のバランス評価
A：側方のバランス評価，B：後方のバランス評価

1 足関節戦略が生じる場合

　静止立位で重心動揺が小さいとき，足関節底屈トルクを発揮させて安定性限界内に身体重心を保持する反応で，比較的広い支持面でおこるとされている．実生活では，支持面が小刻みに揺れるような状態（動いている乗り物に立って乗車）で安定しようとしている状態や，前方にある目標物に手を伸ばした際，足の位置を変えず，かつ重心を後方に移動させないで，どれだけ遠くまで手が届くかという方略のことである．

2 股関節戦略が生じる場合

　性急または大きな重心動揺に対して，支持基底面内に質量中心を投影する反応である．狭い支持面内に身体重心を保つ場合，または遠くに手を伸ばしすぎて，質量中心が安定性限界を超えて転倒する寸前に股関節運動を用いて身体重心を支持基底面内に戻す反応（身体重心を後方に移動する反応）といえる．

3 ステッピング戦略が生じる場合

　足関節戦略，股関節戦略だけでは対応できず，一歩足を踏み出すことで新たな支持基底面をつくってバランスを保つことを，ステッピング戦略（姿勢反射の一種）という．

C 実際のバランス評価とバランス運動

　重心動揺計と動画を組み合わせると，より客観的な評価が実施できる．しかし，動画や静止画だけでもある程度の客観性が得られるので利用するとよい．

1 バランスの評価

a 端座位の簡易的なバランス評価

　足が軽く床につく程度の高さに座る．特に体幹部を中心とした動きに注目するため両手は胸の前に重ねておく．その状態から，左右それぞれの殿部にできるだけ体重を移動させる．移動する目安としては，足が浮くか浮かないかを限界点とする．移動量以外にも，左右差，肩の挙上などの代償動作なども確認する．また後方についても，足が浮くか浮かないかを限界とする（▶図8）．

b 立ち上がりのバランス評価

　両足幅は股関節幅程度として，端座位バランス同様の着座ポジションから，上肢は胸の前で重ね

▶図 9 　立ち上がりのバランス評価
端座位より，勢いをつけずにゆっくり殿部が座面から離れるまで浮かせて，2，3秒間保持ができるかを評価する．

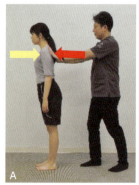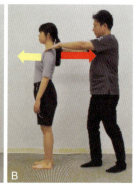

▶図 11 　外乱負荷応答に対するバランス評価
Ａ：後方から前方に対する外乱を加え，外乱を与えられた側は後方に身体重心を戻そうとする．
Ｂ：後方から後方に対する外乱を加え，外乱を与えられた側は前方に身体重心を戻そうとする．

▶図 10 　立位の簡易的なバランス評価
Ａ：前方および後方へのバランス評価，Ｂ：側方へのバランス評価

る，または下垂位に保ったまま，ゆっくりと殿部を浮かせて，その位置で数秒間保持できるかを評価する（▶図 9）．

c 立位の簡易的なバランス評価

　足幅は股関節幅程度に設定する．その状態からなるべく体をまっすぐにして，可能なかぎり前方と後方に傾く．前方では踵が軽く浮く程度として，あくまでも背中が反り返らないでできる範囲とする．後方もつま先が軽く浮く程度として，殿部を引かないでできる範囲とする．左右の評価においても傾斜する反対側の足が軽く上がる程度として，側屈しない範囲で移動する（▶図 10）．

d 外乱負荷応答に対するバランス評価

　他者に押される場合や床が揺れるなど，外力に対して姿勢をもとに戻そうとする反応を評価する（▶図 11）．

e 踏み出しの簡易的なバランス評価

　立位と同様の足幅に設定して立つ．前方および後方に左右交互に片足を踏み出す．その際，新たな支持基底面内で，なるべく上半身を鉛直位に保ちながら安定して支持できているかを確認する．踏み出す幅は，通常歩行の一歩（50〜70 cm）とする．同様に左右のステップも同じ幅で実施して，上半身の肢位やぐらつきを確認する（▶図 12）．

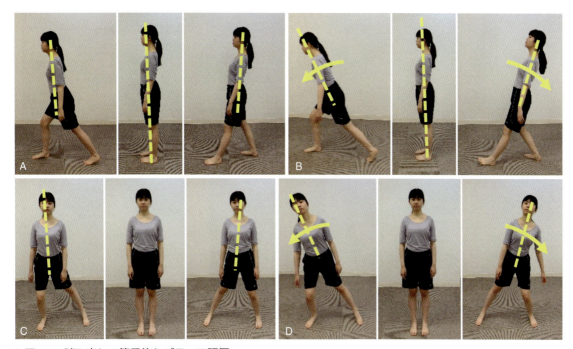

▶図 12　踏み出しの簡易的なバランス評価
A：上半身をある程度鉛直位に保ちながら行う，前方への踏み出しと後方への踏み出し．
B：上半身が前方または後方に傾きすぎて，支持基底面に身体重心を維持するのに努力を要している．
C：上半身をある程度鉛直位に保ちながら行う，左右側方への踏み出し．
D：上半身が側方に傾きすぎて，支持基底面に身体重心を維持するのに努力を要している．

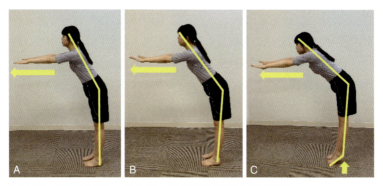

▶図 13　ファンクショナルリーチを用いたバランス評価
A：主に足関節戦略を用いた前方へのリーチ
B：足関節戦略と股関節戦略の両方を用いた前方リーチ
C：足関節戦略，股関節戦略，踵上げ戦略の 3 つを用いた前方リーチ

■f ファンクショナルリーチを用いた バランス評価

　ファンクショナルリーチには，足関節戦略と股関節戦略，そして踵上げ戦略のいずれかを主に組み合わせた混合タイプの姿勢制御が観察できる．

そのため，どの戦略を主に使用しているかを確認する．最も遠くまでリーチできるのは，ステッピング反応の一歩手前とした踵上げ戦略を取り入れた反応である[8]（▶図 13）．

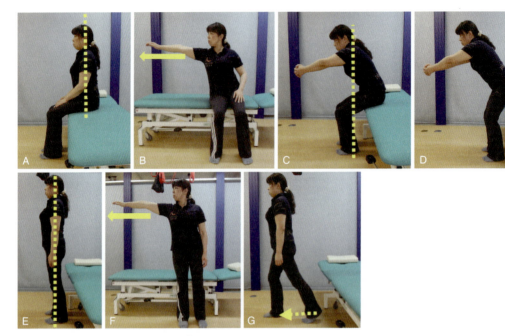

▶図 14　基本的なバランス練習の順番
A：座位保持練習，B：座位側方リーチによる重心移動，C：前方への重心移動，D：座位 → 立位の上方への重心移動，E：立位保持練習，F：立位でのリーチ動作における重心移動，G：ステップ動作（前後，左右，斜め方向）

2 バランス運動の内容について

　運動内容に関しては，座位から立位に移行しながら，姿勢保持練習（静的バランス，動的バランス），ステップ練習，各種動作練習へと進めていく（▶図 14）．また，個別の機能レベルに応じた難易度・課題設定，運動機能障害に対するその他の運動療法の付加を考慮して実施する．

3 対象者の運動機能に応じた難易度設定と運動強度（立位）

　支持基底面の面積を徐々に小さくしていく（▶図 15 A，B）．タンデム肢位（▶図 15 C）と片脚立位（▶図 15 D）では，足を並列にしたポジションに比べて筋活動の部位や特性が異なる．タンデム肢位では，複雑な足部の動きが求められるバランス運動である．タンデム肢位を利用する場合，前後の足のスタンス幅を肩幅の 50％，40％，30％，

20％，10％ と狭めていき，最も難易度の高いものは，前方の足の踵に後方の足の第 2 趾を接触させた肢位である[9]．また片脚立位では，股関節機能が担保されている条件下では距骨下関節による回内・回外運動が中心となり，足圧中心を制御することによって身体重心の安定性が維持される[10]．

4 静的バランス，動的バランス，ステップ反応への移行

　静的バランス運動から動的バランス運動，新たな支持面へ移動して安定させるステップ反応に移行する（▶図 16）．

5 補助的サポートの利用

　バランス運動を実施するうえで転倒しないよう安全に，そして成功可能な少しだけ難しいと感じる練習をすることが効果的である[11]．そのためには，固定されて一定したサポート量を提供するも

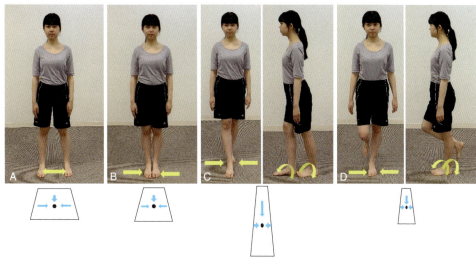

▶図 15　運動機能に応じた難易度設定と運動強度
A：スタンス幅は広く，支持基底面が広く，難易度が低い.
B：スタンス幅は狭く，支持基底面が狭く，難易度が高い.
C：タンデム肢位. 支持基底面が狭いうえに足部の動きがさらに要求され，難易度が高い.
D：片脚立位. 支持基底面が非常に狭い. 股関節機能の影響が大きく，かつ足部機能，特に距骨下関節の回内・回外がさらに要求される.

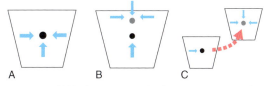

▶図 16　静的バランス，動的バランス，ステップ反応への移行
A：静的バランス，B：動的バランス，C：新たな支持面への移動

のでなく，サスペンションシステム（▶図 17）のように，利用者自らが必要な量を，適切なタイミングですばやく調整できる，自由度の高いサポート設定が効果的である. サスペンションシステムは，天井または天井のフレームに機器本体が設置されており，スリングポイントと呼ばれる本体部分のロープ出口が始点となる振り子状，または下方が円形あるいは楕円形の底面となる円錐状の範囲に動かすことができる（▶図 18）.
　サスペンションシステムのロープによるサポートの特徴としては，以下のものがあげられる.
①荷重しすぎると上肢下側の筋と体側の筋の収縮により固定が強まるが，転倒に対する危険性は

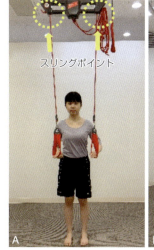

▶図 17　サスペンション機器としてのレッドコード

最も低下する.
②持ち上げてしまうと，上肢とロープそのものの重量が負荷としてバランス運動に影響を及ぼして，転倒の危険性も高くなる.
③上肢の部分免荷または軽く支持する程度がバランス運動には好ましいと考えられる.

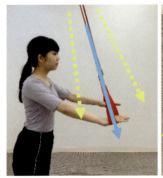

▶図 18　レッドコードの先端のストラップの移動軌跡
本体部分のロープ出口(スリングポイント)が始点となる振り子状，または下方が底面となる
円錐状の範囲に動かせる.

▶図 19　ストラップの位置と支持基底面の調整
A：両ストラップの位置が広く，最も安定したサポート.
B：両ストラップの位置が狭くなって，サポートも減少する.
C：さらに狭くすることで，サポートが最も小さくなる.
D：片側ストラップのみ使用は，両ストラップよりも不安定なサポートになる.

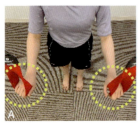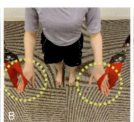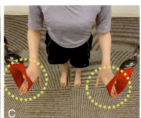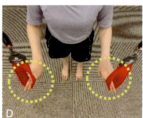

▶図 20　ストラップの把持の方法による変化
A：両手で握る.
B：手掌をストラップに載せる.
C，D：指の本数を減らす(4 本 → 2 本).
A～D の順に不安定なサポートとなる.

　支持に利用する際は，ロープの長軸方向に抑えることで瞬時に支持面を変化させることができて，ストラップの位置を調整することで支持基底面の面積を調整することができる(▶図 19).また，把持の方法によっても安定感が変化する(▶図 20).

6 障害を考慮した治療介入

　対象者がもつ障害を考慮した個別の機能低下に対する治療介入を付加する.たとえば，筋骨格系障害であれば筋力，関節機能，姿勢アライメント

▶図21　座位におけるバランス運動
A：前方へのバランス運動，B：側方へのバランス運動（左右），C：後方へのバランス運動

など，中枢神経系障害であれば感覚機能，知覚認知機能，姿勢アライメントなどの因子である．

7 ADL，IADLの環境を想定した課題設定

　実生活の環境の変化を考慮して，感覚的な変化（支持面を不安定にしてみる，閉眼で行う），物理的条件の変化（対象物を押す，支持面を移動する），精神的な変化（計算問題をする）などの外乱を加える二重課題を用いたバランス運動において，Woollacottらは，「人と話しながら歩く」といったような同時に2つの課題を行う際，両方の課題（歩行バランス，会話を理解する）に対する情報処理能力が低い場合，その一方または両方の行動が低下すると報告している．また歩行中に話しかけると立ち止まってしまうStop Walking When Talking（SWWT）の有無は，転倒リスクの判別に有用といわれている[12]．

　二重課題の例題としては，暗算で引き算「100から7を順に引いていく」「野菜または果物の名前を7つあげてもらう」などがある[13]．

8 バランス運動の紹介
a 座位におけるバランス運動

　座位におけるバランス運動は，両側の足底が床についた状態で，背もたれなしの状態から開始する．前方への重心移動は，殿部が座面から浮く程度まで（▶図21A），また左右への重心移動は，左右それぞれの殿部にできるだけ体重を移動させて行う（▶図21B）．後方への重心移動も，後ろに倒れない程度に体を傾けて実施する（▶図21C）．サポートにサスペンションツールを使用する場合

▶図22　静止立位におけるバランス運動
Ａ：両手でロープをサポートに使用．両手の幅は広くする．
Ｂ：両手でロープをサポートに使用．両手の幅は狭くする．
Ｃ：片手でロープをサポートに使用する．
安定してできるようなら支持基底面を徐々に狭くして実施する．どれも片手を動かしてサポート量や範囲を変化させる．また姿勢を安定させながら動かすという二重課題になる．

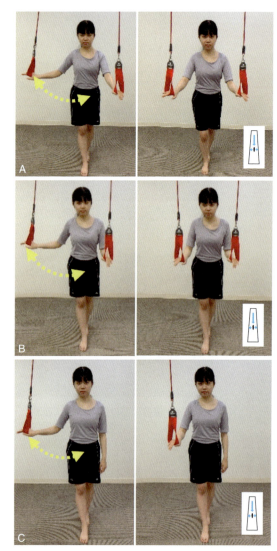

▶図23　タンデム肢位におけるバランス運動
前方の足の踵と後方の足の第２趾のスタンス幅を肩幅の50％，40％，30％，20％，10％，0％ と狭くしていく．
Ａ：両手でロープをサポートに使用．両手の幅は広く，次に左右片手ずつ上肢を動かす．
Ｂ：両手でロープをサポートに使用．両手の幅は狭く，次に左右片手ずつ上肢を動かす．
Ｃ：片手でロープをサポートに使用する．次に上肢を動かす．
どれも片手を動かしてサポート量や範囲を変化させる．また姿勢を安定させながら動かすという二重課題になる．

は，わずかに押さえる程度にする．また後方に重心移動をする際は，軽く引っ張りながら後方へ体を傾ける（必ず後方で理学療法士が安全を確保しながら実施する）．

❻ 静的バランス運動

　徐々に支持基底面を狭くすることで難易度を上げていく．
　静止立位の運動では，両足並列にて足幅を広く，

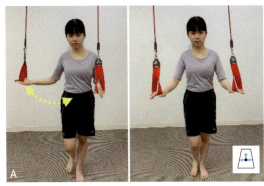

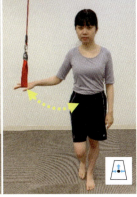

▶図24　片脚立位におけるバランス運動

股関節機能が担保されている条件下では距骨下関節による回内・回外運動が中心となり，足圧中心を制御することによって身体重心の安定性が維持される。
A：両手でロープをサポートに使用。両手の幅は広くする。
B：両手でロープをサポートに使用。両手の幅は狭くする。
C：片手でロープをサポートに使用する。
どれも片手を動かしてサポート量や範囲を変化させる。また姿勢を安定させながら動かすという二重課題になる。

把持する両手間の幅を狭くしていく，または外乱として上肢運動を追加する（▶図22）。タンデム肢位（▶図23），片脚立位（▶図24）でも同様に難易度を徐々に高めていく。また外乱として重心の上下運動も実施する（▶図25）。

Ｃ 動的バランス運動

①足関節戦略を用いた動的バランス運動（前方・側方）：静的バランスと同様に，徐々に支持基底面を狭くして難易度を上げていく（▶図26）。
②股関節ストラテジーを用いたバランス運動：足は並列にして，股関節を屈曲しながら可能なかぎり両手を前方に伸ばして，もとの位置に戻る。足関節戦略が使用しにくい状態を設定する。支持面が軟らかい素材を使用する（▶図27 A），もしくは支持基底面を足長より狭く設定する（▶図27 B）。
③ステップ反応の練習：安定性限界を超える位置を目標にして体をできるだけ移動方向に傾ける。次に限界がきたらあらかじめステップを決めておいた足を一歩踏み出す。前方，左右側方，斜め前方方向，そして転倒に注意しながら後方，斜め後ろ方向へのステップ練習を実施する（▶図28）。
④最大リーチ動作を利用したバランス運動：安定性限界を超えない最大の位置を目標にしてできるだけ前方に手を伸ばしながら，体を前方に傾ける。可能であれば，つま先近くまで重心が移動するようにする（▶図29）。

Ｄ 機能低下に応じた介入

1 足部機能

　立位では，足部（足底）は唯一，身体が支持面と接する部分であり，足底からの感覚入力が姿勢に及ぼす影響は大きい[14]。そのため，距骨下関節の回

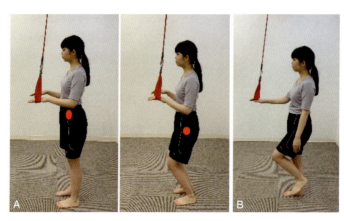

▶図 25　外乱として重心の上下移動を実施
A：足は並列.
B：可能であればタンデム肢位や片脚立位，サポートを片手把持にして実施する.

▶図 26　足関節戦略を用いた動的バランス運動
A：前方への動的バランス運動. 足は並列にして，体をまっすぐに保持したまま，可能なかぎり体を前
　　方に傾けながら安定性限界を広げて，もとの位置に戻る.
B：側方への動的バランス運動. 左右それぞれ，可能なかぎり側方に傾けながら安定性限界を広げて，
　　もとの位置に戻る.

▶図27 股関節ストラテジーを用いたバランス運動
A：ウレタン素材のマットのように支持面が軟らかい素材を使用する.
B：半ポールを利用して，支持基底面を足長より狭く設定する.

内・回外運動，足部の適切な剛性と柔軟性は，支持基底面内の安定性限界に影響を与える．足部の安定性を高めるためには，エアクッション上にて距骨下関節の運動制御のための荷重練習（▶図30 A），足趾の内在筋，外在筋の筋機能を改善するエクササイズが効果的である（▶図30 B，C）.

2 体幹部のスタビリティ機能の向上

a 腹腔内圧の調整機能（深層筋による体幹部の安定性向上）

立位の安定性を高めるには，腹部深層筋の機能改善により体幹部のスタビリティを向上させるこ

▶図28 ステップ反応の練習
A：安定性限界を超えるタイミングで，前方，後方へのステップ練習.
B：安定性限界を超えるタイミングで，側方へのステップ練習（左右）.
C：安定性限界を超えるタイミングで，斜め側方へのステップ練習（左右）.

とが重要である[15]．体幹部のスタビリティを高めるには，腹横筋，横隔膜，骨盤底筋群の共同作用による腹腔内圧の増加と大きく関係する[16]．また，脊柱の分節的な安定性には多裂筋の活動が重要で

ある．そのため，腹式呼吸の練習や，呼気終末に骨盤底筋群や腹横筋の収縮練習を行う（▶図 31 A）．さらに，大きめのタオルロールやフォームローラー上に背臥位になった状態で実施すると，より効果的である（▶図 31 B，C）．

b 体幹部のローカル筋機能の活動を基本としたグローバル筋の機能向上

立位の安定性を高めるためには，体幹部の筋機能が重要な役割を担う．特に片脚立位の安定性には，支持側の内腹斜筋と反対側の外腹斜筋，背側では支持側の多裂筋と反対側の胸部・腰部脊柱起立筋の筋活動が重要である[10]．そのため，ローカル筋を意識した体幹筋トレーニングを実施（▶図 32，33 A，B），および股関節外転筋（中殿筋）の筋活動も合わせたスタビリティトレーニングを実施する（▶図 33 C）．

3 柔軟性の向上（脊柱─胸郭，股関節）

体幹部のスタビリティを高める一方，瞬時に分節的な関節運動のための柔軟性を高めることが必要である．特に上半身重心が位置する胸郭や股関節の柔軟性を高めることが重要である．脊柱の分節的柔軟性を高めるためのストレッチ体操（▶図 34）やキャット＆ドッグエクササイズ（▶図 35），また股関節の柔軟性を高めるためのロックバック運動（▶図 36）は効果的である．

▶図 29　最大リーチ動作を利用したバランス運動
A：踵はつけたまま，可能なかぎり前方に重心が移動するよう，できるだけ前方に手を伸ばす．
B：踵を浮かせながら，つま先近くまで重心が移動するよう，できるだけ前方に手を伸ばす．

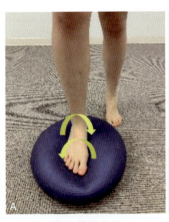
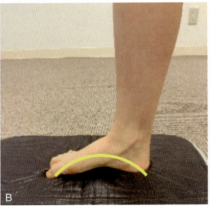
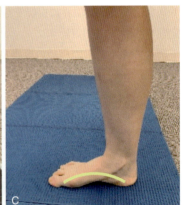

▶図 30　足部機能の低下への介入
A：エアクッション上に片足を乗せての荷重練習．
B：足部外在筋トレーニング．足趾でジェルマットをつまみ上げる．
C：足部内在筋トレーニング．趾腹でマットを押さえつけるように把握する．

▶図31　腹腔内圧の調整機能低下に対する介入
A：腹式呼吸の練習と呼気終末に骨盤底筋や腹横筋の収縮練習を実施.
B：タオルロールの上に背臥位になって腹部深層筋を収縮させながら片脚ずつ挙上. 安定してできるように
　　なれば, 両腕を胸の上に置いて支持面を狭くして実施する.
C：フォームローラー上で実施する.

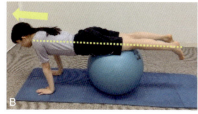

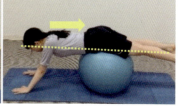

▶図32　バランスボールを利用した体幹筋トレーニング
A：背臥位の体幹筋トレーニング. 両腕を体側に置いて支持面を広くする方法（左）と, 両腕を胸の上に置いて支持面を狭くする方法
　　（右）を示す.
B：腹臥位の腹部体幹筋トレーニング. 前後に動いて負荷を増減する.

▶図 33　レッドコードを利用した体幹筋トレーニング

A：下肢とベルトが接する部分と背部を支点としたブリッジを実施することで，背部体幹筋の活動を高める．エラスティックコード（ゴム製のロープ）を利用した負荷の軽減（左），エラスティックコードのサポートなし（中），サポートなしで両腕を胸の上で組んで支持面を狭くする方法（右）を示す.

B：下肢とベルトが接する部分と前腕を支点としたブリッジを実施することで，腹部体幹筋の活動を高める．エラスティックコードを利用した負荷の軽減（左），エラスティックコードのサポートなしでの実施法（右）を示す.

C：側臥位にてブリッジを実施する．下方になった側の下肢をベルトに押しつけながら体幹をリフトすることで，体幹筋と股関節外転筋の活動を高める．エラスティックコードを利用した負荷の軽減（左），サポートなしでの実施法（右）を示す.

▶図34　脊柱の分節的柔軟性を高めるためのストレッチ体操
A：フォームローラーを使用した脊柱の分節的な柔軟性を高めるためのストレッチ.
B：タオルロールを利用した胸椎部の伸展 + 回旋ストレッチ.
C：フォームローラーを使用した胸椎の伸展ストレッチ.
D：側臥位にて上部体幹を反対側に回旋する胸郭ストレッチ.

▶図 35　脊柱の柔軟性を高めるためのキャット＆
　　　　ドッグエクササイズ

▶図 36　ロックバック運動による股関節の柔軟性を
　　　　高めるエクササイズ

▶図 37　体性感覚の低下に対する介入
麻痺側の足底に多数の小さな突起物のついたマットを敷いて，
より多くの感覚刺激を与えるようにする．

▶図 38　身体イメージの低下に対する介入
A：端座位で実施，B：立位で実施

❹ 体性感覚の低下（表在感覚）

　脳卒中片麻痺は，麻痺側の表在感覚や深部感覚
（位置覚，運動感覚）の機能低下が生じる場合が
少なくない[14]．特に足底の表在感覚に低下がある
場合，安定性限界が狭くなって，結果的に非麻痺
側へ偏った荷重を行うことがある．このような場

合，座位なら麻痺側の殿部，立位なら麻痺側の足底に多数の小さな突起物のついたマットなどを敷いて，より多くの感覚刺激が入力できるように工夫をする（▶図 37）．

5 身体イメージの低下（姿勢鏡の利用）

　鏡に自分の姿を映して，鉛直方向のずれや側方への移動量を視覚的に確認する（▶図 38）．

● 引用文献

1) Shumway-Cook, A. ほか（著），田中　繁ほか（監訳）：モーターコントロール—運動制御の理論と臨床応用. pp.186–269, 医歯薬出版, 1999.
2) Shumway-Cook, A. ほか（著），田中　繁ほか（監訳）：モーターコントロール—研究室から臨床実践へ. 原著第 4 版, pp.163–198, 医歯薬出版, 2013.
3) Horak, F.B., et al.: The Balance Evaluation Systems Test (BESTest) to differentiate balance deficits. *Phys. Ther.*, 89(5):484–498, 2009.
4) 内山　靖：姿勢の調節. 理学療法科学, 10(4):221–231, 1995.
5) 望月　久：バランス. PT ジャーナル, 36(5):373, 2002.
6) 島田裕之ほか：姿勢バランス機能の因子構造—臨床的バランス機能検査による検討. 理学療法学, 33(5):283–288, 2006.
7) Horak, F.B., et al.: Central programming of pos-tural movements: adaptation to altered support-surface configurations. *J. Neurophysiol.*, 55(6):1369–1381, 1986.
8) 対馬栄輝ほか：下肢の運動戦略と Functional Reach Test—足・股・踵上げ運動戦略の違いが Functional Reach 距離，重心の前後移動，重心動揺面積に及ぼす影響. 理学療法科学, 16(4):159–165, 2001.
9) 鈴木　誠ほか：タンデム肢位及びステップ肢位の姿勢制御：圧中心の側方制御について. 東北文化学園大医療福リハ紀, 12(1):23–27, 2016.
10) 鈴木　哲ほか：片脚立位時の体幹筋活動と重心動揺との関係. 理学療法科学, 24(1):103–107, 2009.
11) 今井のり子ほか：不安定環境下におけるバランス練習の方法の違いが運動学習に与える影響. 理学療法学, 40(Suppl. 2), 2012.
12) 井上　優：脳卒中患者の転倒リスクに対する二重課題処理能力の関与の検証—無作為化比較試験による二重課題トレーニングの効果検証を通じて. 生態心理学研究, 7(1):25–26, 2014.
13) Woolcott, M., et al.: Attention and the control of posture and gait: a review of an emerging area of research. *Gait Posture*, 16(1):1–14, 2002.
14) 隈元庸夫ほか：足底感覚障害に対する感覚入力が姿勢に及ぼす影響. 理学療法学, 28(Suppl. 2):212, 2001.
15) Smith, M.D., et al.: Postural response of the pelvic floor and abdominal muscles in women with and without incontinence. *Neurourol. Urodyn.*, 26(3):377–385, 2007.
16) Hodges, P.W., et al.: Inefficient muscular stabilization of the lumber spine associated with low back pain. A motor control evaluation of transversus abdominis. *Spine*, 21(22):2640–2650, 1996.

運動療法の
対象の広がり

小児

A 運動発達

1 運動発達の理解

新生児期, 乳児期, 幼児期, 学童期といった小児期におこるさまざまな疾患や障害に対して運動療法を行う場合, 定型的な運動発達の過程やメカニズムを理解しておく必要がある.

運動発達は粗大運動と微細運動の2つに大別される. **粗大運動**には姿勢の保持や変換, 移動能力(四つ這い移動や歩行)などが含まれる. また, **微細運動**は物をつかむ運動から道具を使用する行為に至るまでの主に手を使った運動を指すことが多い.

運動発達は, 粗大運動および微細運動の発達, 発話や言語理解の発達, 情報や感覚処理能力の発達などの要素によって構成されており, これら運動面の要素と認知・精神面の要素の適切な相互作用を理解することが重要である.

2 運動発達の原則

運動発達には**順序性**や**方向性**といった原則があり, これを理解することは運動療法のプログラムを考える際や実施する際に重要となる.

a 運動発達における順序性

姿勢や移動能力, 目と手の協調性の発達などには, 機能の出現にある程度の順序性が認められる. この順序性は, 胎生期や発達初期など, 成熟的要因が強く働く時期や領域において明瞭にみられ, ある機能が1つレベルを飛び越えて次の段階に発達することはない. たとえば, 定頸, 寝返り, 座位, 四つ這い, 立位, 歩行といった発達指標(milestone；マイルストーン)を順に獲得していくように, 初期の運動発達には順序性がある(▶図1).

しかしながら, これらのマイルストーンの獲得に要する時間には個人差があることに注意を要する. また, 定頸, 寝返り, 座位といったところまではかなり順序性が明白であるが, 四つ這い以降は個々人によって差異がみられ, 長い期間四つ這い移動をする子どももいれば, まったく四つ這い移動をせずにそのまま立位に向かう子どももいる. このような順序性の差異は, 子どもが生活する人的・物理的な環境や, 経験的な要因によるものが大きい.

運動発達の順序性を理解し, その発達がおこりやすい環境や, 発達に必要な経験を考えることは, 臨床場面において現実的な運動療法プログラムを設定するうえで有用となる.

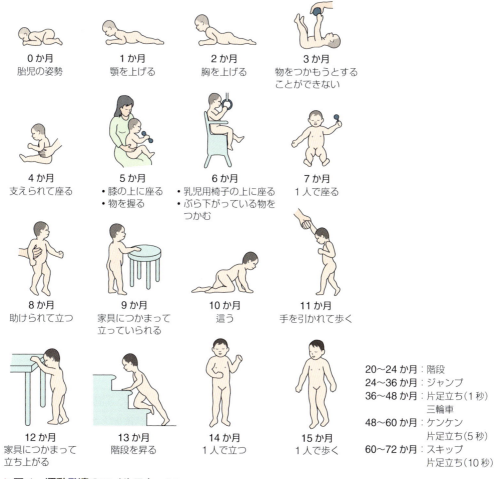

0 か月
胎児の姿勢

1 か月
顎を上げる

2 か月
胸を上げる

3 か月
物をつかもうとする
ことができない

4 か月
支えられて座る

5 か月
• 膝の上に座る
• 物を握る

6 か月
• 乳児用椅子の上に座る
• ぶら下がっている物を
つかむ

7 か月
1 人で座る

8 か月
助けられて立つ

9 か月
家具につかまって
立っていられる

10 か月
這う

11 か月
手を引かれて歩く

12 か月
家具につかまって
立ち上がる

13 か月
階段を昇る

14 か月
1 人で立つ

15 か月
1 人で歩く

20〜24 か月：階段
24〜36 か月：ジャンプ
36〜48 か月：片足立ち（1 秒）
　　　　　　三輪車
48〜60 か月：ケンケン
　　　　　　片足立ち（5 秒）
60〜72 か月：スキップ
　　　　　　片足立ち（10 秒）

▶図 1　運動発達のマイルストーン

b 運動発達の方向性

　運動発達には，頭部−尾部方向と中枢−末梢方向
の 2 つの方向性がみられる（▶図 2）．

■頭部から尾部への方向性

　頭部から尾部へ向かう方向性は，姿勢保持能力
の発達などにみることができる．まず，頭部を制
御する定頸から始まり，頭部と体幹を制御する座
位の獲得，頭部，体幹，下肢を制御する立位の獲
得へと向かうという方向である．

　また，環境を探索・理解するために使われる器
官の発達においても頭部から尾部への方向性がみ

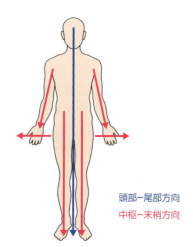

頭部−尾部方向
中枢−末梢方向

▶図 2　運動発達の方向性

尺側把持(3〜5 か月)
尺側の中指・環指・小指で握る

橈側把持(6 か月)
橈側の母指・示指・中指で握る

三指つまみ(8 か月)
母指・示指・中指でつまむ

ピンセットつまみ(9 か月)
母指・示指の IP 関節を
屈曲させないでつまむ

側腹つまみ(10 か月)
母指・示指の
橈側面でつまむ

指腹つまみ(11 か月)
母指・示指の IP 関節を
屈曲して指腹でつまむ

指尖つまみ(12 か月)
母指・示指の指尖でつまむ

▶図 3　手の把握の発達
IP 関節：指節間関節
〔千代丸信一：乳児期の発達. 大城昌平（編）：リハビリテーションのための人間発達学, 第 2 版, p.50, 図 6, メディカルプレス, 2014 より〕

られる．発達初期の子どもは何でも口に入れて確かめようとするが，それが発達に伴って手での探索行動に変わり，最終的には移動（歩行）という形で下肢が環境探索に参加するようになる．

■身体の中枢（近位）から末梢（遠位）への方向性

　身体の近位から遠位に向かう方向性は，上肢機能の発達にみることができる．対象物に向かって肩関節および肘関節を制御しながら上肢全体を伸ばして手で触れるリーチング運動の獲得から始まり，手で対象物をつかむ行動，手指のみで小さい対象物をつまむ行動へと発達するような方向である．

　さらに，手の把握や操作の機能発達は尺側から橈側へと向かうが，これも解剖学的肢位から考えると中枢部から末梢部への方向とみることができる．生後 3〜5 か月の子どもは尺側（中指・環指・小指）で物を把持するが，生後 6 か月ころに橈側（母指・示指・中指）把持となり，12 か月になるころには指尖つまみを獲得していく（▶図 3）[1]．

3 運動発達の理論

　子どもを対象とした運動療法の実践には，運動発達理論の理解が重要となる．運動発達理論には，大きく分けて神経成熟理論とシステム理論の 2 つがある．また，その他の運動発達に関連する理論として神経細胞群選択理論がある．運動学習・運動制御においては，内部モデルの理解が重要である．

a 神経成熟理論

　神経成熟理論は，Jackson（ジャクソン）やSherrington（シェリントン）らによる神経階層理論をもとに，Gesell（ゲゼル）や McGraw（マグロー）によって運動発達に応用された理論である．また，前述した運動発達の順序性や方向性の原則は，この神経成熟理論から発している．

　Gesell によって提唱された神経成熟理論では，運動の発達は学習や環境によって促されるのではなく，中枢神経系であらかじめ決定されており，下位の中枢神経系はより上位の中枢神経系によってコントロールされていくとされている．つま

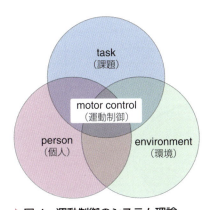

▶図4 運動制御のシステム理論
〔Thelen, E.: Motor development: a new synthesis. *Am. Psychol.*, 50(2):79–95, 1995 より〕

り，中枢神経系にあらかじめ埋め込まれていた運動パターンが，神経系の成長（とりわけ髄鞘化）とともに発現し，下位の中枢による反射的な運動に対して大脳皮質のコントロールが増加して反射を抑制しながら，随意運動の発達がみられるとするものである．したがって，運動機能の発達の異常は，原始反射の異常や遅れ，筋緊張の異常などによって明らかになるとされている．

また，McGraw は，系統発生的な運動技能（腹這い，四つ這い，立位，歩行など）は個体発生的な技能に比べ，トレーニングの有無による影響を受けないことを示し，発達が成熟優位なものであるとしている．

b システム理論

神経成熟理論では，神経の成熟のみによって運動発達が説明される成熟優位説であったが，これだけで運動発達メカニズムを説明することは難しい．

システム理論は，神経だけでなく，個人（person）の身体構造や生体力学的制約，さらに子どもがおかれた環境（environment），与えられた課題（task）などが並列に位置し，おのおのが相互作用することによって，運動行動の制御（motor control）がおこるとする理論である（▶図4）[2]．歩行

を例にあげれば，歩行機能の獲得はそれを可能とするためのプログラムがあらかじめ中枢神経系（脳）内に組み込まれているわけではなく，歩行を形成するために必要な多くの機能がシステムとして協同して働くことによって獲得されるという考え方である．

重要なことは，その機能のシステムに中枢神経系だけでなく，生体力学的な要素や心理的要素，社会環境的な要素も含まれる点であり，適正な運動機能を獲得（実現）するために諸要素の協同が必要であるという点である．また，システム理論では中枢神経系全体もシステムの1つとしてとらえられるため，従来の神経成熟理論では下位の中枢神経と考えられてきた脊髄や脳幹と，上位の中枢神経と考えられてきた大脳皮質に優位性はなく，それらが相互作用しながら運動制御に貢献するという考え方になる．

c 神経細胞群選択理論 [3, 4]

神経細胞群選択理論では，神経発達自体も環境や経験の影響を受けると考えられている．脳内には無数の神経細胞が存在し，神経細胞はシナプスで互いに結合することによって情報伝達を可能にする．神経細胞群選択理論では，脳の神経細胞は集団としてまとまって結合し合っており，その集団どうしの結合は運動発達の必要性や目的に応じてコントロールされることが示されている．つまり，発達過程において習慣的あるいは必要な機能や行動に関しては神経細胞どうしの結合（ネットワーク）が強化され，そうでない場合は結合が弱まり，神経細胞間の連携が選択的に淘汰される過程である．よって，目標となる運動を学習するためには，まず多様性をもった運動を繰り返して試行錯誤する必要があり，そのなかで目標となる運動が達成されたとき，運動の感覚情報がフィードバックされることでその運動を生み出す神経回路が強化される．そして，その繰り返しが，徐々に効率のよい運動の定着へとつながる．発達初期の運動には多様性があり，そのなかから必要な運動

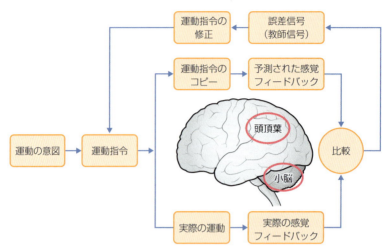

▶図 5　内部モデル（予測的運動制御モデル）と関連脳領域
〔信迫悟志：発達障害：DCD, ASD, ADHD. 大城昌平ほか（編）：子どもの感覚運動機能の発達と支援—発達の科学と理論を支援に活かす, p.214, 図 1, メジカルビュー社, 2018 より〕

を取捨選択して効率化していくことは，運動発達にとって最も重要な課程といえる．

d 内部モデルによる運動制御

　ヒトが初めて行う運動は，常に感覚フィードバックに頼らざるをえず，拙劣でぎこちなく，そして時間を要す運動となる．しかしながら，その運動を何度も経験することで，巧妙かつスムーズで，時間もかからない運動へと変化していく．このようなヒトの適応的な運動学習を可能にする脳内システムを**内部モデル**という[5]．

　内部モデルは，順モデルと逆モデルによって自己の身体と外的世界との関係を表象する脳内システムである．順モデルでは運動指令信号のコピー（遠心性コピー）に基づいて運動系の次の状態や感覚結果を予測し，逆モデルでは行為の望ましい結果や目標達成に必要な運動指令を推定・出力する．内部モデルの形成によって，予測的な運動制御（フィードフォワード制御）が可能となり，姿勢制御の獲得などにも関与している．運動の結果を予測することによって，感覚フィードバックの遅延による影響を防ぎ，運動に安定性を供給し，迅速な運動の修正を可能にしている（▶**図 5**）[6]．

運動と発達のかかわり

1 運動と脳

　運動は，脳から発令される運動指令に基づいて筋が活動することによって表出される．超音波診断装置を用いた胎児の運動観察によって，胎児が原始的な反射運動のような外的刺激に依存せず，早い時期から自発的に運動していることが明らかになっている．このような運動を**自発運動**という．

　ヒトにおいては，胎齢 7〜8 週ころから種々の自発運動が観察される（▶**図 6**）[7]．胎齢 8〜9 週ころから全身性の運動，10 週ころからしゃっくり，上・下肢の単独運動，頭部の運動がみられるようになり，手を顔や口にもっていく運動や開口もみられるようになる．12 週を過ぎるころにはあくび様運動や吸啜・嚥下運動もみせるようになる．

　脳が環境や経験によって変化すること，脳神経細胞のつながりが変化することを**可塑性**と呼ぶ．発達途上にある胎児，新生児，乳・幼児の中枢神経系は，高度な可塑性に富んでいる．身体運動に

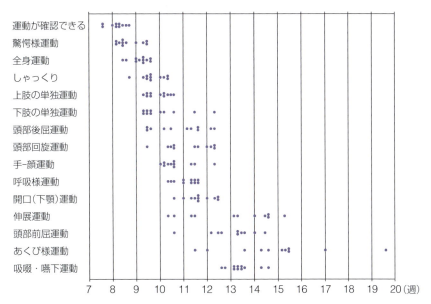

▶図6　各種の自発運動が出現する胎齢週数
〔de Vries, J.I., et al.: The emergence of fetal behaviour. I. Qualitative aspects. *Early Hum. Dev.*, 7(4):301-322, 1982 より引用改変〕

よって脳の運動中枢の回路が柔軟かつ大規模に変化するだけでなく，運動中枢以外の知的活動の中枢である脳の神経細胞も，活性化あるいは新生する．自発的な運動の表出と，それによって得られる知覚のフィードバックは，脳の発達に不可欠である．

2 運動と筋骨格系および免疫系

　骨代謝の促進因子には，内的要因(ホルモン，加齢，遺伝子など)と外的要因(栄養，運動，生活習慣など)がある．成長期における骨は，日常生活での運動活動量とホルモンに影響を受けやすく，特に骨代謝が盛んな骨端軟骨部位では顕著である．運動による一過性の強い外力や，弱いながらも持続的な外力が骨端軟骨に適度に作用すれば，成長が促進される．しかし，その応力が過剰である場合には成長は停止し，軟骨の破壊などを引き起こすため注意を要する．

　筋線維の数は乳・幼児期の段階ですべて完成されるため，その後の発達では筋線維の大きさ(太

さ)が変化する．運動の反復や頻度の増加は，筋細胞を活性化し，筋力および筋持久力の向上をもたらす．

　免疫系の機能は，運動によって向上することが知られている．特に，中等度の運動負荷は免疫能を促進するため，感染症に罹りやすい傾向にある子どもにとって適度な運動は有用である．しかし，高強度の運動を長時間続けると，運動後に一時的に免疫能が低下するため，このときにウイルスなどが体に侵入すると感染症を引き起こしやすくなるため注意を要する．

C 小児に対する運動療法の考え方

1 早産・低出生体重児に対する運動療法

　早産・低出生体重児に対するリハビリテーショ

ン介入の目的は，主に子どもをストレスから保護して生理機能を安定させ，中枢神経系の安定した成熟を促すことである．運動療法は，適切な時期に必要な感覚運動経験を提供するうえで有用であり，発達を促進する手段となる．

発達において，自発運動に基づいた感覚運動経験は重要であり，早産・低出生体重児に対する早期からの発達支援においても，量的・質的に適正な自発運動を促し，能動的な運動によって得られる感覚を適切にフィードバックする（させる）ことが重要となる．

良質な感覚運動経験を促すために，触覚や体性感覚の刺激を利用することが有用であり，その手法としてタッチケアやマッサージなどが用いられている．また，マッサージに関節の他動運動などの運動感覚を併用することで，体重増加の促進やのちの精神発達の促進につながることが報告されている[8,9]．その他，姿勢や運動の発達を促すためにポジショニングが用いられており，神経・筋発達（筋緊張）の改善，四肢の自発運動特性の変化などが効果として報告されている[10-12]．

② 脳性麻痺児に対する運動療法

脳性麻痺に対する運動療法は，神経学的な問題に対するものと，筋骨格系の問題に対するものに分けられる．

神経学的な問題に対する運動療法では，神経成熟理論を背景とした神経生理学的アプローチ〔Bobath（ボバース）法や Vojta（ボイタ）法など〕が用いられてきたが，近年では筋力増強，歩行練習，CI 療法（constraint-induced movement therapy），バイマニュアルトレーニング，ロボットリハビリテーションなども用いられるようになっている．運動療法による効果の背景（神経学的メカニズム）には，活動依存的な神経可塑性による大脳皮質や脊髄神経の構造異常低減や，非損傷部位の再構成が考えられている．

四肢・体幹の変形や関節運動制限などの筋骨格系の問題に対する運動療法では，関節可動域運動，ストレッチング，筋力増強（強化）運動などが用いられる．運動療法を行う際には，運動障害のタイプ（痙直型，異常運動型，失調型，低緊張型）や障害部位の分布（片麻痺，両麻痺，四肢麻痺），発達ステージ（新生児期，乳児期，幼児期，学童期，成人期）に応じて，具体的な発達促進，機能改善につなげることが重要である．

③ 発達障害児に対する運動療法

近年では，発達障害の代表疾患といえる自閉スペクトラム症，注意欠如・多動症などに，発達性協調運動症などの運動機能面の問題が高率に合併することや，社会性や実行機能・報酬系に関する認知機能の発達が，協調運動（全般的協応性や微細運動）の発達と関連する可能性が示されるようになった．子どもが有する運動に対する苦手意識や劣等感が，二次的な社会性のつまずき（集団場面での不適応や友人関係の不成立）の一因となっている可能性も考えられ，運動機能面に焦点を当て，早期から運動療法を行う必要性が増している．

発達性協調運動障害を主とした運動機能障害に対するエビデンスレベルの高い介入として，cognitive orientation to daily occupational performance（CO-OP）や neuro-motor task training（NTT）などを用いた課題指向型アプローチがあげられる．また，感覚統合療法や運動イメージトレーニング（運動観察法を含む）によるニューロリハビリテーションも効果が報告されている．これらは，自閉スペクトラム症，注意欠如・多動症における運動機能面の問題にも効果的な可能性が示唆されている．

発達障害は病態の幅が広いことを考慮し，運動療法プログラムの立案・実施に際しては，子どもの感覚と運動機能の発達を十分に評価し，その状態に応じた最適な介入手段を選択する必要がある．

4 その他

近年の子どもたちには，運動過多による四肢・脊柱のスポーツ障害(外傷・障害)や，運動不足による肥満傾向・生活習慣病がみられ，体力や運動能力の二極化が指摘されている．

a スポーツ障害

骨・関節にかかわる小児期の運動障害の多くは，スポーツに関連した障害である．スポーツ障害は，繰り返された外力により生じる慢性的な損傷と定義され，野球肘，腱付着部炎，疲労骨折などが該当し，過度の運動が原因となっている場合が多い．スポーツ障害の急性期における運動療法は，損傷関節の関節可動域運動や，荷重運動などが愛護的に実施される．急性期の治療を終了したのちは，治療中に固定や安静を余儀なくされた関節の可動域運動や，筋力増強運動，起立・歩行練習などが運動療法として行われる．また，回復後はその後の怪我や障害を予防する目的で，筋力やバランス機能の強化，運動方法の指導などが運動療法として行われる．

b 健康増進

小学生以上の子どもの体力と運動能力を長期的に調査した結果から，現代の子どもにおける体力と運動能力の低下が指摘されている．運動不足に関連した肥満・高血圧・糖尿病などの生活習慣病は中高齢時期に発症するが，その基礎的な背景は子どものころに確立されると考えられており，生涯にわたる健康づくりの観点から，子どもの体力低下，運動能力低下，運動不足は予防・改善していくことが求められている．体力・運動能力の向上には，日常的に体を動かすことや運動習慣が重要であり，できるかぎり年齢の低い段階から遊びやスポーツを通じて体を動かす習慣を身につけることが必要になる．

●引用文献
1) 千代丸信一：乳児期の発達. 大城昌平(編)：リハビリテーションのための人間発達学，第 2 版，p.50，図 6，メディカルプレス，2018.
2) Thelen, E.: Motor development: a new synthesis. *Am. Psychol.*, 50(2):79–95, 1995.
3) Edelman, G.M.: Neural Darwinism: The Theory of Neural Group Selection. Oxford University Press, Oxford, 1989.
4) Hadders-Algra, M.: Variation and variability: key words in human motor development. *Phys. Ther.*, 90(12):1823–1837, 2010.
5) Wolpert, D.M., et al.: An internal model for sensorimotor integration. *Science*, 269(5232):1880–1882, 1995.
6) 信迫悟志：発達障害：DCD, ASD, ADHD. 大城昌平ほか(編)：子どもの感覚運動機能の発達と支援─発達の科学と理論を支援に活かす，p.214，図 1，メジカルビュー社，2018.
7) de Vries, J.I., et al.: The emergence of fetal behaviour. I. Qualitative aspects. *Early Hum. Dev.*, 7(4):301–322, 1982.
8) Massaro, A.N., et al.: Massage with kinesthetic stimulation improves weight gain in preterm infants. *J. Perinatol.*, 29(5):352–357, 2009.
9) Procianoy, R.S., et al.: Massage therapy improves neurodevelopment outcome at two years corrected age for very low birth weight infants. *Early Hum. Dev.*, 86(1):7–11, 2010.
10) Monterosso, L., et al.: Effect of postural supports on neuromotor function in very preterm infants to term equivalent age. *J. Paediatr. Child Health*, 39(3):197–205, 2003.
11) Nakano, H., et al.: The influence of positioning on spontaneous movements of preterm infants. *J. Phys. Ther. Sci.*, 22(3):337–344, 2010.
12) Madlinger-Lewis, L., et al.: The effects of alternative positioning on preterm infants in the neonatal intensive care unit: a randomized clinical trial. *Res. Dev. Disabil.*, 35(2):490–497, 2014.

女性

- ウィメンズヘルス分野の理学療法と女性のライフステージについて理解する.
- 妊娠，出産に伴う身体変化とマイナートラブルについて理解する.
- 女性が対象となる代表的な身体症状において治療展開されている運動療法について知る.

A ウィメンズヘルス分野の理学療法と女性のライフステージ

ウィメンズヘルス分野の理学療法は，1999年に世界理学療法連盟である World Confederation of Physical Therapy（WCPT）の専門領域の組織（International Organization of Physical Therapists in Pelvic and Women's Health; IOPTWH）として認可された. わが国では，2015年に日本理学療法士協会の専門領域の組織として，ウィメンズヘルス・メンズヘルス理学療法部門が設立された. その後，2019年に WCPT における IOPTWH に加盟し，現在に至る.

ウィメンズヘルスとは，女性の生涯におけるライフステージを，生物学的な側面だけでなく行動学的，心理社会的な側面も合わせてとらえたうえでの女性の健康をいう[1]. 女性の身体は思春期，性成熟期，更年期，老年期といったライフステージとともに内分泌動態が変わり，さまざまな身体的変化を生じる（▶図1）. また，女性はライフステージが進むにつれて多くの役割をもつ. 思春期での"子ども（娘）"から，性成熟期に既婚者となれば"妻，義娘"となり，出産により"母"となる. また，仕事に就いていれば"職業人"としての役割も担う. 性成熟期後半から更年期にかけては親

の高齢化に伴って"介護者"という新しい役割も増える.

女性のライフステージのうち，性成熟期は多くのライフイベントが重なる時期であり，特に妊娠・出産は心身ともに劇的な変化がおこる. 妊娠中や産後では，腰痛や尿失禁，骨盤臓器脱といったマイナートラブルを生じやすく，その後の身体にも大きな影響を及ぼす. 近年，女性の社会進出に伴い，晩婚化や高齢出産による影響から，同時期にいくつもの役割をもつ女性が増えている. また，ライフスタイルの多様化から，出産を経験しない女性も増えており，エストロゲン依存性の高い婦人科系がんや乳がんなどの有病率が高まる[2]といわれている. 内分泌動態の変化は女性の身体症状に大きく影響しており，エストロゲン分泌量が急激に低下する更年期には，自律神経失調症や精神的症状，運動器や消化器などの症状を伴う更年期障害などのさまざまな症状が生じる[3]. 老年期では，エストロゲン分泌量が低下したうえ，加齢も伴い骨粗鬆症や転倒による骨折の頻度が高まる[4]とされている.

このように，女性はライフステージが進むにつれて，さまざまな身体症状を引き起こす. 内分泌動態の影響だけでなく，妊娠・出産による形態的変化，食事や運動による生活習慣，さらには家庭環境や仕事内容による影響がある. 多様なライフスタイルを送る現代の女性において，各ライフス

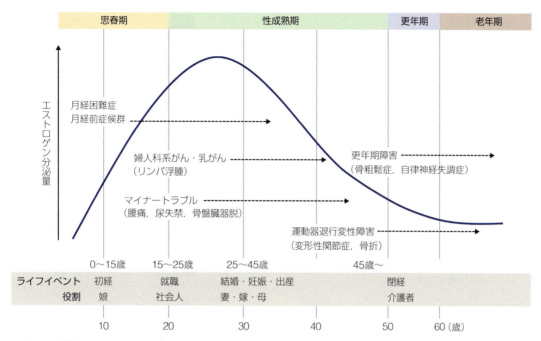

| 思春期 | 性成熟期 | 更年期 | 老年期 |

▶図1　女性のライフステージにおけるライフイベント（役割）と身体諸問題

テージで生じやすい身体変化をあらかじめ知ることは，次のステージへ向けた予防や準備が可能となる．また，身体症状における問題解決として，理学療法は貢献できる．

　本章では，女性にとって大きなライフイベントとなる妊娠・出産について説明したうえで，女性特有の諸問題に対して，理学療法が貢献できる分野について述べる．

B　妊娠・出産に伴う身体変化

　性成熟期において，妊娠・出産は女性にとって一大イベントであり，女性の心身に大きな影響を及ぼす．妊娠期間は約10か月間であり，胎児の成長に伴い子宮容量と重量が増大し，腹囲や子宮底長の増加により形態的変化が生じる．子宮はその形状特性から，前方かつ上方へ突出していく．腹部の突出に伴い，妊娠期間は経時的な姿勢変化を生じるが，その変化は個々に異なる姿勢戦略を

用いている[5,6]．また，妊娠を継続するためにエストロゲン，プロゲステロン，リラキシンなどのホルモン分泌が増加する．そのうち，リラキシンは母体の軟部組織のコラーゲン線維に作用し，骨盤周囲の筋や靱帯を弛緩させ[7]，出産（分娩）の準備として働いている．一方で，こうした骨盤周囲の組織のゆるみから，出産未経験者と比較して妊婦の姿勢不安定性は増大する[8]といわれている．このような姿勢不安定性に対して，健常妊婦では，腹横筋，骨盤底筋群，横隔膜，多裂筋で構成されるインナーユニット（▶図2）が適切に機能することで対応する．しかしながら，胎児の成長に伴う腹部の突出による姿勢変化や骨盤底への負荷に対する対応が追いつかず，インナーユニットが適切に機能しない妊婦は多い．形態変化からインナーユニット機能不全を生じた場合，姿勢戦略として，Kendallら[9]による姿勢分類のうち，sway-back姿勢（▶図3A）やflat-back姿勢（▶図3B）などの異常姿勢をとりやすい．こうした姿勢は，腰背部への過剰な筋膜伸張や筋収縮による代償に結びつ

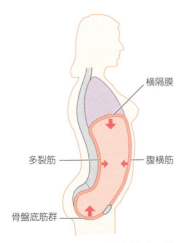

▶図2　腹横筋，骨盤底筋群，横隔膜，多裂筋で構成されるインナーユニット

横隔膜

多裂筋　　　腹横筋

骨盤底筋群

A　　　　　B

▶図3　姿勢の崩れ
A：前腹部の増大に伴って過剰な腰椎前弯が生じている姿勢（sway-back 姿勢）.
B：脊柱の "しなり" が生じておらず脊柱がフラットな姿勢（flat-back 姿勢）.

く．その結果，腰背部，仙腸関節や恥骨結合などへの持続的かつ過剰なメカニカルストレスが広範囲に生じ，疼痛を引き起こす可能性がある．

　普通分娩は，初産婦で 12〜16 時間，経産婦で 5〜8 時間を要し，分娩の進行は開口期，娩出期，後産期の 3 期に分けられる．そのうち，娩出期では陣痛と腹腔内圧上昇，骨盤底弛緩が必要とされる．骨盤底弛緩が不十分なまま分娩が進むと，会陰裂傷や会陰切開により児頭が出る場合が多く，産後に骨盤底筋群の収縮不全を引き起こしやすい（▶図4）．女性の骨盤底には 3 つの穴（尿道，腟，肛門）があり（▶図5），"分娩" 経験の有無で骨盤底への損傷は大きく異なる．骨盤底機能障害による症状として，尿失禁，便失禁，骨盤臓器脱などがあり，その原因として妊娠，出産（分娩）に加え，肥満や加齢，分娩時外傷や手術などがあげられる．

　妊娠中に約 8〜10 kg 増加した体重は，出産（分娩）により胎児や胎盤などの付属物が娩出されるため約 4〜6 kg 減少し，産褥期（分娩直後 6〜8 週間）にはさらに約 4 kg 減少する．したがって，体型変化が短期間で最も大きい時期である．このように産後は著明な体型変化を生じるが，妊娠中にみられた特徴的姿勢が継続されてしまう場合が多く，重心後方化や左右非対称姿勢をとりやすい

（▶図6）.

　このほかに，産前産後はホルモン分泌の急激変動，母親の環境変化や育児に伴う疲労など，さまざまな要因により精神的に不安定になりやすく，マタニティブルーズや産褥期精神病，産後うつの症状も身体所見の 1 つとして問題視されている[10]．

Ⓒ マイナートラブル

　マイナートラブルとは，妊娠中や産後において生命の危機には瀕さないが，さまざまな身体症状や不定愁訴を生じる状況を指す[11]．特に，妊娠初期より分泌される女性ホルモンの 1 つであるリラキシンの影響により[7]，骨盤に付着する靱帯がゆるむことによる腰背部痛の発生頻度は高く，妊婦の 50〜70% が経験する[12] といわれている．妊娠後期には増大した子宮が尿管を圧迫し，尿の滞留が生じやすいことから尿路感染症を引き起こしやすい．また，骨盤底への負荷増大から頻尿，尿

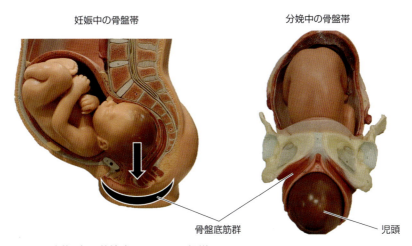

妊娠中の骨盤帯　　　　　　　　　分娩中の骨盤帯

骨盤底筋群　　　　　　　　　　児頭

▶図4　妊娠中と分娩中における骨盤帯

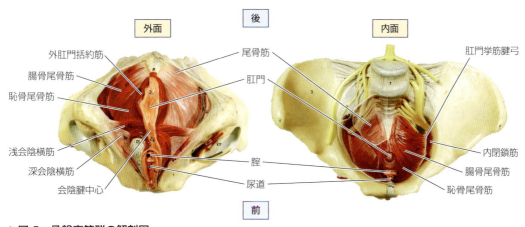

後

外面　　　　　　　　　　　　　　内面

外肛門括約筋　　　　　　　　尾骨筋　　　　　　　　　　　肛門挙筋腱弓
腸骨尾骨筋　　　　　　　　　肛門
恥骨尾骨筋

浅会陰横筋　　　　　　　　　　　　　　　　　　　　　　内閉鎖筋
深会陰横筋　　　　　　　　腟　　　　　　　　　　腸骨尾骨筋
会陰腱中心　　　　　　　　尿道　　　　　　　　　　恥骨尾骨筋

前

▶図5　骨盤底筋群の解剖図

失禁，排尿困難といった症状も約 80% が経験するといわれている。妊娠期より生じるこうしたマイナートラブルは，産後も症状が持続され慢性化する場合が多く[13]，妊娠期から産後に及ぶ姿勢変化の影響により，腰痛や尿失禁が悪化する[14]との報告もある。そのほかに妊娠後期から産後にかけての腹直筋離開や下肢関節痛[12]，乳児の抱っこによる手関節への過負荷による腱鞘炎や手根管症候群の発症も多い[12]と報告されている。

このように，妊娠女性や産後女性の多くが経験するマイナートラブルについては，妊娠や出産が病気ではないこと，当事者である女性たちの「妊娠，出産しているからしかたがない」「育児中だ

からしかたがない」という思い込みにより，周囲の理解が得にくい現状がある。

D　運動療法の実際

ウィメンズヘルス分野は，特定の診療科に対するものではなく，女性の生涯でおこりうる多くの診療科との連携が必要となる（▶図7）。また，全身に変化をもたらすため，特定の部位（腰部や骨盤底）だけでは解決できないことも多く，ライフスタイルやライフステージを把握し，個々に適応した治療展開が求められる。これらを考慮したう

▶図 6　抱っこ姿勢（産後 1 年）の特徴
A（矢状面）：骨盤の前方偏位を伴い重心の後方化が特徴．
B（前額面）：右腸骨稜上に子どもの殿部を乗せることによる左右非対称化が特徴．

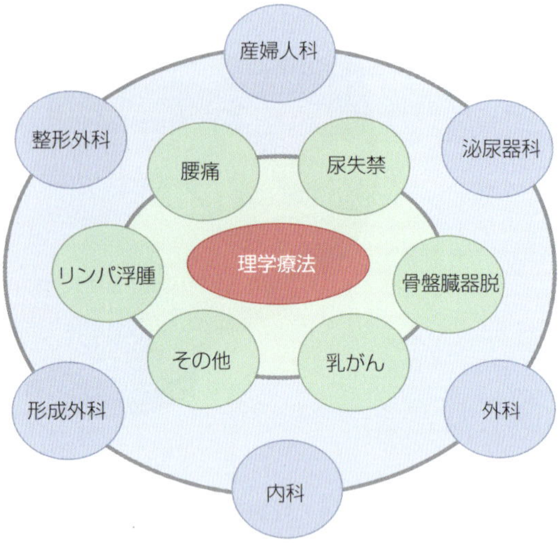

▶図 7　ウィメンズヘルス分野の理学療法に関与する疾患，診療科

えで，女性のライフステージで生じやすい代表的な身体症状に対する理学療法について述べる．

1 腰痛

　マイナートラブルの代表として腰痛があげられる．女性にかかわらず腰痛の生涯における罹患率は 80％ 以上[15]と高い．腰痛に対する運動療法は，インナーユニットに着目した体幹・骨盤帯の安定性を目的とした介入方法が重要視されており，一般的な運動器疾患患者への対応と大きな違いはない．

　しかし妊婦の介入時には，妊娠経過を含む安静度に注意する必要がある．医師の診察や，切迫徴候の有無を確認するテストバッテリーとして，頸管長[16]の測定により運動療法の負荷量を決定することが重要である．また，妊娠初期では悪阻への配慮，妊娠中期以降は腹部の張りや胎動を問診および超音波画像を通して確認する必要がある．運動療法としては，過剰な腹圧増加や体位変換などに配慮し，妊娠・出産による機能破綻の生じたインナーユニットへの治療を行う[17]．

2 尿失禁

　尿失禁もマイナートラブルの代表であるが，妊娠・出産を伴う性成熟期だけでなく，加齢とともに更年期，老年期にわたり発症することが多い．

　自覚症状や生活の質（quality of life; QOL）への影響を評価する目的で，International Consultation on Incontinence Questionnaire–Short Form（ICIQ–SF）や King's Health Questionnaire（KHQ）が骨盤底機能障害の評価に用いられている．骨盤底機能の評価は触診や超音波画像評価が一般的であり，骨盤底筋群の筋力評価には Oxford Grading Scale が用いられる[18]．

　治療内容としては，主に骨盤底筋トレーニングが行われる．骨盤底筋群の正しい収縮方法を習得させるため，対象者自身に骨盤底の位置や筋機能を理解してもらう必要がある．そのうえで，口頭指導だけでなく，触診や超音波画像を用いて収縮感覚を学習させる．収縮感覚の乏しい対象者には，バイオフィードバック療法が効果的であるといわれており，腹圧性尿失禁に対する第一選択肢

の治療として推奨されている[19]．骨盤底を専門とする現場では，医師との連携により視診や内診も実施している一方で，これらを専門に取り扱っている医療機関はまだ少ない．骨盤底筋トレーニングについては，効果が出現するまでに約3か月程度の継続的練習が必須であることからも，理学療法士が定期的に適切なトレーニング法を指導する環境が重要である．

3 骨盤臓器脱

骨盤臓器脱は，骨盤底の機能低下により，骨盤内臓器が腟内に下垂または腟から脱出する症状である．妊娠・出産による要因に加え，加齢や肥満などさまざまな要因が重なり合うことで症状が増悪する．

経腟分娩を経験した女性の半数に生じる[20]とされ，尿失禁を伴うことが多く，骨盤底機能障害の1つであるため，尿失禁に対する評価・治療内容に重なる部分が多い．

4 乳がん

乳がんは女性特有疾患の1つであり，女性が罹患することが多い．病期やライフステージの状況により，対象者自身が望むゴール設定が変わる．手術や術後の不安，仕事や家庭環境についての問診（情報収集）は必須事項であり，術前評価では利き手や肩関節評価，浮腫の状況把握のために両上肢の周径測定などを行う．術後は，姿勢（ポジショニング）指導や肩関節を中心とした関節可動域運動，筋力増強（強化）運動，退院後の自宅指導を行う．また，リンパ浮腫の早期発見のために上肢の評価を継続的に実施することも重要となる．

5 リンパ浮腫

リンパ浮腫は，婦人科系がんや乳がんの後遺症として発症することが多い．リンパ節切除により

リンパ液循環が滞り，組織で停滞・貯留する．

治療内容は複合的理学療法が一般的であり，①圧迫療法，②徒手的リンパドレナージ，③スキンケア，④圧迫下での運動療法，⑤セルフケアや生活指導を含む．

リンパ浮腫は完治が難しい疾患であり，ADL低下だけでなく，外観の変貌により心理的苦痛も伴う．対象者のQOLを尊重しつつ，対象者自身の現状を理解したうえでの生活指導が重要となる．

6 その他

女性は，加齢に伴いエストロゲンが低下し，更年期以降は骨粗鬆症や変形性関節症による姿勢変化，家庭環境（仕事を含め）の変化による自律神経失調症やうつ症状などの精神症状を生じやすい．

理学療法としては，予防的運動療法が大事であり，コンディショニングや対象者に応じた運動処方を含む生活指導を行う．また，呼吸指導により自律神経機能の調整も可能である[21]とされており，対象者自身で行えるストレスマネジメントの指導も重要となる．

E おわりに

ウィメンズヘルス分野の理学療法は，妊婦や産後女性だけが対象ではなく，乳がん，リンパ浮腫，閉経後の骨粗鬆症など，女性特有の現象に対する理学療法や，無月経の女性アスリートなどに対するコンディショニングも含む．

女性のヘルスケアが注目されている近年，予防医学の観点からも医師や看護師と理学療法士が連携をとり，理学療法を行うことは，疾病の予防，機能維持や向上，QOLにおいて重要である．

●引用文献
1) Pinn, V.W.: Agenda for Research on Women's

Health for the 21st Century. pp.1–6, National Institutes of Health (NIH) Publication, 1999.

2) Minami, Y., et al.: Reproductive history and breast cancer survival: A prospective patient cohort study in Japan. *Breast Cancer*, 26(6):687–702, 2019.

3) 廣井正彦ほか：生殖・内分泌委員会報告：更年期障害に関する一般女性へのアンケート調査報告. 日産婦誌, 49(7):433–439, 1997.

4) Ilich, J.Z., et al.: Primary prevention of osteoporosis: Pediatric approach to disease of the elderly. *Womens Health Issues*, 6(4):194–203, 1996.

5) Moore, K., et al.: Postural changes associated with pregnancy and their relationship with low-back pain. *Clin. Biomech.*, 5(3):169–174, 1990.

6) Ostgaard, H.C., et al.: Influence of some biomechanical factors on low-back pain in pregnancy. *Spine*, 18(1):61–65, 1993.

7) Kristiansson, P., et al.: Serum relaxin, symphyseal pain, and back pain during pregnancy. *Am. J. Obstet. Gynecol.*, 175(5):1342–1347, 1996.

8) Nagai, M., et al.: Characterization of the control of standing posture during pregnancy. *Neurosci. Lett.*, 462(2):130–134, 2009.

9) Kendall, F.P., et al.: Posture. Muscles: Testing and Function with Posture and Pain, 5th ed., pp.52–84, Lippincott Williams & Wilkins, 2005.

10) 佐藤昌司：妊産褥婦の精神面支援—厚生科学研究における研究成果と産科診療における位置づけ. 母性衛生, 48(1):9–13, 2007.

11) 新川治子ほか：現代の妊婦のマイナートラブルの種類, 発症率及び発症頻度に関する実態調査. 日助産会誌, 23(1):48–58, 2009.

12) 齋藤益子ほか：妊娠中のマイナートラブルの発生時期と頻度. 日本助産診断実践学会（編）：マタニティ診断ガイドブック, 第 6 版, p.57, 医学書院, 2020.

13) Ostgaard, H.C., et al.: Postpartum low-back pain. *Spine*, 17(1):53–55, 1992.

14) Gutke, A., et al.: Pelvic girdle pain and lumbar pain in pregnancy: A cohort study of the consequences in terms of health and functioning. *Spine*, 31(5):149–155, 2006.

15) Walker, B.F.: The prevalence of low back pain: A systematic review of the literature from 1966 to 1998. *J. Spinal Disord.*, 13(3):205–217, 2000.

16) Iams, J.D., et al.: The length of the cervix and the risk of spontaneous premature delivery. National Institute of Child Health and Human Development Maternal Fetal Medicine Unit Network. *N. Engl. J. Med.*, 334(9):567–572, 1996.

17) 布施陽子ほか：出産と理学療法. 石井美和子, 福井 勉（編）：理学療法 MOOK20 ウィメンズヘルスと理学療法, pp.55–64, 三輪書店, 2016.

18) Frawley, H.C., et al.: Reliability of pelvic floor muscle strength assessment using different test positions and tools. *Neurourol. Urodyn.*, 25(3):236–242, 2006.

19) 高橋 悟ほか：女性下部尿路症状の疫学. 日本排尿機能学会, 日本泌尿器科学会（編）：女性下部尿路症状診断ガイドライン, 第 2 版, pp.82–100, リッチヒルメディカル, 2019.

20) Olsen, A.L., et al.: Epidemiology of surgically managed pelvic organ prolapse and urinary incontinence. *Obstet. Gynecol.*, 89(4):501–506, 1997.

21) 坂木佳壽美：腹式呼吸が自律神経機能に与える影響—臥位安静時の自律神経機能との関連. 体力科学, 50(1):105–118, 2001.

第3章

スポーツ選手①
野球

学習目標
- 野球に特徴的な投球動作のメカニズムを知る.
- 投球障害によって引き起こされる病態の基礎を知る.
- 野球選手に対する運動療法の基礎を知る.

A 野球選手における運動療法の基礎

野球選手に対する運動療法を考えるうえで野球の競技特性を知ることは重要である. 野球というスポーツの特徴やプロ野球選手では何が求められるのか, また野球に多い障害について解説する.

1 野球というスポーツ

野球は9人1チームで2チームが投手の投げるボールを打者がバットで打ち得点を競うスポーツである. 3アウトごとに攻守交替があり, 9イニングの合計点で勝敗が決まる.

2021年のプロ野球の平均試合時間は3時間11分だが, 実際に選手がプレーしている時間は20〜30分程度[1]ともいわれている. プロ野球の投手は重量5オンス(141.7g)〜5オンス1/4(148.8g)の硬式ボールを150km/時を超える速度で投球する. またボールの握りを変えることでボールの回転数や回転軸を変化させて複数の変化球を投球する. 先発投手であれば1シーズンに23〜24試合に登板し, 1試合100球前後の投球を仮定すると試合での投球数だけで2,000球を超えることも稀ではない. プロ野球の野手では投手の投げた150km/時を超える速球を800〜900g前後の

バットで打ち返す. 150km/時のボールでは, 投手の指からボールが離れてスイングするかどうかを判断し, スイングを実行してバットでボールをとらえるまでの時間は約0.4秒しかない. 投手と野手では求められる能力が異なり, プロ野球選手も含めて投球障害が多いものの, ハイレベルな選手になれば打撃動作による障害も出てくる.

2 投球障害に対する運動療法

投球障害というと構造破綻を伴うイメージが強いが, 投球障害の多くは構造破綻だけでなく, 機能低下が存在し, 自覚症状として顕在化することを忘れてはならない.

プロ野球選手において構造破綻が重度であっても, 患部以外の機能が高ければ疼痛なくプレーできる場合がある一方で, 構造破綻が軽度であるにもかかわらず, 患部以外の機能低下が著明であれば, 疼痛を引き起こしプレーできない選手がいるのも事実である.

そのため, 構造破綻だけでなく, 理学療法士として介入できる機能低下に目を向けて運動療法を展開していくことが重要となる.

3 投球動作のメカニズム

投球障害に対する運動療法を展開していくう

245

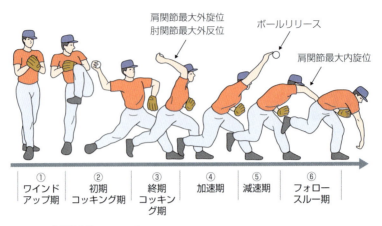

▶図 1　投球動作フェーズ
①ワインドアップ期(wind-up)：動作開始〜ステップ脚の膝が最も高い位置に上がる.
②初期コッキング期(early cocking)：ステップ脚の膝が最も高い位置〜ステップ脚の足底接地.
③終期コッキング期(late cocking)：ステップ脚の足底接地〜投球側肩関節の最大外旋.
④加速期(acceleration)：投球側肩関節の最大外旋〜ボールリリース.
⑤減速期(deceleration)：ボールリリース〜投球側肩関節の最大内旋.
⑥フォロースルー期(follow-through)：投球側肩関節の最大内旋以降.
〔Dillman, C.J., et al.: Biomechanics of pitching with emphasis upon shoulder kine-matics. *J. Orthop. Sports Phys. Ther.*, 18(2):402–408, 1993 より〕

えで投球動作のメカニズムを知っておくことは必須である．投球動作は開始から終了まで 6 つのフェーズ（期）に分けることが一般的である（▶図 1）[2]．動作開始のワインドアップ期から足底接地の初期コッキングまでは並進運動が主となり，足底接地の終期コッキングから動作終了までは回転運動が主となる．本章で紹介するのはあくまでも一般的な投球動作であり，成長期や経験の浅い選手では異なることがあるので注意が必要である．

4　投球動作によるストレス

　力学的ストレスが大きく，投球障害をおこしやすいのは終期コッキング期〜フォロースルー期とされている．ハイレベルな野球選手における投球中の肩関節角速度は加速期において 7,000°/秒以上にもなり[3]，ボールリリースからフォロースルー期においては肩関節に自体重を超える牽引力がかかる[4]．肘関節では，終期コッキングから加速期において外反ストレスに抵抗する主要な組織

である肘関節尺側側副靱帯の破断強度を超える外反ストレスがかかる[5-8]とされている．こういった投球動作時の肩関節や肘関節にかかる力学的ストレスに抗するためには，靱帯や関節包などの静的安定化機構だけでなく，筋による動的安定化機構が重要なことはいうまでもない．また，肩関節や肘関節だけでなく，身体の他部位に機能低下があれば肩関節や肘関節にかかるストレスが増大することは容易に想像できる．大きいストレスによって脆弱な組織が破綻する可能性があるが，脆弱組織は成長期と成人期では異なる．成長期では骨端線周囲が脆弱組織になりやすく，肩関節であれば上腕骨近位骨端線障害，肘関節外側であれば離断性骨軟骨炎，肘関節内側であれば内側上顆骨端線障害などを呈する．成人期であれば軟部組織が脆弱組織になりやすく，肩関節であれば肩関節唇損傷，肘関節内側であれば肘関節尺側側副靱帯損傷などを呈する．

▶図2　胸郭回旋の可動性テストと運動療法の一例
A：胸郭回旋の可動性テスト：腰椎を屈曲位として固定し，胸郭回旋の可動性を評価する.
B：運動療法の一例.

5 投球障害に対する介入

　投球障害に対する運動療法の介入では患部である肩関節や肘関節だけでなく，胸郭や肩甲帯など患部以外の機能低下に対して同時にアプローチすることが重要である．投球障害をおこしやすい終期コッキング期〜フォロースルー期は水平面での回転運動が主となるため，患部や患部周囲に水平面における可動域制限や筋力低下などの機能低下の存在を必ず確認する．図2と図3に実際に行っている評価と介入の一部を紹介する.

B 野球選手における運動療法の実際

　前項では野球というスポーツの特徴や投球障害に対する運動療法を中心に紹介した．しかし，医療機関でかかわることの多い投球障害は野球選手にとってごく一部であることを忘れてはならない．スポーツ現場の野球選手に対する運動療法はリハビリテーションだけでなく，コンディショニングとして実施する機会も多く，目的が多岐にわたり，幅広い知識と技術を身につけることが重要である．ここではスポーツ現場における野球選手に対する運動療法の実際を紹介する.

1 リハビリテーションにおける運動療法

　野球選手のリハビリテーションにおける運動療法では，怪我をしている選手をプレーできる状態に戻すことが目的となる．明確な線引きは難しいが，大きく分けてメディカルリハビリテーションとアスレティックリハビリテーションの2つがある.

▶図3　肩甲帯内転の可動性テストと運動療法の一例
A：肩甲帯内転の可動性テスト：腹臥位で骨盤を固定し，肩甲骨内転の可動性を評価する．
B：運動療法の一例．

a メディカルリハビリテーション

　メディカルリハビリテーションとは，受傷から日常生活が送れるようになるまでの期間を指すことが多い．主にベッド上にて自動運動や他動運動を用いて対象となる部位や関節の十分な可動性（mobility）と安定性（stability）を獲得していく．メディカルリハビリテーションでの介入が不十分で，機能低下が残存したままアスレティックリハビリテーションに進むと再受傷のリスクが大きく，順調に進まないケースが多いことを念頭におく必要がある．

b アスレティックリハビリテーション

　アスレティックリハビリテーションとは，日常生活が送れるようになってからスポーツ復帰までの期間を指すことが多い．メディカルリハビリテーションで獲得した可動性と安定性に加えてストレッチショートニングサイクルを利用したプライオメトリクス（プライオメトリック）トレーニングやストレングストレーニングを実施し，スポーツ復帰に向けた準備を行っていく．ベッド上だけでなく，トレーニングジムやグラウンドでスポーツに必要な基礎的な動作の獲得を目指していく．この時期には競技の練習も同時に進めていく必要があるが，リハビリテーション中には安全と判断できる動作以外は実施しないように，選手本人だけでなくコーチングスタッフにも理解してもらう．ただし，競技動作に対する直接的な指導や介入はコーチングスタッフの役割のため行わないように注意する．

2 コンディショニングにおける運動療法

　コンディショニングとは，運動競技において最

▶図4　特殊感覚のプレパレーション
A：輻輳開散眼球運動(vergence eye movement; VEM)，B：追従性眼球運動(pursuit eye movement; PEM)，C：跳躍性眼球運動(saccadic eye movement; SEM)，D：前庭動眼反射(vestibulo-ocular reflex; VOR)

高の能力を発揮できるように精神面・肉体面・健康面などから状態を整えること[9]である．

　コンディショニングにおける運動療法は，練習や試合に向けたプレパレーションやパフォーマンス向上を目的としたストレングストレーニング，練習や試合のワークロードの管理などにおいて重要である．

3 プレパレーション

　プレパレーションとは，練習や試合に向けた身体の準備のことである．運動器や循環器だけでなく，特殊感覚の準備も併せて実施することが重要である．運動器や循環器の準備では，心拍数を上昇させて血流量を増やすことで筋や関節を温めて関節可動域を広げたり，心拍数や血流量を徐々に上げていくことで心臓や肺への急激な負担を避け

ることが重要となる．特殊感覚においては視覚や前庭感覚に対して刺激を入れることで外部受容器としての機能が正常に働くように準備を行う．野球というスポーツの特性上，ボールを眼で追ったり，ボールを眼でとらえながら身体を動かしたりすることが求められるため，視覚(スポーツビジョン)は重要である．実際に野球選手に対して現場で行っている特殊感覚のプレパレーションを紹介する(▶図4)．

4 ストレングストレーニング

　トレーニングには3つの原理と6つの原則がある(▶表1)[9]．これらをもとに選手に運動療法を提供する．

▶表 1　トレーニングの原理と原則

3 つのトレーニングの原理	
過負荷の原理	ある程度の負荷を身体に与えないと運動の効果は得られない．その強度の最低ラインは，日常生活のなかで発揮する力以上の負荷である
特異性の原理	運動中のエネルギーの使われ方や筋肉の活動のしかたと関係する能力が増加することである．わかりやすくいうと，短距離走のトレーニングをすれば短距離は速くなるが長距離は速くならないし，脚のトレーニングをすれば脚のパフォーマンスは高まるが腕のパフォーマンスは向上しないということである
可逆性の原理	せっかく獲得した効果もトレーニングを中止すると失われてしまうことである

6 つのトレーニングの原則	
意識性の原則	トレーニングの内容・目的・意義をよく理解し，積極的に取り組むことである．トレーニングの目的は何か，プライオリティは何かを意識して取り組むことが重要である
全面性の原則	有酸素能力・筋力・柔軟性などの体力要素をバランスよく高めることである．筋力トレーニングについていえば，全身の筋をバランスよく鍛えること，大筋群を優先して実施することなどである
専門性の原則	競技や健康づくりなど目的に合った機能（筋力・筋パワー・筋持久力・有酸素能力・柔軟性など）を優先的に高めていくことである．健康づくりでは有酸素運動と大筋群の筋力トレーニング・ストレッチング，競技種目ではその運動で使われる筋群を実際の活動様式（スピードが必要なのか持久力が必要なのか）に合わせて行う
個別性の原則	トレーニングの実施内容を個人の能力に合わせて決めるようにする．これは効果を得るばかりでなく，安全のためにもきわめて重要なことで，1 人ひとりの能力を細かく見極める必要がある
漸進性の原則	体力・競技力の向上に伴って，運動の強さ・量・技術課題を次第に高めていくことである．いつまでも同じ強度の繰り返しではそれ以上の向上は望めない．定期的なプログラムの再検討が重要になる
反復性・周期性の原則	運動プログラムは，ある程度の期間，規則的に繰り返すようにする．繰り返し行うことは，テクニックを上げるための重要な要素である．周期性の原則は，1 年間を通したトレーニング計画を行うことである．どの時期が最も効果的かを考えてプログラムを作成する

〔厚生労働省：生活習慣病予防のための健康情報サイト，e−ヘルスネットより改変〕

5　ワークロード

　ワークロードとは，負荷量や仕事量という意味の言葉である．ワークロードは練習や試合，トレーニングの負荷量を管理したり，オーバーユースによる障害を防ぐために用いられている．ワークロードの A：C Ratio（Acute：Chronic Workload Ratio）を紹介する．A：C Ratio とは急性負荷（Acute Workload）を慢性負荷（Chronic Workload）で割ったもののことであり，その値が発症リスクと関連があるとされている．A：C Ratio が 0.8〜1.3 は "Sweet Spot" と呼ばれ，傷害リスクが少なく，A：C Ratio が 0.8 を下回るとリスクが高くなり，1.5 を超えるとリスクが最も高くなる[10] とされている（▶図 5）．

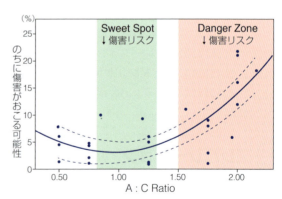

▶図 5　A：C Ratio（Acute：Chronic Workload Ratio）

〔Blanch, P., et al.: Has the athlete trained enough to return to play safely? The acute : chronic workload ratio permits clinicians to quantify a player's risk of subsequent injury. *Br. J. Sports Med.*, 50(8):471–475, 2016 より〕

　実際に A：C Ratio は投手における投球負荷の管理で用いられている．慢性負荷（4 週間の投球負荷）に対して，急性負荷（当日の投球負荷）が 1.5 を超えるようであれば翌日以降に積極的にリカバリーを促していく．また，最近ではアマチュアでもワークロード管理がされており，小学生～高校生の野球大会のルールには球数制限が盛り込まれている．小学生であれば 1 日最大 70 球，中学生であれば 1 日最大 100 球，高校生であれば 1 週間で最大 500 球を超えて投球することは禁止されている．

●引用文献
1) 玉木正之：今こそ「スポーツとは何か？」を考えてみよう！．春陽堂書店，2020.
2) Dillman, C.J., et al.: Biomechanics of pitching with emphasis upon shoulder kinematics. *J. Orthop. Sports Phys. Ther.*, 18(2):402–408, 1993.
3) Fleisig, G.S., et al.: Kinematic and kinetic comparison of baseball pitching among various levels of development. *J. Biomech.*, 32(12):1371–1375, 1999.
4) Werner, S.L., et al.: Relationships between throwing mechanics and shoulder distraction in profes-sional baseball pitchers. *Am. J. Sports Med.*, 29(3):354–358, 2001.
5) Fleisig, G.S., et al.: Kinetics of baseball pitching with implications about injury mechanisms. *Am. J. Sports Med.*, 23(2):233–239, 1995.
6) Hechtman, K.S., et al.: Biomechanics of a less inva-sive procedure for reconstruction of the ulnar col-lateral ligament of the elbow. *Am. J. Sports Med.*, 26(5):620–624, 1998.
7) Ahmad, C.S., et al.: Biomechanical evaluation of a new ulnar collateral ligament reconstruction technique with interference screw fixation. *Am. J. Sports Med.*, 31(3):332–337, 2003.
8) Regan, W.D., et al.: Biomechanical study of liga-ments around the elbow joint. *Clin. Orthop. Relat. Res.*, 271:170–179, 1991.
9) 厚生労働省：運動プログラム作成のための原理原則―安全で効果的な運動を行うために．e–ヘルスネット［情報提供］．
https://www.e-healthnet.mhlw.go.jp/information/exercise/s-04-001.html
10) Blanch, P., et al.: Has the athlete trained enough to return to play safely? The acute : chronic workload ratio permits clinicians to quantify a player's risk of subsequent injury. *Br. J. Sports Med.*, 50(8):471–475, 2016.

スポーツ選手②
サッカー

学習目標
• サッカー現場での「運動療法」の適応と実際，特徴について知る．
• プロサッカー現場における理学療法士の役割について知る．

　サッカー現場における「運動療法」は，外傷・障害予防，アスレティックリハビリテーション，コンディショニングの手段の1つとして用いられている．サッカー選手を対象とした「運動療法」の効果について世界中で議論，研究が行われており，効果について科学的根拠（エビデンス）が示されてきている．実際のサッカー現場では効果が示されている「運動療法」を実施するだけでなく，前章で説明されている運動療法の理論などをふまえて，選手の状態やチームの状況に合わせて実施している．

　本章ではサッカー現場で用いられている「運動療法」の適応と実際，特徴についていくつか紹介する．また，筆者が経験したプロサッカー現場での理学療法士の役割についても簡単に紹介する．

A 外傷・障害予防

　サッカー現場で遭遇する外傷・障害の特徴は，試合中の発生が多く，70％が下肢で発生することが報告されている[1]．2019年のLópez-Valencianoらのプロサッカー選手における外傷・障害の疫学調査[2]においても，試合中の外傷・障害の発生率はトレーニング中の外傷・障害の発生率の約10倍であり，下肢の外傷・障害が最も多かったとされている．これらの外傷・障害を予防するための

いくつかの具体的方法を紹介する．

1 FIFA 11＋

　国際サッカー連盟（FIFA）の傘下である医学評価研究センター（FMARC）により外傷・障害予防プログラム「The 11」が作成され，その後，改良版である「FIFA 11＋」が作成された．FIFA 11＋は8分間のウォーミングアップとしてのランニングプログラム，10分間の筋力トレーニング，プライオメトリクストレーニング，バランス運動のプログラム，練習や試合の負荷に備えた2分間のランニングプログラムの3部で構成されている．最近の研究報告によりFIFA 11＋は外傷・障害の発生予防に効果的であることが明らかになってきている[3]．2016年のThorborgらの報告[4]によると，サッカーにおけるFIFA 11＋には外傷・障害を39％減少させるという予防効果があるとされた．また，7～13歳の子供の外傷・障害予防を目的とした「FIFA 11＋ for Kids」[5]や，ゴールキーパーの肩障害の予防を目的とした「FIFA 11＋ Shoulder」[6]が国際的な専門家グループによって開発されており，これらの有効性も示されてきている．

　FIFA 11＋のマニュアルや動画はFIFAのホームページや，日本サッカー協会のホームページで閲覧可能である．

▶図1　ノルディックハムストリングエクササイズ
膝立ち位の状態でパートナーが下腿遠位部を固定する．この状態から股関節屈曲がおこらないよう，膝を支点にゆっくりと前に倒れる．

2 ノルディックハムストリングエクササイズ：ハムストリング肉離れ

　サッカー現場でのハムストリング肉離れは全筋肉損傷の15〜50％を占めており，選手数の割合で評価したスポーツのなかで最も高い割合となっている[7-9]．ハムストリング肉離れを予防する手段の1つにノルディックハムストリングエクササイズ（Nordic hamstring exercise; NHE）（▶図1）がある．Al Attar らの報告[10]によると，NHE を含む外傷・障害予防プログラムを使用しているチームは，NHE を含む外傷・障害予防プログラムを使用していないチームと比較して，長期的にハムストリングの受傷率を最大で51％減少させた．サッカー現場では，NHE の際に発揮される左右ハムストリングの遠心性収縮の筋力や左右のバランスを測定できる機器を用いて，予防プログラムを実施する場合がある．

3 コペンハーゲンアダクションエクササイズ/クロスモーションスイング：鼠径部障害

　鼠径部障害はプロサッカー選手で多く発生し，数シーズンにわたる調査でもその発生率は一定し

ていた[11]．サッカーでは，鼠径部障害の3件中2件は内転筋に関連している[11-14]．股関節内転筋力が低いことは，鼠径部障害のリスクを高める重要かつ修正可能な危険因子として認識されている[15, 16]．2019年に Harøy ら[17]は，コペンハーゲンアダクションエクササイズ（▶図2）を用いた運動プログラムが，鼠径部痛の発生に対して有意に予防効果があることを報告した．

　また，最近では鼠径部障害の原因の1つとして全身の運動連鎖の破綻による影響もあげられている．わが国では，2003年に仁賀ら[18]が提唱した全身の機能改善で復帰と予防を行う「鼠径部痛症候群」の考え方が広まり，局所的な病態を考えてアプローチするのではなく，全身的な機能不全の評価と機能改善アプローチで診断，治療，予防を行う概念が広まってきている．この概念では全身の可動性，安定性，協調性の獲得を重要視している．仁賀ら[19]は肩甲帯と骨盤が互いに連動して逆方向に回旋する動きをクロスモーション（▶図3）と呼んでおり，可動性，安定性，協調性のすべてが必要とされている．このクロスモーションを正しく行えることが鼠径部障害予防の1つの手段として考えられている．

B アスレティックリハビリテーション

　アスレティックリハビリテーションとは，「競技復帰を目的とする」リハビリテーションである．アスレティックリハビリテーションに用いる手段には運動療法，物理療法，徒手療法，補装具療法などがある[20]．運動療法はあくまでも手段の1つである．

　サッカー現場におけるアスレティックリハビリテーションの特徴は「ボールを蹴るという動作を再構築すること」「90分間の試合に耐えられる全身機能を再構築すること」「選手個々のプレースタイルおよびポジション特性があること」などがあ

▶図 2　コペンハーゲンアダクションエクササイズ
肘を地面に着いてサイドブリッジ姿勢をとる．もう一方の手は腰に当てる．パートナーが上側の足首と膝を両手で腰の高さで支える．この状態から地面に着いた脚を上側の脚にそろえるように持ち上げながら，同時に上側の腰部も矢印のように上方へ引き上げる．3 秒で引き上げ，3 秒で降ろす動作を繰り返す．

▶図 3　キック動作におけるクロスモーション
キック動作のバックスイングの際にキック側下肢と反対側上肢が連動して動いている．

げられる．つまり，サッカーという競技の特性を理解したうえでアスレティックリハビリテーションのプログラムを立案し，実行していくことが重要となる．

以下にサッカー現場におけるアスレティックリハビリテーションの特徴についてのポイントと注意点をいくつか紹介する．

1 ボールを蹴る：キック動作の運動療法

アスレティックリハビリテーションの過程で医師の指示のもとボールを利用した運動療法を開始する．外傷・障害の部位や程度によって違いはあ

るが，患部への負荷を段階的に上げていく．この段階的な運動療法はキック動作を再構築するための治療であり，また，キック動作を障害している原因の評価手段でもある．何が原因でキック動作に障害を生じているかを分析し，その原因に対してアプローチする作業を繰り返していく．キック動作にかかわらず，動作は器質的，機能的，心理的な要因での結果であることを念頭において対応する必要がある．筆者はキック動作の運動療法において，強く蹴れることを目標にサンドバックをインステップキック，インサイドキック，アウトサイドキックの各種の方法で実施させている．その際に，選手が練習や試合をイメージして，ボールを蹴る角度や高さ，踏み込みの位置などを変えて実施していくことが重要である．

2 グローバル・ポジショニング・システム（GPS）

現代サッカーにおいて GPS は多くのチームで導入されている．練習および試合中の走行距離，低速/高速走行距離，スプリント距離/回数，加速/減速度などのデータを記録し，トレーニングやコンディショニング，アスレティックリハビリテーションに活用している．

アスレティックリハビリテーションでの活用では，選手が競技復帰するにあたって，受傷前の状態への回復程度を評価する．また，実際の走行速度が選手にリアルタイムでフィードバック可能となる．このように GPS で得られたデータを活用して運動療法の内容を検討する場合もある．

3 選手のプレースタイルとポジション特性

選手のプレースタイルとポジション特性を考慮した運動療法は，アスレティックリハビリテーションの後半において非常に重要となってくる．選手のプレースタイルや各ポジションによって求められる身体機能は異なるため，日ごろのチーム戦術や選手のプレーを十分に把握したうえで対応する必要がある．

C コンディショニング

コンディショニングとは競技のレベルにかかわらず，選手やチームがベストパフォーマンスを発揮するために目標とする望ましいコンディションと現在のコンディションとの間の差を最小化するための計画・実践過程である[21]とされている．

プロサッカーチームにおいて主にコンディショニングの中心となるスタッフは，フィジカルコーチやコンディショニングコーチと呼ばれている．これらのコーチを中心に，選手，チームがシーズンを通して高いパフォーマンスを発揮できるようサポートしている．理学療法士はこれらのコーチと密にコミュニケーションをはかり，選手のコンディションを共有し，必要に応じてサポートを行っている．

プロサッカー現場では試合当日，試合開始前の約 90 分の間に，試合に向けたコンディショニングを行うチームがほとんどである．その間に個人でのコンディショニング，チーム全体でのコンディショニングと進められる．個人でのコンディショニングの手段として用いられている運動療法では，主に柔軟性向上を目的としたストレッチング，安定性向上を目的としたコアトレーニング，協調性向上を目的としたバランス運動，キックやスプリント，コンタクトに備えた瞬発的な力を発揮させるトレーニングなどの運動療法を組み合わせて実施している．

試合終了直後からは次の試合に向けたコンディショニングが始まる．試合直後はジョギング，ストレッチングなどの軽負荷の運動療法を行っている．これらの運動療法は単独で行われることは少なく，アイスバスや温浴，全身振動刺激（whole body vibration; WBV）（▶図 4）などの物理療法

▶図 4　全身振動刺激（WBV）装置を利用したハムストリングのストレッチング

や，マッサージなどの運動療法以外の手段を併用して実施している場合がほとんどである．選手それぞれが心身の状態に合わせてコンディショニングを行うが，メニューに関して選手から理学療法士に意見を求められることや，実際にメニューを作成することもある．

Ⓓ プロサッカー現場における理学療法士の役割

　プロサッカーチームに所属する理学療法士は主にチームに所属する選手の怪我，病気への対応，選手の健康・体調管理のサポートを行う[22]．

　筆者が経験したサッカー現場（Ｊリーグチーム）では医師が常駐していないため，理学療法士が怪我をした選手への対応，アスレティックリハビリテーションを実施するにあたっての中心的な役割を担っている．

　選手が怪我をした直後から医師と連携をとり今後の方針を検討し，医師の治療方針に従って，治療プログラムを立案・実施する．理学療法士から

他のメディカルスタッフへリハビリテーションの進捗状況などを報告し，情報を共有する．医師の指示のもと必要に応じて，鍼灸師，あん摩マッサージ指圧師による鍼灸治療，マッサージ治療などが，理学療法士と怪我の情報を共有しながら実施されている．アスレティックリハビリテーションの後期では理学療法士とフィジカルコーチが連携をとり，選手のポジション特性やプレースタイルを考慮し，トレーニングメニューを立案し実施する．また，監督・コーチに対して選手の状況を報告し，チーム全体でアスレティックリハビリテーションを実施できるよう調整している．このように，怪我をした選手に対して理学療法士が中心となり多職種と現場で連携をとって対応している．

　2019 年の Ekstrand ら[23] の報告によると，トッププレベルのプロサッカーチームで，スタッフ間のコミュニケーションの質が低いチームでは，中程度または高いチームに比べ負傷率と重症外傷・障害の発生率が有意に高かった．さらに，トレーニングや試合への参加率も 4～5% 低下していた．すなわち，チーム内のコミュニケーションの質は，負傷率，トレーニング・試合への参加率に関連していた．このようにプロサッカーチームでの理学療法士がチーム・選手のサポートをするには，怪我，病気，健康・体調管理などへの対応方法の知識や技術だけでなく，多職種，スタッフ間との連携を円滑にする高いコミュニケーション能力が必要不可欠である．

　2023 年現在も医師が常駐している Ｊリーグチームは少ないのが現状であり，各チームの理学療法士やトレーナーは，現場での役割を幅広く求められている．上記は筆者の経験をもとに述べたが，実際は各クラブや現場での状況によって，理学療法士に求められる役割に違いがあることはご承知おきいただきたい．

●引用文献

1) Dvorak, J., et al.: Injuries and illnesses of football players during the 2010 FIFA World Cup. *Br. J. Sports Med.*, 45(8):626–630, 2011.

2) López-Valenciano, A., et al.: Epidemiology of injuries in professional football: a systematic review and meta-analysis. *Br. J. Sports Med.*, 54(12):711–718, 2020.

3) 佐保泰明ほか：サッカー：「FIFA 11＋」の目的と有用性. 臨スポーツ医, 33(11):1038–1042, 2016.

4) Thorborg, K., et al.: Effect of specific exercise-based football injury prevention programmes on the overall injury rate in football: a systematic review and meta-analysis of the FIFA 11 and 11+ programmes. *Br. J. Sports Med.*, 51(7):562–571, 2017.

5) Rössler, R., et al.: A Multinational Cluster Randomised Controlled Trial to Assess the Efficacy of '11+ Kids': A Warm-Up Programme to Prevent Injuries in Children's Football. *Sports Med.*, 48(6):1493–1504, 2018.

6) Al Attar, W.S.A., et al.: The FIFA 11+ Shoulder Injury Prevention Program Was Effective in Reducing Upper Extremity Injuries Among Soccer Goalkeepers A Randomized Controlled Trial. *Am. J. Sports Med.*, 49(9):2293–2300, 2021.

7) Engebretsen, A.H., et al.: Intrinsic risk factors for hamstring injuries among male soccer players: a prospective cohort study. *Am. J. Sports Med.*, 38(6):1147–1153, 2010.

8) Petersen, J., et al.: Acute hamstring injuries in Danish elite football: a 12-month prospective registration study among 374 players. *Scand. J. Med. Sci. Sports*, 20(4):588–592, 2010.

9) Askling, C., et al.: Hamstring injury occurrence in elite soccer players after preseason strength training with eccentric overload. *Scand. J. Med. Sci. Sports*, 13(4):244–250, 2003.

10) Al Attar, W.S.A., et al.: Effect of Injury Prevention Programs that Include the Nordic Hamstring Exercise on Hamstring Injury Rates in Soccer Players: A Systematic Review and Meta-Analysis. *Sports Med.*, 47(5):907–916, 2017.

11) Werner, J., et al.: UEFA injury study: a prospective study of hip and groin injuries in professional football over seven consecutive seasons. *Br. J. Sport Med.*, 43(13):1036–1040, 2009.

12) Hölmich, P., et al.: Incidence and clinical presentation of groin injuries in sub-elite male soccer. *Br. J. Sports Med.*, 48(16):1245–1250, 2014.

13) Mosler, A.B., et al.: Epidemiology of time loss groin injuries in a men's professional football league: a 2-year prospective study of 17 clubs and 606 players. *Br. J. Sports Med.*, 52(5):292–297, 2018.

14) Serner, A., et al.: Diagnosis of acute groin injuries: a prospective study of 110 athletes. *Am. J. Sports Med.*, 43(8):1857–1864, 2015.

15) Engebretsen, A.H., et al.: Intrinsic risk factors for groin injuries among male soccer players: a prospective cohort study. *Am. J. Sports Med.*, 38(10):2051–2057, 2010.

16) Whittaker, J.L., et al.: Risk factors for groin injury in sport: an updated systematic review. *Br. J. Sports Med.*, 49(12):803–809, 2015.

17) Harøy, J., et al.: The Adductor Strengthening Programme prevents groin problems among male football players: a cluster-randomised controlled trial. *Br. J. Sports Med.*, 53(3):150–157, 2019.

18) 仁賀定雄ほか：スポーツ選手の鼠径部痛の病態と最新の治療. 整・災外, 46:1211–1221, 2003.

19) 仁賀定雄ほか：鼠径部痛. 青木治人（編）：実践アトラスでよくわかるスポーツ外傷・障害診療マニュアル, pp.216–227, 全日本病院出版会, 2005.

20) 川野哲英, 小林寛和：アスレティックリハビリテーションの定義/機能評価の考え方. 河野一郎ほか（監）：公認アスレティックトレーナー専門科目テキスト⑦ アスレティックリハビリテーション, pp.5–14, 日本体育協会, 2007.

21) 日本アスレティックトレーニング学会：用語解説. https://js-at.jp/info/glossary_info?ginfo=24

22) 埴 敬裕：多分野に広がる理学療法 プロサッカーにおける理学療法士の役割. PT ジャーナル, 51(11):1005–1007, 2017.

23) Ekstrand, J., et al.: Communication quality between the medical team and the head coach/manager is associated with injury burden and player availability in elite football clubs. *Br. J. Sports Med.*, 53(5):304–330, 2019.

スポーツ選手 ③
テニス

学習目標
- プロテニス選手の活動環境・競技特性を理解する.
- テニス競技における理学療法士の役割について理解する.
- テニス選手に対する運動療法の利点を知る.

A テニス選手の生きる世界

スポーツ選手・各競技にかかわるうえで, 選手が人生を懸けて挑戦する世界を理解しておく.

1 プロテニス選手になり, 成功するには

日本テニス協会の登録基準によると, 日本ランキング 100 位以内で申請してプロテニス選手として登録することができる. しかし, プロテニス選手になれば生活が安泰というわけではない.

世界各地で開催される国際大会で勝利することでポイントを獲得し, 世界ランカーとなる. 世界ランカーは男女合わせて 3,000 人以上いるが, テニス界では, 世界ランキング 100 位以内でないと賞金のみでは生活できないといわれている. ちなみに現在, 日本人選手では, 男子 3 名, 女子 1 名 (2023 年 10 月 30 日時点)だけが 100 位以内にランキングされている.

2 プロツアーの仕組み

国際大会は, 男子が男子プロテニス協会(Association of Tennis Professionals; ATP), 女子は女子テニス協会(Women's Tennis Association;

WTA)が運営している.

ATP・WTA のツアーはピラミッド型であり, その頂点は, すべてのプロテニス選手が目指すグランドスラム(全豪, 全仏, 全英, 全米)である (▶図 1). ランキングが高いほど, 上位の大会に出場でき, ポイントも賞金も高くなる. 世界ランキング 100 位以内に入れば, グランドスラム本戦に出場でき, 1 回戦で敗退しても約 1,000 万円の賞金を獲得できる.

3 プロテニス選手の生活

2023 年の ATP ツアーの年間スケジュールでは, 世界各地で 1 月 1 日〜12 月 2 日まで 67 大会が毎週のように開催され, 選手は 1 年中移動しながら試合に参加している.

一例を紹介すると, ある選手はドイツで 6 連戦を戦ったあと, 約 14 時間の移動をし, 時差があるなかで, 翌日にまた次のトーナメントに出場している(▶図 2). この日程がいかに過酷なものか理解できるだろうか.

よいコンディションを維持し続けるのは難しいが, このような生活を続けられなければ, 選手としての成功はない.

選手としての成功を支えるためにも, 理学療法士の必要性, 役割は重要である.

ATP (Association of Tennis Professionals)　　　　　　WTA (Women's Tennis Association)

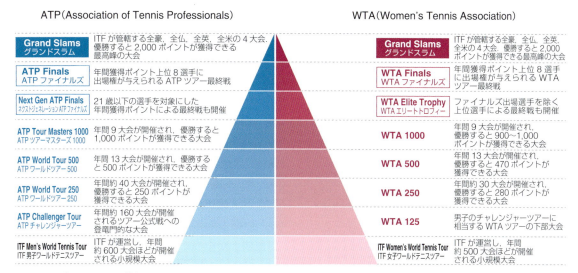

ATP		WTA	
Grand Slams グランドスラム	ITF が管轄する全豪，全仏，全英，全米の 4 大会．優勝すると 2,000 ポイントが獲得できる最高峰の大会	**Grand Slams** グランドスラム	ITF が管轄する全豪，全仏，全英，全米の 4 大会．優勝すると 2,000 ポイントが獲得できる最高峰の大会
ATP Finals ATP ファイナルズ	年間獲得ポイント上位 8 選手に出場権が与えられる ATP ツアー最終戦	**WTA Finals** WTA ファイナルズ	年間獲得ポイント上位 8 選手に出場権が与えられる WTA ツアー最終戦
Next Gen ATP Finals ネクストジェネレーションATP ファイナルズ	21 歳以下の選手を対象にした年間獲得ポイントによる最終戦も開催	**WTA Elite Trophy** WTA エリートトロフィー	ファイナルズ出場選手を除く上位選手による最終戦も開催
ATP Tour Masters 1000 ATP ツアーマスターズ1000	年間 9 大会が開催され，優勝すると 1,000 ポイントが獲得できる大会	**WTA 1000**	年間 9 大会が開催され，優勝すると 900～1,000 ポイントが獲得できる大会
ATP World Tour 500 ATP ワールドツアー500	年間 13 大会が開催され，優勝すると 500 ポイントが獲得できる大会	**WTA 500**	年間 13 大会が開催され，優勝すると 470 ポイントが獲得できる大会
ATP World Tour 250 ATP ワールドツアー250	年間約 40 大会が開催され，優勝すると 250 ポイントが獲得できる大会	**WTA 250**	年間約 30 大会が開催され，優勝すると 280 ポイントが獲得できる大会
ATP Challenger Tour ATP チャレンジャーツアー	年間 160 大会が開催されるツアー公式戦への登竜門的な大会	**WTA 125**	男子のチャレンジャーツアーに相当する WTA ツアーの下部大会
ITF Men's World Tennis Tour ITF 男子ワールドテニスツアー	ITF が運営し，年間約 600 大会ほどが開催される小規模大会	**ITF Women's World Tennis Tour** ITF 女子ワールドテニスツアー	ITF が運営し，年間約 500 大会ほどが開催される小規模大会

▶**図 1　プロツアーの仕組み**
世界ランキング 100 位以内の選手たちの主戦場は，おおまかに ATP・WTA 250～グランドスラム大会である．

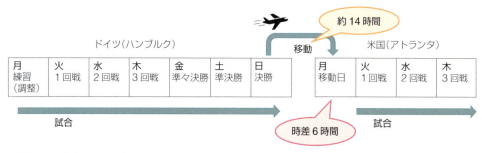

▶**図 2　2 大会のスケジュール**

B テニス競技の特徴

　プロテニス選手に携わるにあたり，テニスの競技特性を知ることは必須である．

1 試合

　テニスの試合は通常 3 セットマッチ（グランドスラムのみ男子 5 セットマッチ）制である．セットを先取する形式であるため，競った試合では試合時間は長くなる．ちなみに最長試合は，2010 年ウィンブルドンで 3 日間にわたった 11 時間 5 分である．

テニスは，長時間の有酸素運動とラリー中の前後左右の瞬発的なフットワークによる無酸素運動の高負荷が繰り返され，サーブやストロークでは 1 試合あたり数百回のスイング動作を行っている．

2 テニス競技における傷害による離脱と特徴

　プロテニス選手にとって，傷害による離脱は致命的である．実際にツアー中に生じた傷害による離脱および損傷部位について，これまでの研究で明らかになってきている．

　ツアー中の試合棄権の理由は，男子 54.6%，女子 61.0% と男女プロテニス選手の 50% 以上が傷

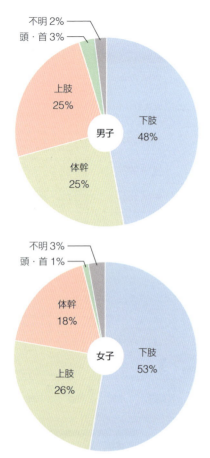

▶図 3　男女別の傷害の発生部位
〔Okholm Kryger, K., et al.: Medical reasons behind player departures from male and female professional tennis competitions. *Am. J. Sports Med.*, 43(1):34–40, 2015 より作成〕

テニス競技における理学療法士のかかわり方とその役割

これまでプロテニス選手の過酷なスケジュール・活動環境，テニスの競技特性から傷害による離脱が多いことについてふれてきた．選手生活を送るうえで，スポーツに従事する医療スタッフはコーチと同様に最重要スタッフである．

テニス競技は世界各国で行われていることから，医療スタッフは，共通した医療資格である理学療法士が中心となる．わが国のスポーツ界においては，スポーツに関連するスタッフをトレーナーと呼ぶことが多いが，米国，カナダ，ヨーロッパ，オセアニア，南米などの世界中ほとんどの地域で理学療法士が中心となり，テニス界では，医療スタッフは "フィジオ"（PT）と呼ぶことが当たり前となっている．

このようにテニス界では，グローバルスタンダードとして，理学療法士の役割が求められているが，具体的な理学療法士の役割はかかわり方により多岐にわたる．以下，大きく 3 つに分けて述べる．

1 病院・クリニック

一般の患者と同様に，リハビリテーション業務内でテニス選手への対応を行う．病院やクリニックでは主に傷害で戦線離脱をした選手の急性損傷や慢性的障害（→ 左段参照）による術後や保存療法に対する理学療法（運動療法）を行い，的確で最短でのツアー復帰が求められる．

2 国内テニストーナメント大会

国内で行われる国際大会や全日本選手権などのテニストーナメントでは，理学療法士（医療資格をもつトレーナー含む）が配備され，大会のオフィシャル理学療法士として活動することがで

害に起因しており，発生率は 1,000 試合あたり男子 28.74，女子 40.03 と報告されている．

発生部位としては，男女ともに下肢が非常に多く，男子は次いで体幹，上肢，女子は上肢，体幹の順である（▶図 3）[1]．また，下肢は急性損傷（大腿四頭筋・ハムストリングスの肉離れ，足関節捻挫・骨折など）が多く，上肢と体幹は慢性的障害（肩峰下インピンジメント，上腕骨内・外側上顆炎，尺側手根伸筋腱炎・脱臼，腰椎椎間板ヘルニアなど）が多い傾向が示唆されている[2]．

▶表1 選手帯同理学療法士の役割

（治療）技術	多職種連携	その他
スポーツ外傷・障害の予防 ●ウォーミングアップ ●クーリングダウン **救急処置** ●外傷，創傷の処置など **治療** ●理学療法 **教育** ●セルフエクササイズ ●体調管理指導	**医師** ●投薬や体調不良・怪我などの相談 **薬剤師（スポーツファーマシスト）** ●ドーピングコントロール **管理栄養士** ●栄養管理 **同職種** **会場スタッフ** ●フィジオルームの使用方法など，現地の情報収集	●スケジュール管理 ●医療機関の手配 ●帯同先の治安・食事環境などの情報収集 ●コミュニケーション

▶図4 選手帯同における理学療法士のグローバルな
働き方
世界中で開かれているテニスツアー大会．筆者もテニス選手の
フィジオとして 1 年の 3〜4 か月ほど飛び回っている．

きる．業務は主に，参加選手に対する治療（運動
療法など）やテーピングなどの処置である．ロッ
カールーム内での業務がほとんどであり，試合中
アクシデントが生じた際に介入するメディカルタ
イムアウト（medical time out; MTO）（➡ 263 ペー
ジ参照）にも対応する必要がある．

3 選手帯同

現在テニスの世界では，選手帯同は主に大きく
2 つのパターンに分かれる．1 つは選手と個人契
約を交わし専属となる場合であり，もう 1 つは，
日本テニス協会ナショナルチームから派遣され活
動する場合である．

テニス選手の主戦場は世界中であるため，帯
同する理学療法士の活動範囲も世界中となる
（▶図4）．

選手帯同をする場合の理学療法士の役割は，身
体のケアだけではなく，選手と旅をしながら生
活面から支えることを含み，非常に多岐にわたる
（▶表1）．

生活をともにしながら二人三脚で歩み，よいコ
ンディションでプレーでき，勝利を共有できるこ
とは，何にも代えがたい喜びとなる．

D テニス選手に対する運動療法

テニスは，身体への負担が大きい競技の 1 つで
あり，負荷を乗り越えることは，トップ選手にな
るための前提条件である．プロテニス選手は，全
員が何かしらの傷害をかかえており，心身ともに
プレーに支障をきたしている．そのため，プロテ
ニス選手に対する良好な運動療法は非常に効果的
である．実際に，テニス競技の特性を理解し，的
確な評価に基づいて運動療法が行うことができれ
ば，傷害の治療，リカバリー，メンタルの安定，
傷害の予防，パフォーマンス向上など多くの効果
があり，少しでもよい状態で試合に送り出すこと
で，勝利に結びつくことがある．選手に提供する
運動療法の可能性ははかりしれない（▶図5）．

1 試合日における運動療法の実際

選手帯同時には，選手のコンディションの変化

に応じて，的確な評価をもとに運動療法の内容を検討する．また，試合に向けた選手のスケジュールをもとに，効果的な運動療法のタイミングや内容を考慮する（▶図6）．

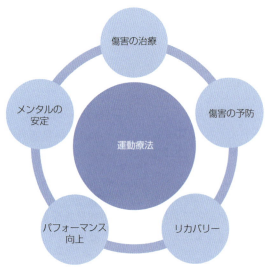

▶図5　テニス選手に対する運動療法の利点

2 練習・試合前ウォーミングアップ

①閾値走（全力の8割程度のランニング）
　体温（筋温）を上昇させ，筋肉の柔軟性向上，関節内の潤滑性を上げる．
②静的ストレッチ
　筋肉の柔軟性，可動域向上．
③動的ストレッチ
　可動域向上，心拍数や血流を増加させ，体温を高める．
④筋力維持・強化運動（▶図7A）
　筋肉・神経系に刺激を入れ，傷害の予防，パフォーマンス向上をはかる．
⑤テニス競技に合わせた専門的な動作（スイング動作とアジリティの組み合わせなど）
　1ポイント目からベストパフォーマンスができるようにする．

8:30 朝食	10:00〜 練習前 ウォーミング アップ	11:00〜 11:30 練習	12:00 昼食	13:30〜 試合前 ウォーミング アップ	14:00〜 17:00 試合	17:20〜 試合直後 クーリング ダウン	18:30 夕食	20:00 翌日に 向けての ケア	23:00 就寝

▶図6　試合日の運動療法（青）を行うスケジュール

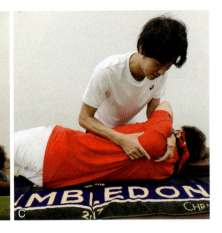

▶図7　運動療法の実際
A：チューブを使った肩の回旋筋腱板（インナーマッスル）エクササイズ，B：ハムストリングスのストレッチ，C：肩甲骨のモビライゼーション

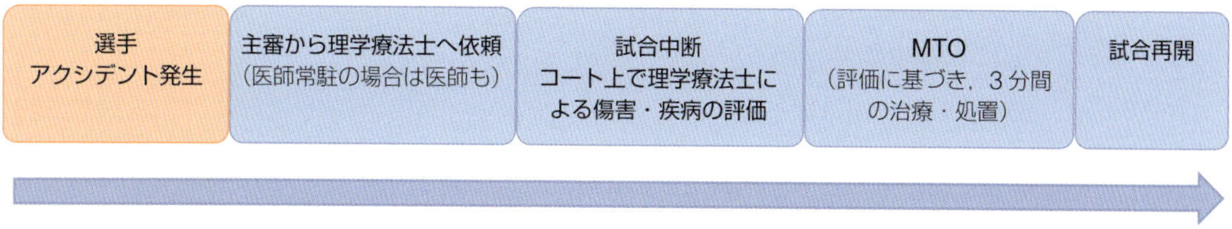

選手 アクシデント発生	主審から理学療法士へ依頼 （医師常駐の場合は医師も）	試合中断 コート上で理学療法士に よる傷害・疾病の評価	MTO （評価に基づき，3分間 の治療・処置）	試合再開

▶図8　MTOの流れ

3 試合直後クーリングダウン

①軽い有酸素運動（ジョギングや自転車エルゴ
メータ）
乳酸除去－血液分配の正常化をはかる.
②静的ストレッチ（疲労した大きな筋群から小さ
い筋群へ）（▶図7B）
筋肉の柔軟性，可動域を戻す.

4 翌日に向けての介入（ケア）

①問診
②身体のアライメント，可動域，動作などの評価
③評価に基づき，マッサージ，徒手療法，ストレッ
チなどのさまざまな運動療法を用いながら，翌
日の試合に向けてベストコンディションを調整
する（▶図7C）.

E テニス競技のメディカルルール

テニス競技には，コート内で発生したアクシデ
ントに対して選手が理学療法士を呼ぶことがで
きる．これは，選手を傷病から守るため，メディ
カルタイムアウト（MTO）といわれるメディカル
ルールが設けられており，オフィシャルトーナメ
ント理学療法士が対応する.
メディカルルールのMTOは，「1部位に対し

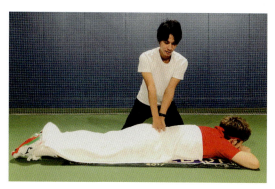

▶図9　MTOでの運動療法

て1回限り，3分以内の治療を受けることができ
る」と定められている.
選手にアクシデントがあり，主審から連絡を受
け，コートに駆けつける．一次的に試合が中断し
てしまうため，迅速で的確な評価が求められ，3
分以内に処置（運動療法などの治療含む）を行わな
ければならない（▶図8）.
選手にとってはいわば“救世主”であり，的確
な評価・治療が試合の続行および試合結果を左右
する可能性もある．MTOは，理学療法士にとっ
て1番の腕の見せ所であり，やりがいのある仕事
である（▶図9）.

●引用文献
1) Okholm Kryger, K., et al.: Medical reasons behind player departures from male and female professional tennis competitions. *Am. J. Sports Med.*, 43(1):34–40, 2015.
2) Fu, M.C., et al.: Epidemiology of injuries in tennis players. *Curr. Rev. Musculoskelet. Med.*, 11(1):1–5, 2018.

索 引